Prisma van de pseudoniemen

# Prisma van de pseudoniemen

PRISMA

Prisma-boeken worden in de handel gebracht door:
Uitgeverij Het Spectrum B.V.
Postbus 2073
3500 GB Utrecht

Samenstelling: Astrid Bosch en René van Praag
Zetwerk: Spectrum DBP
Druk: Koninklijke Wöhrmann, Zutphen
Eerste druk 1992

001-2812-001
ISBN 90 274 3098 5
NUGI 502

CIP-GEGEVENS KONINKLIJKE BIBLIOTHEEK, DEN HAAG

# Woord vooraf

Vandaag de dag menen we een beroemdheid van nabij te kennen op grond van de informatie die via de massamedia tot ons komt. Toch weten we vaak genoeg niet eens hoe hij heet. Hoe hij werkelijk heet. Publieke figuren verhullen hun ware identiteit veelal achter een schuilnaam. Het kan zijn dat de persoon in kwestie zo privé en werk wil scheiden of dat hij zijn familienaam niet vindt passen bij de functie de hij vervult. Je kunt als Amerikaans minister beter Henry dan Heinz heten, althans dat vond Kissinger.

Daarnaast zijn er ook nog de lieden die dankzij het gebruik van een pseudoniem (enige tijd) geheel anoniem kunnen blijven. Dit is voor politici en acteurs niet weggelegd, maar voor schrijvers en sommige journalisten een optie. De gezusters Hildegard en Margrete Monsma publiceerden jarenlang hun populaire detectiveverhalen, terwijl critici en lezers in het ongewisse bleven over wie er achter de signatuur Martin Mons schuilging.

De *Prisma van de pseudoniemen* geeft van zo'n duizend mensen de (belangrijkste) schuil- en artiestennamen. Het is een bonte verzameling van personen die één ding met elkaar gemeen hebben: zij zochten de openbaarheid onder een andere dan hun familienaam. De criteria aan de hand waarvan werd bepaald of iemand wel of niet in het boek diende te worden vermeld zijn uitermate arbitrair. Maar door het opnemen van onderling zeer verschillende personages, van beroemd tot tamelijk onbekend, van gevierd tot verguisd, van legendarisch tot obscuur en van mainstream tot cult, geeft het lexicon in zijn geheel een aardig beeld van het fenomeen schuilnaam. Het boek dat u in handen heeft is dan ook niet alleen een opzoekboek maar evenzeer een bladerboek.

De thematiek van dit naslagwerk blijft een geheimzinnige aangelegenheid. Daarom is het niet ondenkbaar dat een enkel pseudoniem op de pagina's die volgen ten onrechte aan een bepaald persoon wordt toegeschreven. De lezer die de samenstellers op een dergelijke onjuistheid kan attenderen wordt verzocht dit te doen.

De makers van deze Prisma bereiden nog enkele andere publikaties over schuil-, artiesten- en bijnamen voor. Zij houden zich derhalve - en met het oog op toekomstige edities van dit boek - aanbevolen voor nieuwe data en suggesties.

De auteurs zijn veel dank verschuldigd aan de personen en instanties die er zorg voor droegen dat honderden feiten konden worden getoetst aan de inhoud van geautomatiseerde bestanden, vergeelde dossiers en de fiches uit houten kaartenbakken. Het zijn goeddeels dezelfde mensen die hielpen bij het zoeken (en 'kraken') van nog niet eerder in een naslagwerk ontsloten pseudoniemen. Lof voor Roger Rennenberg en Johan Vanhecke van het Archief en Museum voor het Vlaamse Cultuurleven te Antwerpen; Francien van Bohemen, Tonny van der Vegt, Look Costers en Anton Bossers van Pica (Centrum voor Bibliotheekautomatisering) te Leiden; Wim Hazeu; Hans Renders; Piet Hein Honig; Pieter Koenders; Dick Welsink; Tom Blomberg; Marja Geesink van het Bureau voor de Bibliografie van de Neerlandistiek te Den Haag; Henk Ottema van het Nederlands Contactcentrum voor Science Fiction (NCSF) te Eerbeek; Pauline Oosterhoff; Ton van Draanen; Toos M. Saal-Zuurveen van de Stichting Kinderboek Cultuurbezit te Winsum; Jan C. Morks; Jan Bosch; Jellie Bosch-Norbruis; Arco van Os; Heinz W.A. Joosten; Ronald de Nijs en Hans van den Tol. Eveneens dank aan de voorlichters, uitgevers, producenten, archivarissen, bibliothecarissen, enz. die de auteurs inlichtingen hebben verschaft over specifieke publikaties, films, tv-programma's, grammofoonplaten en CD's. Zonder hen was dit boek niet mogelijk geweest.

René van Praag
Astrid Bosch

**Aaber, Geert**
(Alfred Kossmann; geb. 1922) Nederlands schrijver. Kossmann publiceerde in 1948 onder het pseudoniem Geert Aaber een boek over de schilder Jan Sluyters getiteld *Jan Sluyters. Naakttekeningen en composities*. In datzelfde jaar schreef hij ook *Distels voor vakgenoten*, dat hij met Philip van Son ondertekende. Kossmann gebruikte tevens de schuilnaam Gerard Sater.

**Aalberse, Han B.**
(Johannes van Keulen; 1917-1983) Nederlands uitgever en schrijver. Van Keulen publiceerde onder de schuilnaam Han B. Aalberse o.a. de roman *De liefde van Bob en Daphne* (1955). Het door sommigen als aanstootgevend beschouwde boek werd door de Amsterdamse zedenpolitie in beslag genomen. Van Keulen schreef tevens onder het pseudoniem Astrid van Royen.

**Abbing, Justine**
(Carolina Lea de Haan; 1881-1932) Nederlands schrijfster. De Haan ondertekende haar eerste romans, zoals *Een kunstenaar* (1921) en *Het verspeelde leven* (1922), met het pseudoniem Justine Abbing. Na haar scheiding van Kees van Bruggen bleef zij onder de naam Carry van Bruggen schrijven. Zij gebruikte ook het pseudoniem May.

**Abbott, Bud**
(William Alexander Abbott; 1895-1974) Amerikaans acteur. Abbott maakte samen met zijn partner Louis Cristello (1906-1959) alias Lou Costello in de jaren veertig en vijftig een groot aantal filmkomedies.

**Abel, Jurgen**
(Jan Gerhard Toonder; 1914-1992) Nederlands schrijver en journalist. Jan Gerhard Toonder publiceerde onder het pseudoniem Jurgen Abel de roman *De tijger in de staart* (1969). Hij gebruikte tevens de schuilnamen Toon Gerhard, Jan Nielsen en Gerard Spiegel. Jan Gerhard Toonder maakte samen met zijn broer Marten Toonder (geb. 1912) onder het pseudoniem Ben Ali een strip over Bram Ibrahim voor het omroepblad van de KRO. In 1939 verscheen *De woestijnavonturen van Bram Ibrahim. Een verhaal met een lach en een traan* in boekvorm. Marten Toonder gebruikte ook de schuilnaam Toonder.

**Abel, Peter**
(Eiso Toonder; geb. 1936) Nederlands striptekenaar. Van 1970 tot en met 1980 tekende Eiso Toonder onder het pseudoniem Peter Abel voor De Telegraaf de strip *Goeroe*, waarvan in 1975 een bundel verscheen. Bij het opzetten van dit beeldverhaal is Eiso's vader, Marten Toonder, intensief betrokken geweest.

**Achmatova, Anna**
(Anna Andrejevna Gorenko; 1889-1966) Russisch dichteres. Gorenko behoorde tot de akmeïsten. Zij schreef onder het pseudoniem Anna Achmatova o.a. de dichtbundels *Vetsjer* (1912) en *Podorozjnik* (1921).

**Adamo**
(Salvatore Adamo; geb. 1943) Belgisch zanger van Italiaanse afkomst. Adamo gaf overal in Europa concerten en vierde triomfen in het fameuze Parijse theater Olympia. Een van zijn belangrijkste hits was het liedje 'Les filles du bord de mer' (1965).

**Adams, Edie**
(Edith Adams Enke; geb. 1927) Amerikaans actrice. Adams Enke speelde o.a. naast Doris Day en Rock Hudson in *Lover come back* (1961).

**Adams, Maud**
(Maud Wikstrom; geb. 1945) Zweeds actrice. Wikstrom speelde o.a. in de James Bond-films *The man with the golden gun* (1974) en

*Octopussy* (1983).

**Adwaita**
(Johan Andreas der Mouw; 1863-
1919) Nederlands dichter en classi-
cus. Der Mouw, die zijn naam doorgaans als Dèr Mouw schreef, was
o.a. redacteur van het Tijdschrift
voor Wijsbegeerte. In 1919 en 1920
verschenen onder het pseudoniem
Adwaita twee door hem zelf samengestelde dichtbundels, getiteld
*Brahman I* en *II*. De auteur heeft de
voltooiing van dit project zelf niet
meer kunnen meemaken.

**Aerde, Rogier van**
(Adolf Jozef Hubert Frans van Rij-
en; geb. 1917) Nederlands schrijver.
Van Rijen schreef onder het pseudoniem Rogier van Aerde o.a. *Bezet
gebied* (1946), *Stem in de woestijn*
(1947) en *De arme bruiloftsgast*
(1956). Hij gebruikte tevens de
schuilnaam Adolf Mens.

**Aerds, Peter**
(Carel Theodorus Scharten; 1878-
1950) Nederlands schrijver en dichter. Scharten schreef in 1920 *De
heilige vreugden des levens*, dat hij
met Peter Aerds ondertekende.

**Agnew, Spiro**
(Spiro Theodore Anagnostopoulos;
geb. 1918) Amerikaans politicus
van Griekse afkomst. Anagnostopoulos was van 1969 tot 1973 vice-
president van de VS.

**Agnon, Samuel Josef**
(Josef Samuel Czaczkes; 1888-
1970) Pools schrijver. Czaczkes
won in 1966 de Nobelprijs voor literatuur. In 1924 liet hij zijn familienaam officieel veranderen in Agnon.

**Aimée, Anouk**
(Nicole Françoise Dreyfuss; geb.
1932) Frans actrice. Dreyfuss speel-
de o.a. een hoofdrol in *Lola* (1960)
en *Un homme et une femme* (1966).
Zij is tevens te zien in de Federico
Fellini-films *La dolce vita* (1960) en
*Otto e mezzo* (1963).

**Aislin**
(Christopher Terry Mosher; geb.
1942) Canadees cartoonist. Mosher
tekende o.a. voor Harper's, The
New York Times en National Lam-
poon. Hij signeerde tot het eind van
de jaren zeventig zijn werk met Aislin, de naam van zijn dochter. Nadien ging hij over op het gebruik
van zijn achternaam.

**Akijn, Wim**
(Willem Brakman; geb. 1922) Nederlands schrijver. In 1988 publiceerde Brakman onder het pseudoniem Wim Akijn de dichtbundel
*Rechtop in de kamer*. Het motto
'Een verwend lezer is een verwaar-
loosd lezer' van Brakmans essaybundel *De jojo van de lezer* (1985)
is van de hand van Brakman, maar
hij signeerde met de schuilnaam
*V. Quaedvlieghe*. Zowel Akijn als
Quaedvlieghe zijn personages uit
romans van Brakman.

**Alain-Fournier**
(Henri Alban Fournier; 1886-1914)
Frans schrijver. Fournier schreef onder het pseudoniem Alain-Fournier
o.a. de roman *Le grand Meaulnes*
(1913; Het grote avontuur).

**Albe**
(Renaat Antoon L. Joostens; 1902-
1973) Vlaams dichter en schrijver.
Joostens publiceerde onder de
schuilnaam Albe o.a. de dichtbundels *Paradijsvogel* (1931), *Ivoren
toren* (1940) en *Midzomerse mini-
aturen* (1967). Als Kapitein Zel-
denthuis schreef hij avontuurlijke
verhalen voor de jeugd. Joostens gebruikte tevens de schuilnamen Decanus O.D. en Piet Punt.

**Albert, Eddie**
(Edward Albert Heimberger; geb.
1908) Amerikaans acteur. Heimberger speelde o.a. van 1965 tot 1971
Oliver Wendell Douglas in de cult-
serie *Green Acres*.

**Alberti, Willeke**
(Willy Albertina Verbrugge; geb.
1945) Nederlands zangeres. Willy
Verbrugge zong met haar vader, Carel Verbrugge alias Willy Alberti,
talloze duetten, waarmee zij veel
succes hadden, zoals 'Zeg pappie ik
wilde u vragen' (1958) en 'Niemand
laat zijn eigen kind alleen' (1982).
Als soliste scoorde Willy Verbrugge

een hit met o.a. 'Spiegelbeeld' (1963), 'Mijn dagboek' (1964) en 'Carolientje' (1977).

**Alberti, Willy**
(Carel Verbrugge; 1926-1985) Nederlands zanger. De Jordanees Verbrugge boekte als vertolker van levensliederen, zoals 'De glimlach van een kind' (1968), vele successen. De tenor Carel Verbrugge zette samen met zijn dochter Willy Verbrugge alias Willeke Alberti een groot aantal duetten op de plaat, waaronder 'Een reisje langs de Rijn' (1969). Met deze liederen stonden zij meer dan eens in de Top 40.

**Alberts, Koos**
(Koos Krommenhoek; geb. 1947) Nederlands zanger. Krommenhoek verwierf met het vertolken van Nederlandstalig repertoire een grote schare fans. Hij stond eind 1984 zelfs met drie liedjes in de Top 40: 'Ik verscheurde je foto', 'Gisteren heeft zij mij verlaten' en 'Waarom ben ik met Kerstmis zo alleen'.

**Albrecht, H.**
(Borriës Freiherr von Münchhausen; 1874-1945) Duits dichter. Von Münchhausen publiceerde onder het pseudoniem H. Albrecht o.a. *Das Balladenbuch* (1924).

**Alcyone**
(Jiddu Krishnamurti; 1896-1986) Indiaas filosoof. Krishnamurti schreef onder het pseudoniem Alcyone o.a. *At the feet of the master* (1912; Aan des meesters voeten).

**Alda, Alan**
(Alphonso D'Abruzzo; geb. 1936) Amerikaans acteur en regisseur. D'Abruzzo speelde van 1972 tot 1983 Benjamin 'Hawkeye' Pierce in de tv-serie *M\*A\*S\*H*.

**Alda, Robert**
(Alfonso Giuseppe Giovanni Roberto D'Abruzzo; 1914-1986) Amerikaans acteur van Italiaanse afkomst. D'Abruzzo, de vader van Alan Alda, speelde o.a. in *Rhapsody in blue* (1945).

**Aldanov, Mark Aleksandrovitsj**
(Mark Aleksandrovitsj Landau; 1889-1957) Russisch schrijver en essayist. Landau schreef o.a. de romancyclus *Myslitel* (1921-27), die hij met Mark Aleksandrovitsj Aldanov ondertekende.

**Aldo, G.R.**
(Aldo Graziati; 1902-1953) Italiaans cameraman. Graziati deed het camerawerk voor o.a. *La terra trema* (1948) van Luchino Visconti en *Umberto D* (1952) van Vittorio de Sica.

**Aleksandrov, Grigori**
(Grigori Mormonenko; 1903-1983) Russisch regisseur. Mormonenko werkte in de jaren twintig en dertig nauw samen met Sergei Eisenstein en de cameraman Eduard Tisse.

**Alexander**
(Dirk van Oostveen; geb. 1963) Nederlands jurist. Van Oostveen schreef in 1988 het satirische boekje *Alexander, Student van Oranje*.

**Alexander, Peter**
(Peter Alexander Neumayer; geb. 1926) Oostenrijks zanger en acteur. Neumayer scoorde o.a. een hit met 'Wenn erst der Abend kommt' (1963).

**Alfredo, Willy**
(Willem Jue; 1898-1976) Nederlands sneldichter. Jue werd bekend door zijn kreet 'Roept u maar!', waarop men hem vanuit de zaal onderwerpen toeriep.

**Ali, Mohammed**
(Cassius Marcellus Clay; geb. 1942) Amerikaans bokser. In 1964 sloot Clay zich aan bij de Black Muslimbeweging. De leider van de Black Muslims, Elijah Mohammed, gaf hem zijn nieuwe naam Mohammed Ali.

**Alicia, Ana**
(Ana Alicia Ortiz; geb. 1956) Amerikaans actrice. Ortiz speelde o.a. van 1982 tot 1988 Melissa Cumson Gioberti in de tv-serie *Falcon Crest*.

**Alleh**
(Marcellus Emants; 1848-1923) Nederlands schrijver. Emants schreef in 1870 en 1871 onder het pseudoniem Alleh een aantal artikelen in het periodiek Quatuor. Hij gebruikte ook de schuilnaam Daroche.

**Allen, Woody**
(Allen Stewart Koningsberg; geb. 1935) Amerikaans regisseur, acteur en schrijver. Koningsberg won in 1977 een Oscar voor de regie van *Annie Hall* en in 1986 kreeg hij een Oscar voor zijn scenario van *Hannah and her sisters*. Hij schreef o.a. de verhalenbundels *Getting even* (1971) en *Without feathers* (1975). In Nederland verschenen de bundels *Ja, maar kan een stoommachine dat ook?* (1980) en *Bijverschijnselen* (1981).

**Alstein**
(Marc van Alstein; geb. 1947) Vlaams schrijver. Van Alstein publiceerde onder het pseudoniem Alstein o.a. de romans *De opstand* (1975) en *Liebrecht of de geruisloosheid van de bourgeoisie* (1978).

**Ameche, Don**
(Dominic Felix Amici; geb. 1908) Amerikaans acteur. Amici is te zien in Ernst Lubitsch' *Heaven can wait* (1943). Hij speelde tevens met Eddy Murphy in zowel *Trading places* (1983) als in *Coming to America* (1988). In 1985 won Amici een Oscar voor zijn bijrol in *Cocoon*.

**Ameide, Th. van**
(Johan Hendrik Labberton; 1877-1955) Nederlands dichter en essayist. Labberton publiceerde onder het pseudoniem Th. van Ameide o.a. *Lof der wijsheid* (1906), *De Balkanstrijd* (1913) en *Eeuwige lente* (1941).

**Ames, Leon**
(Leon Wycoff; geb. 1903) Amerikaans acteur. Wycoff speelde o.a. in *Meet me in St. Louis* (1944), *The postman always rings twice* (1946) en *Peggy Sue got married* (1986).

**Ammelrooy, Willeke van**
(Willy van Ammelrooij; geb. 1944) Nederlands actrice. Van Ammelrooij speelde o.a. in *Een vlucht regenwulpen* (1981), *De lift* (1983) en *Op hoop van zegen* (1986).

**Amrito, Swami Deva**
(Jan Foudraine; geb. 1929) Nederlands psychiater en schrijver. Foudraine schreef onder eigen naam o.a. *Wie is van hout* (1971). Vanaf 1978 noemde hij zich als volgeling van Bhagwan Shree Rajneesh geruime tijd Swami Deva Amrito. Onder deze naam publiceerde hij o.a. *'Bhagwan...': notities van een discipel* (1980) en *Meester, antimeester en de psychotherapeut* (1981).

**Anders, Martin**
(Martin Tukker; geb. 1953) Nederlands discjockey en muziekredacteur. Tukker verzorgde in 1977 en 1978 onder eigen naam de column 'Anders' voor Muziek Parade Magazine. Hij werkte nadien onder het pseudoniem Martin Anders als redacteur voor verschillende popprogramma's, zoals *Popformule*.

**Anders, A. van**
(A.L. Schneiders; geb. 1925) Nederlands schrijver en diplomaat. Schneiders publiceerde in 1981 onder het pseudoniem A. van Anders de verhalenbundel *De trek van de secretaris-vogel*.

**Anderson, Gilbert M.**
(Max Aronson; 1882-1971) Amerikaans acteur, regisseur en producent. Aronson richtte samen met George K. Spoor de Essanay produktiemaatschappij op. Deze studio maakte korte cowboyfilms over de avonturen van Bronco Billy.

**Andreus, Hans**
(Johan Wilhelm van der Zant; 1926-1977) Nederlands dichter en schrijver. Van der Zant behoorde tot de Vijftigers. Hij schreef onder het pseudoniem Hans Andreus o.a. de dichtbundel *De taal der dieren* (1953) en het kinderboek *Op avontuur met meester Pompelmoes* (1965).

**Andrews, Julie**
(Julia Wells; geb. 1935) Engels actrice en zangeres. Wells speelde o.a. een hoofdrol in de musicals *Mary Poppins* (1964) en in *The sound of music* (1965). Voor haar vertolking van Mary Poppins kreeg ze een Oscar.

**Angeli, Pier**
(Anna Maria Pierangeli; 1932-1971) Amerikaans actrice van Italiaanse

afkomst. Pierangeli was o.a. de te-
genspeelster van Paul Newman in
*Somebody up there likes me* (1956).

**Angell, Norman Lane**
(Ralph Norman Angell Lane; 1874-
1967) Engels journalist en schrijver.
Lane schreef o.a. *The great illusion*
(1910). Angell Lane veranderde zijn
naam officieel in Angell. Hij was lid
van het Uitvoerend Comité van de
Volkerenbond en de National Peace
Council en kreeg in 1933 de Nobelprijs voor de vrede.

**Angelo, Bob**
(Niek Engelschman; 1913-1988)
Nederlands acteur. De hoorspelac-
teur Engelschman was in maart
1940 medeoprichter van het homo-
tijdschrift Levensrecht. Maandblad
voor Vriendschap en Vrijheid. Na
de inval van de Duitsers staakte hij
de uitgave. De exemplaren die hij
nog in bezit had, werden in een
wasmachine tot pulp gedraaid. In
1946 pakte Engelschman de draad
weer op en verscheen het vierde
nummer van Levensrecht. Het blad
heeft daarna nog twee jaar bestaan.
Engelschman stond ook aan de wieg
van de periodieken Vriendschap
(1949-64), De Schakel (1965-66) en
Dialoog (1965-66). Hij schreef al-
tijd onder het pseudoniem Bob Angelo.
Engelschman was voorzitter (1947-
1963) en secretaris (1947-1952) van
de Amsterdamse homoverenigingen
de Shakespeare Club respectievelijk
Cultuur en Ontspannings Centrum
(COC). Ook in het verenigingsleven
gebruikte hij de schuilnaam Bob
Angelo.

**Annabella**
(Suzanne Georgette Charpentier;
geb. 1907) Frans actrice. Charpentier speelde o.a. een hoofdrol in *Le
million* (1931) van René Clair.

**Ann-Margret**
(Ann-Margret Olsson; geb. 1941)
Amerikaans actrice en danseres van
Zweedse afkomst. Olsson speelde
o.a. met Jack Nicholson in *Carnal
knowledge* (1971) en in de rockope-
ra *Tommy* (1975).

**Ant, Adam**
(Stuart Goddard; geb. 1954) Engels
zanger en gitarist. Goddard was de
spil van de door hem in 1977 opgerichte punkband Adam and the
Ants.

**Antipholus van Ephesus**
(Jan Engelman; 1900-1972) Nederlands dichter. Engelman publiceerde
in 1944 de rijmprent *Ballade van de
waarheid*, die hij met Antipholus
van Ephesus ondertekende. Hij gebruikte ook de schuilnaam Redcel
Elf.

**Anthony, Peter**
De Engelse tweelingbroers Anthony
Joshua Shaffer (geb. 1926) en Peter
Levin Shaffer (geb. 1926) schreven
onder het pseudoniem Peter Anthony een aantal politieromans rond de
detective Mr. Verity, zoals *How
doth the Little Crocodile* (1952) en
*Withered murder* (1955).

**Anthony, Piers**
(Piers Anthony Dillingham Jacob;
geb. 1934) Amerikaans schrijver
van Engelse afkomst. Jacob publiceerde onder het pseudoniem Piers
Anthony SF-romans, zoals *SOS the
rope* (1968; SOS de demon).

**Anthony, Richard**
(Richard Btesh; geb. 1938) Frans
zanger. De rocker Btesh had in jaren vijftig veel succes met het zingen van in het Frans vertaalde Amerikaanse hits.

**Anus, Urbanus van**
(Urbain Joseph Servranckx; geb.
1949) Vlaams cabaretier. Servranckx speelde o.a. de hoofdrol in
*Hector* (1987) en *Koko Flanel*
(1990).

**Ape**
(Carlo Pellegrini; 1838-1889) Italiaans cartoonist. Pellegrini is een telg
van het vermaarde geslacht van de
Medici's. De in Napels opgegroeide
kunstenaar trok in 1865 naar Londen. Vanaf 1869 was Pellegrini verbonden aan de glossy Vanity Fair.
Zijn eerste twee portretten in dit
tijdschrift, voorstellende Benjamin
Disraeli en William Gladstone, signeerde hij met Singe, Frans voor

'aap'. Nadien koos hij voor het Engelse Ape. Pellegrini bleef tot aan zijn dood voor Vanity Fair werken. De laatste persoon die hij tekende was de uitvinder Thomas Edison.

**Apollinaire, Guillaume**
(Wilhelm Apollinaris Albertus Kostrowitsky; 1880-1918) Frans dichter van Poolse afkomst. Kostrowitsky schreef onder het pseudoniem Guillaume Apollinaire o.a. de dichtbundel *Alcools* (1913).

**D'Arby, Terence Trent**
(Terence Darby; geb. 1962) Amerikaans zanger en componist. Darby scoorde een hit met o.a. 'Wishing well' (1987), 'Dance little sister' (1987) en 'Sign your name' (1987).

**Arden, Elizabeth**
(Florence Nightingale Graham; 1878-1966) Canadees grondlegger van gelijknamig cosmetica-imperium.

**Arden, Eve**
(Eunice Quedens; 1909-1990) Amerikaans comédienne. Quedens speelde o.a. in *Mildred Pierce* (1945) en *Grease* (1978). In 1980 vertolkte zij een gastrol in *The Love Boat*.

**Arean, Jenny**
(Joanna Klarenbeek; geb. 1942) Nederlands kleinkunstenares en actrice. Klarenbeek speelde o.a. in de door de NCRV uitgezonden musicals *Er valt een ster* (1963-64), *Vadertje Langbeen* (1964-65) en *Zout als de zeewind* (1965-66). Zij is tevens te zien in *Keetje Tippel* (1975) van Paul Verhoeven. Van 1980 tot 1983 trad zij met Ischa Meijer op in diens cabaretprogramma's, zoals *Het leven van Jos Brink, deel 2* en *Holiday in ice*.

**Arion, Frank Martinus**
(Frank Efraim Martinus; geb. 1936) Antilliaans schrijver en dichter. Martinus schreef onder het pseudoniem Frank Martinus Arion o.a. de romans *Dubbelspel* (1973) en *Nobele wilden* (1979).

**Arlen, Harold**
(Chaim Arluk; 1905-1986) Amerikaans componist. Arluk won in 1939 een Oscar voor het liedje 'Over the rainbow' uit *The wizard of Oz*.

**Arletty**
(Arlette-Léonie Bathiat; 1898-1992) Frans actrice. Bathiat speelde in een aantal films van Marcel Carné. Zo was ze de bedrogen maîtresse in *Le jour se lève* (1939) en de fatale vrouw Garance in *Les enfants du paradis* (1945).

**Armand**
(Herman van Loenhout; geb. 1946) Nederlands zanger. Van Loenhout scoorde in 1967 de hits 'Ben ik te min' en 'Blommenkinders'.

**Armando**
(Herman Dirk van Dodeweerd; geb. 1929) Nederlands schilder, dichter en schrijver. Van Dodeweerd maakte samen met Cherry Duyns een serie absurdistische tv-programma's onder de titel *Herenleed*.

**Armstrong, Campbell**
(Campbell Black; geb. 1944) Amerikaans schrijver van Engelse afkomst. Black schreef onder het pseudoniem Campbell Armstrong een aantal thrillers, w.o. *Jig* (1987; Jig) en *White light* (1988; Het witte licht). Hij gebruikte ook de schuilnaam Thomas Altman.

**Arnaz, Desi**
(Desiderio Alberto Arnaz y de Acha III; 1917-1986) Amerikaans acteur, musicus en producent van Cubaanse afkomst. Arnaz y de Acha speelde van 1951 tot 1960 Ricky Ricardo, de echtgenoot van Lucy, in respectievelijk *I love Lucy* en *The Lucy-Desi Comedy hour*.

**Arnaz jr., Desi**
(Desiderio Alberto Arnaz y de Acha IV; geb. 1953) Amerikaans acteur en zanger. Arnaz y de Acha speelde o.a. van 1968 tot 1971 Craig Carter in de comedy-serie *Here's Lucy*.

**Arnaz, Lucie**
(Lucille Desiree Arnaz y de Acha; geb. 1951) Amerikaans actrice en zangeres. Arnaz y de Acha speelde o.a. van 1968 tot 1974 Kim Carter in de tv-serie *Here's Lucy*.

**Arness, James**
(James Aurness; geb. 1923) Ameri-

kaans acteur. Aurness speelde o.a. van 1955 tot 1975 sheriff Matt Dillon in de tv-serie *Gunsmoke.*

**Arno, Sig**
(Siegfried Aron; 1895-1975) Duits filmkomiek en portretschilder. Aron speelde o.a. in *The great dictator* (1940).

**Arnoul, Françoise**
(Françoise Annette Marie Mathilde Gautsch; geb. 1931) Frans actrice. Gautsch speelde o.a. in *Sait-on-jamais?* (1956) van Roger Vadim.

**Arthur, Jean**
(Gladys Georgianna Greene; 1898-1991) Amerikaans actrice. Greene speelde in Frank Capra's *Mr. Deeds goes to town* (1936). Zij is o.a. ook te zien in *The more the merrier* (1943) en *Shane* (1953), beide van George Stevens.

**Ashdown, Clifford**
(Richard Austin Freeman; 1862-1943) Engels medicus en detectiveschrijver samen met (John James Pitcairn; 1860-1936) Engels detectiveschrijver. Freeman, die onder eigen naam ruim 25 boeken schreef rond de politiearts John Evelyn Thorndyke, publiceerde samen met Pitcairn onder het pseudoniem Clifford Ashdown de roman *The adventures of Romney Pringle* (1902). Centraal in dit boek staat Romney Pringle, die als rentenierend *gentleman crook* zijn dagen kuierend doorbrengt.

**Ashe, Gordon**
(John Creasy; 1908-1973) Engels politicus en schrijver. Creasy schreef ongeveer vijfhonderd boeken, met name detectives, onder meer dan 25 pseudoniemen, zoals Gordon Ashe, M.E. Cooke, Margaret Cooke, Henry St. John Cooper, Norman Deane, Elise Fecamps, Robert Caine Frazer, Patrick Gill, Michael Halliday, Charles Hogarth, Brian Hope, Colin Hughes, Kyle Hunt, Abel Mann, Peter Manton, J.J. Marric, James Marsden, Richard Martin, Rodney Mattheson, Anthony Morton, Ken Ranger, William K. Reilly, Tex Riley en Jeremy York.

Bij elk pseudoniem trad een vaste hoofdpersoon c.q. speurder op. Onder de schuilnaam Gordon Ashe schreef Creasy o.a. *Death in high places* (1942) en *Murder too late* (1947).

**Asherson, Renée**
(Renée Ascherson; geb. 1915) Engels actrice. Ascherson speelde o.a. in *Henry V* (1944) en *The day the earth caught fire* (1961).

**Astaire, Fred**
(Frederick Austerlitz; 1899-1987) Amerikaanse acteur en danser. Austerlitz maakte in de jaren dertig samen met Ginger Rogers verscheidene musicals, w.o. *The gay divorcee* (1934) en *Top hat* (1935). In 1949 ontving hij een Oscar voor zijn gehele oeuvre. Vijfentwintig jaar later kreeg hij een Oscarnominatie voor zijn bijrol in de rampenfilm *The towering inferno.*

**Astor, Mary**
(Lucille Vasconcellos Langhanke; 1906-1987) Amerikaans actrice. Langhake kreeg in 1941 een Oscar voor haar bijrol in *The great lie.* Zij speelde o.a. ook in *The hurricane* (1937), *The prisoner of Zenda* (1937) en *The Maltese Falcon* (1941).

**Astro**
(Terrence Wilson; geb. 1957) Engels percussionist en trompettist. Wilson is lid van de Engelse popgroep UB40.

**Atatürk, Kemal**
(Mustafa Kemal; 1881-1938) Turks militair en staatsman. Mustafa Kemal was de eerste president van de in 1923 uitgeroepen republiek Turkije. Hij bleef deze functie tot aan zijn dood bekleden. De grondwet van 1924 gaf hem grote bevoegdheden, die hij benutte voor een radicale hervorming van het traditionele Turkije naar Westeuropees model. Toen in 1934 in zijn land het gebruik van achternamen werd ingevoerd, verwierf hij de naam Atatürk, dat 'Vader der Turken' betekent.

**Atele, Rudolf**
(P.H. Ritter jr.; 1882-1962) Neder-

lands journalist en schrijver. Ritter was tot 1933 hoofdredacteur van het Utrechtsch Dagblad. Hij publiceerde in 1911 *Kleine prozastukken*, die hij met Rudolf Atele ondertekende.

**Atheling, William**
(Ezra Pound; 1885-1972) Amerikaans dichter. Pound schreef onder het pseudoniem William Atheling van 1917 tot 1921 muziekrecensies voor het tijdschrift New Age. Hij gebruikte tevens de schuilnamen M.D. Atkins, B.L., B.H. Dias, Ferrex, John Hall, Henry Hawkins, Bastien von Helmholz, J.L., Hiram Janus, Weston Llewmys, Hermann Karl Georg Jesus Maria, Abel Sauders, T.J.V., Alfred Venison en Z.

**Atherton, William**
(William Knight; geb. 1947) Amerikaans acteur. Knight speelde o.a. in *Looking for Mr. Goodbar (1977) en Ghostbusters* (1984).

**Atkins, Christopher**
(Christopher Atkins Bomann; geb. 1961) Amerikaans acteur. Atkins Bomann speelde o.a. een hoofdrol in *The Blue Lagoon* (1980). Van 1983 tot 1984 was hij Peter Richards in de soap *Dallas*.

**Audran, Stéphane**
(Colette Suzanne Jeannine Dacheville; geb. 1932) Frans actrice. Dacheville speelde in Luis Buñuels *Le charme discret de la bourgeoisie* (1972). Zij is o.a. ook te zien in zo'n vijftien films van haar tweede echtgenoot Claude Chabrol, w.o. *Les biches* (1968), *Le boucher* (1969) en *Juste avant la nuit* (1971).

**Auer, Mischa**
(Mischa Ounskowski; 1905-1967) Amerikaans acteur van Russische afkomst. Ounskowski speelde o.a. in de komedie *My man Godfrey* (1936) en in de western *Destry rides again* (1939).

**Aumont, Jean-Pierre**
(Jean-Pierre Salomons; geb. 1909) Frans acteur. Salomons speelde met Frank Sinatra in *The devil at four o'clock* (1961). Hij was o.a. ook te zien in *La nuit Américaine* (1973) en in *The Happy Hooker* (1975).

**Austerlitz, Johnny**
(Herman Pieter de Boer; geb. 1928). Nederlands schrijver. De Boer verzorgde in de jaren zestig onder de schuilnaam Johnny Austerlitz een column voor Telekleur, een bijlage van De Telegraaf. Met ditzelfde pseudoniem ondertekende hij ook de liedjes 'Oh Waterlooplein' en 'Ik heb een hele grote spijker in mijn kop'. De Boer publiceerde tevens onder de schuilnamen Eduard Rancune en Elly Engel.

**Auwera, Fernand**
(Fernand Leon Henri van der Auwera; geb. 1929) Vlaams schrijver. Van der Auwera schreef onder het pseudoniem Fernand Auwera o.a. *De weddenschap* (1963) en *Zelfportret met ogen gesloten ogen* (1973).

**Avalon, Frankie**
(Francis Thomas Avallone; geb. 1939) Amerikaans zanger en acteur. Avallone speelde o.a. in *Beach party* (1963) en in *Grease* (1978).

**Avatar of Vishnuland**
(Rudyard Kipling; 1865-1936) Engels schrijver. Kipling, de auteur van *Jungle books* (1894-95), publiceerde een aantal korte verhalen onder het pseudoniem Avatar of Vishnuland. In 1907 kreeg hij de Nobelprijs voor literatuur.

**Avery, Tex**
(Fred Bean Avery; 1908-1980) Amerikaans animator. Avery ontwikkelde in de jaren dertig de legendarische figuurtjes *Porky Pig, Daffy Duck* en *Bugs Bunny*.

**Aznavour, Charles**
(Shahnour Varenagh Aznavourian; geb. 1924) Frans zanger en acteur van Armeense afkomst. Aznavourian zong o.a. in het vermaarde Parijse theater Olympia. Hij dankt zijn populariteit aan nummers als 'Père Noël est swing' (1942), 'Il faut savoir' (1949), 'Je t'attends' (1961) en 'La mamma' (1964). Hij schreef tevens aan het repertoire van verschillende zangers. Zo maakte hij voor Juliette Gréco het nummer 'Je hais les dimanches' (1950) en voor Gilbert Bécaud de liedjes 'Viens'

(1952) en 'Donnez-moi' (1952). Als acteur is hij o.a. te zien in *Tirez sur le pianiste* (1960) van François Truffaut en in *Die Blechtrommel* (1979) van Volker Schlöndorff.

**Azorín**
(José Martínez Ruíz; 1874-1967) Spaans schrijver. Ruiz schreef onder het pseudoniem Azorín o.a. de romans *La voluntad* (1902), *Antonio Azorín* (1903) en *La ruta de Don Quijote* (1905). Hij gebruikte ook de schuilnamen Ahrimán en Cándido.

**Baal, Karin**
(Karin Blauermel; geb. 1940) Duits actrice. Blauermel speelde o.a. in Rainer Werner Fassbinders *Lili Marleen* (1980).

**Baanbreker**
(Henk Sneevliet; 1883-1942) Nederlands vakbondsleider en politicus. Sneevliet publiceerde onder de schuilnaam Baanbreker in 1941 de illegale brochure *Spartakus ontwaakt! Het derde front marcheert.* Hij gebruikte voorts de pseudoniemen A. van Boxtel, Jack Horner, Mander, H. Maring, Philipp, Sentot en H. Simons.

**Baandijk, A.C.M.**
(Albert C. Baantjer; geb. 1923) Nederlands schrijver en politieman met (Maurice van Dijk; geb. 1922) Nederlands politieman. Baantjer en Van Dijk schreven in 1959 onder de schuilnaam A.C.M. Baandijk *5 x 8... grijpt in* over hun belevenissen in de jaren vijftig als agenten op de surveillance-wagen.

**Babylon, Frans**
(Franciscus Gerardus Jozef Obers; 1924-1968) Nederlands dichter en kunstcriticus. Obers publiceerde onder het pseudoniem Frans Babylon o.a. de dichtbundels *Privé-feest* (1955), *Paspoort van mijn hart* (1959) en *Vlinders en bijen* (1960).

**Bacall, Lauren**
(Betty Joan Perske; geb. 1924) Amerikaans actrice. Perske speelde o.a. met haar echtgenoot Humphrey Bogart in *The big sleep* (1946) en in *Key Largo* (1948).

**Bachman, Richard**
(Stephen King; geb. 1947) Amerikaans schrijver van horrorromans. King, die onder eigen naam o.a. *The shining* (1978) schreef, publiceerde

in 1984 de roman *Thinner* (De ver-
vloeking), die hij met Richard
Bachman ondertekende.

**Back, Johannes de**
(Heere Heeresma; geb. 1932). Nederlands schrijver. Heeresma
schreef onder het pseudoniem Johannes de Back de trilogie *Gelukki-
ge paren* (1968) en de roman *Over
de last der lusten* (1968). Hij gebruikte voorts de schuilnamen Ben
Bulla, Rochus Brandera, Horst Liederer, Ooke Balstra en Prof. Dr. Ing.
Mr. Roesinghe.

**Baddeley, Hermione**
(Hermione Clinton-Baddeley; 1906-
1986) Engels actrice. Clinton-Baddeley speelde o.a. van 1974 tot 1977
huishoudster Mrs. Nell Naugatuck
in de tv-serie *Maude*.

**Baden Powell of Wilwell, Lord Ro-
bert**
(Joost Veerkamp; geb. 1953) Nederlands tekenaar. In 1985 maakte
Veerkamp onder het pseudoniem
Lord Robert Baden Powell of Wilwell een boek getiteld *Het verken-
nen van jongens*. Veerkamp trad onder de schuilnaam Guy te Laer zelf
als uitgever op. In 1988 verscheen
een geheel herziene versie zoge-
naamd ter gelegenheid van het vijf-
enzeventigjarig bestaan van Scou-
ting Nederland. Van mei tot juni
1991 tekende Veerkamp in Propria
Cures de strip *Kluifje en de Bêta-
kunst*, die hij met Fils d'Hergé ondertekende.

**Baker, Bob**
(Leland Weed; 1910-1975) Amerikaans acteur en zanger. Weed, de
zingende cowboy, speelde o.a. de
hoofdrol in een twaalftal westerns
waarin hij door zijn trouwe vriend,
het paard Apache, werd bijgestaan.

**Baker, George**
(Hans Bouwens; geb. 1944) Nederlands zanger en componist. Bouwens scoorde met de door hem opgerichte George Baker Selection
vele hits, zoals 'Paloma Blanca'
(1975) en 'Rosita' (1978).

**Baker, Josephine**
(Frida Josephine McDonald; 1906-

1975) Frans zangeres en danseres
van Amerikaanse afkomst. McDonald trad vanaf 1927 meermalen op
in de Folies-Bergère te Parijs, waar
zij veel succes had met liedjes als
'La petite Tonkinoise' en 'J'ai deux
amours'.

**Báky, Josef von**
(József Báky e Zombor; 1902-1966)
Hongaars regisseur. Báky e Zombor
maakte in 1943 de film *Münchhausen*, waarvoor Erich Kästner (1899-
1974) onder de schuilnaam Berthold
Bürger het scenario schreef.

**Balázs, Béla**
(Herbert Bauer; 1884-1949) Hongaars filmtheoreticus en scenarioschrijver. Bauer schreef in 1931
samen met Leo Lania en Ladislas
Vajda het scenario voor de filmver-
sie van Bertold Brechts *Die Drei-
groschenoper* (1928).

**Balthus**
(Balthasar Klossowski de Rola; geb
1908) Frans schilder en tekenaar
van Poolse afkomst. Graaf Klossowski de Rola legde zich onder
meer toe op het schilderen van
mooie, jonge vrouwen en Parijse
straatscènes.

**Bancroft, Anne**
(Anna Maria Louisa Italiano; geb.
1931) Amerikaans actrice. Italiano
speelde o.a. in *The elephant man*
(1980), *Agnes of God* (1985) en
*Torch song trilogy* (1988). In 1962
won zij een Oscar voor haar hoofdrol in *The miracle worker*.

**Bara, Theda**
(Theodosia Goodman; 1890-1955)
Amerikaans actrice. De vamp
Goodman speelde o.a. een hoofdrol
in *A fool there was* (1915), *Carmen*
(1915) en *Cleopatra* (1917).

**Barbarossa**
(Johan Christiaan Schröder; 1871-
1938) Nederlands journalist. Schröder was van 1902 tot 1922 hoofdredacteur van De Telegraaf. In deze
krant verzorgde hij onder het pseudoniem Barbarossa de rubriek 'Dagboek van een Amsterdammer'. Hij
gebruikte tevens de schuilnaam Alida Zevenboom.

**Barcroft, Roy**
(Howard Clifford Ravenscroft; 1902-1969) Amerikaans acteur. Ravenscroft speelde in zo'n tweehonderd B-films. Hij is echter ook te zien in de musical *Oklahoma!* (1955).

**Baron, David**
(Harold Pinter; geb. 1930) Engels acteur, theaterregisseur en schrijver. Tijdens zijn carrière als acteur bediende Pinter zich van het pseudoniem David Baron.

**Barrie, Wendy**
(Margaret Wendy Jenkins; 1912-1978) Engels actrice. Jenkins speelde o.a. naast Humphrey Bogart in *Dead End* (1937).

**Barry, John**
(John Barry Prendergast; geb. 1933) Engels componist. Prendergast schreef de muziek voor vele James Bond-films, zoals *From Russia with love* (1963), *Goldfinger* (1964) en *You only live twice* (1967). Hij componeerde tevens de muziek voor o.a. *King Kong* (1976), *The Cotton Club* (1984) en *Dances with wolves* (1990). Prendergast won in 1968 en 1985 een Oscar voor de scores van respectievelijk *The lion in winter* en *Out of Africa*.

**Barrymore, Ethel**
(Ethel May Blythe ;1879-1959) Amerikaans actrice. Blythe speelde o.a. in de thriller *The spiral staircase* (1946), in Alfred Hitchcocks *The paradine case* (1947) en in Elia Kazans *Pinky* (1949). In 1944 won zij een Oscar voor haar bijrol in *None but the lonely heart*.

**Barrymore, John**
(John Sidney Blythe; 1882-1942) Amerikaans acteur. Blythe speelde o.a. in *Dr. Jekyll and Mr. Hyde* (1920), *Don Juan* (1926) en *Dinner at eight* (1933).

**Barrymore, Lionel**
(Lionel Blythe; 1878-1954) Amerikaans acteur. Blythe won een Oscar voor zijn rol in *A free soul* (1931). Hij speelde ook in o.a. *Mata Hari* (1932), *Camille* (1936), *It's a wonderful life* (1946) en *Key Largo*

(1948).

**Bartholomew, Freddie**
(Frederick Llewellyn; 1924-1992) Engels acteur. Llewellyn speelde o.a. de titelrol in *David Copperfield* (1935).

**Bartok, Eva**
(Eva Martha Szöke; geb. 1926) Amerikaans actrice van Hongaarse afkomst. Szöke speelde o.a. in *A tale of five cities* (1951) en in *Der letzte Walzer* (1953).

**Barton, Buzz**
(Billy Lamar; 1914-1980) Amerikaans acteur. Lamar speelde in talloze westerns, w.o. *The Arizona streak* (1926), *Jesse James* (1927) en *The Vagabond Club* (1929).

**Bas, Rutger**
(An Rutgers van der Loeff; 1910-1990) Nederlands schrijfster. De voornamelijk onder eigen naam publicerende auteur Van der Loeff schreef onder het pseudoniem Rutger Bas o.a. de kinderboeken *Het goud van Pech-zonder-end* (1976) en *De reus van Pech-zonder-end* (1977).

**Baselitz, Georg**
(Georg Kern; geb. 1938) Duits schilder en beeldhouwer. Het werk van Kern bestaat sinds 1969 vooral uit ruw geschilderde doeken met een omgekeerde voorstelling. Door zijn onderwerpen ondersteboven te tonen verlegt de kunstenaar de aandacht van het afgebeelde object naar de wijze waarop dit is geschilderd.

**Bash, Jug me**
(Claude C. Krijgelmans; geb. 1934) Vlaams schrijver. Krijgelmans schreef onder het pseudoniem Jug me Bash het erotische werk *Kanaal der liefde* (1970) en *Te koop: honderd beschadigde paren* (1970-71). In 1975 publiceerde hij een erotisch woordenboek onder de titel *Joeplala alfabet. Van AAAAA... tot DOM*, dat hij met Karel Elleveest signeerde.

**Basie, Count**
(William Basie; 1904-1984) Amerikaans jazzpianist, componist en bandleider. Basie werd opgeleid

door Fats Waller. In 1935 richtte hij zijn eigen orkest op.

**Bassetto, Corno di**
(George Bernard Shaw; 1856-1950) Engels toneelschrijver, essayist en criticus van Ierse afkomst. Van 1888 tot 1890 publiceerde Shaw als Corno di Bassetto muziekrecensies in The Star. Onder eigen naam schreef hij o.a. de toneelstukken *Major Barbara* (1905) en *Pygmalion* (1912). In 1925 ontving hij de Nobelprijs voor literatuur.

**Baudewijns**
(Pol de Mont; 1857-1931) Vlaams dichter en (toneel)schrijver. De Mont was conservator van het Museum voor Schone Kunsten in Antwerpen en hoofdredacteur van het dagblad De Schelde. In zijn studententijd schreef De Mont onder het pseudoniem Baudewijns een aantal toneelkritieken in De Vlaamsche Kunstbode. Hij gebruikte voorts de schuilnamen Janne van Assenede, Jan Dingen Dingemans, K. Pol Egmonts, Fortunio, Jasper Jaspers, Karl, Montsalvat, Multafero, Nemo, Olympio, A. Scalde en P. Vitters.

**Bean, Norman**
(Edgar Rice Burroughs; 1875-1950) Amerikaans schrijver. Burroughs schreef onder eigen naam o.a. *Tarzan of the apes* (1914). Onder het pseudoniem Norman Bean publiceerde hij in 1912 het vervolgverhaal *Under the moon of Mars* in All-Story Magazine. In 1917 werd dit feuilleton gebundeld onder de titel *The princess of Mars*.

**Beatty, Warren**
(Warren Beaty; geb. 1937) Amerikaans acteur, regisseur en producent. Beaty speelde o.a. een hoofdrol in de door hemzelf geregisseerde films *Heaven can wait* (1978), *Dick Tracy* (1990) en *Reds* (1981). Zijn regie van laatstgenoemde film werd beloond met een Oscar.

**Beaumarchais, Caron de**
(Pierre Augustin Caron; 1732-1799) Frans toneelschrijver. Caron schreef o.a. het toneelstuk *Le mariage de Figaro* (1784), waarop Wolfgang Amadeus Mozart in 1786 de opera *Le nozzi di Figaro* baseerde. Dertig jaar later gebruikte Gioacchino Rossini Carons toneelstuk *Le barbier de Séville* (1775) als basis voor de opera *Il barbiere di Siviglia*.

**Bécaud, Gilbert**
(François Silly; geb. 1927) Frans chansonnier en componist. Silly componeerde liedjes voor o.a. Edith Piaf en scoorde als uitvoerend artiest vele hits, w.o. 'Quand tu danses' (1953).

**Béjart, Maurice**
(Maurice de Berger; geb. 1927) Frans choreograaf en balletdanser. De Berger gebruikte in zijn voorstellingen zowel jazz als op Perzische, Indiase, contemporaine en klassieke muziek.

**Belcampo**
(Herman P. Schönfeld Wichers; 1902-1990) Nederlands arts en schrijver. Schönfeld Wichers schreef onder het pseudoniem Belcampo o.a. *De zwerftocht van Belcampo* (1938) en *Tussen hemel en afgrond* (1959). Hij gebruikte tevens de schuilnamen A.B.C., Plofteboene en R.D.

**Bell, Ellis**
(Emily Brontë; 1818-1848) Iers schrijfster. In 1847 publiceerde Emily Brontë de roman *Wuthering heights* (Woeste hoogten), die zij met Ellis Bell signeerde. Emily schreef samen met haar zusters Charlotte Brontë (1816-1855) en Anne Brontë (1820-1849) gedichten, die in 1845 werden gebundeld onder de titel *Poems*. De zusters ondertekenden dit werk met respectievelijk Ellis Bell, Currer Bell en Acton Bell. Charlotte Brontë gebruikte in 1846 haar schuilnaam Currer Bell ook voor de roman *Jane Eyre*. Latere herdrukken van *Wuthering heights* en *Jane Eyre* verschenen onder de burgernaam van de auteurs.

**Belle, Marjorie**
(Marjorie Celeste Belcher; geb. 1919) Amerikaans actrice, danseres en choreografe. Belcher werkte als

variété-artiest, o.a. met The Three Stooges, onder het pseudoniem Marjorie Belle. Zij stond model voor de figuur Sneeuwwitje uit Walt Disney's legendarische tekenfilm *Snow White and the Seven Dwarfs* (1937). In 1947 trouwde zij met Gower Champion. Zij noemt zich sindsdien Marge Champion. Belcher speelde o.a. in 1968 naast Peter Sellers in *The party*.

**Belly**
(Cornelis Johannes Kievit; 1858-1931) Nederlands onderwijzer en schrijver. Kievit, de auteur van o.a. *Uit het leven van Dik Trom* (1892), schreef in 1898 onder het pseudoniem Belly *De schuld eens broeders. Een Kennemer legende uit de jaren 1420-1436.*

**Ben Goerion, David**
(David Gruen; 1886-1973) Israëlisch politicus. Gruen riep in 1948 de staat Israël uit. Hij was van 1948 tot 1963, met een korte onderbreking van 1953 tot 1955, premier van dit land.

**Benatar, Pat**
(Patricia Andrzejewski; geb. 1953) Amerikaans zangeres. Andrzejewski behaalde in 1984 de eerste plaats in de Top 40 met het nummer 'Love is a battlefield'.

**Bennett, Bruce**
(Herman Brix; geb. 1909) Amerikaans sportman en acteur. De atleet Brix won in 1932 tijdens de Olympische Spelen een zilveren medaille. Drie jaar later vertolkte hij de hoofdrol in *The new adventures of Tarzan*. Brix hanteerde voor deze film en voor de Tarzan-film die hij in 1938 maakte nog niet de artiestennaam Bruce Bennett, welke hij vervolgens steevast zou gebruiken. Brix is o.a. ook te zien in *Mildred Pierce* (1945) en *The treasure of the Sierra Madre* (1948).

**Benny, Jack**
(Benjamin Kubelsky; 1894-1974) Amerikaans komiek. Kubelsky was vanaf 1932 uitermate populair als radiokomiek. Hij continueerde zijn succes met het maken van tv-programma's als *The Jack Benny Show* (1950-65).

**Benoit, Jacques**
(J.J.M. Bayer; 1901-1991) Nederlands dichter. Bayer schreef zijn gedichten meestal onder het pseudoniem Jacques Benoit. Zijn in januari 1945 gepubliceerde gedicht *Kerstmis 1944* signeerde hij echter met de schuilnaam B. Jacob.

**Benton, Oscar**
(Ferdinand van Eif; geb. 1949) Nederlands zanger en gitarist. Van Eif richtte in 1967 de Oscar Benton Blues Band op. Als solist scoorde hij in 1981 een hit met 'Bensonhurst blues'.

**Berger, Helmut**
(Helmut Steinberger; geb. 1944) Oostenrijks acteur. Steinberger speelde o.a. in een aantal films van Luchino Visconti. Zo was hij de neuroot Martin in *La caduta degli dei* (1969; The damned) en koning Ludwig II in *Ludwig* (1972).

**Berger, Ludwig**
(Ludwig Gottfried Heinrich Bamberger; 1892-1969) Duits regisseur en scenarioschrijver. Bamberger verfilmde in 1937 *Pygmalion* met Lily Bouwmeester in de hoofdrol. Hij schreef samen met Jan de Hartog het scenario voor zijn film *Ergens in Nederland* (1940).

**Bergman, J.C.**
(Jacob Frans Johan Heremans; 1825-1884) Vlaams filoloog, criticus en leraar. Heremans was vanaf 1874 redacteur van het tijdschrift *Nederlandsch Museum*. Als J.F.J.H., J.H. Manuels en J.F.J.H. Manuels schreef hij vele artikelen voor het periodiek Het Taelverbond. In 1850 vertaalde Heremans onder het pseudoniem J.C. Bergman *De eenzame* van Fredrika Bremer uit het Zweeds.

**Berkhof, Aster**
(Louis van den Bergh; geb. 1920) Vlaams schrijver. Van den Bergh schreef onder het pseudoniem Aster Berkhof o.a. de romans *Dagboek van een missionaris* (1962) en *Het spook van Monniksveer* (1987). Hij

gebruikte ook de schuilnaam Piet Visser.

**Berlin, Irving**
(Israel Isidore Baline; 1888-1989) Amerikaans componist en tekstschrijver van Russische afkomst. Baline schreef de muziek en de songteksten voor vele musicals, zoals *Top hat* (1935) en *Holiday Inn*. Voor het liedje 'White Christmas' uit laatstgenoemde film ontving hij in 1942 een Oscar.

**Bernadette**
(Bernadette Kraakman; geb. 1959) Nederlands actrice en zangeres. Kraakman vertegenwoordigde in 1983 Nederland op het Eurovisie Songfestival met het liedje 'Sing me a song'.

**Bernhardt, Sarah**
(Henriette-Rosine Bernard; 1844-1923) Frans actrice. De legendarische toneelspeelster maakte in 1900 haar filmdebuut als Hamlet [!] in *Le duel d'Hamlet*.

**Bernlef, J.**
(Hendrik Jan Marsman; geb. 1937) Nederlands schrijver en dichter. Marsman schreef onder het pseudoniem J. Bernlef o.a. *Hersenschimmen* (1984) en *De witte stad* (1992). Hij gebruikte tevens de schuilnamen Ronnie Appelman, J. Grauw, Cas den Haan, S. den Haan en Cas de Vries.

**Berretty, Yoka**
(Johanna Ernistina Meijeringh; geb. 1928) Nederlands actrice en zangeres. Meijeringh had in 1958 en 1959 haar eigen tv-programma getiteld *Yoka, een kwartiertje blij en blue*. Zij was o.a. ook betrokken bij *Zo is het toevallig ook nog eens een keer* en *Hadimassa*. In 1991 speelde zij Josephine Taylor in de tv-serie *De Dageraad*. Meijeringh bleef ook na de scheiding van haar eerste echtgenoot, Dominique Berretty, onder de naam Yoka Berretty optreden.

**Berry, Chuck**
(Charles Edward Anderson Berry; geb. 1926) Amerikaans zanger en gitarist. Berry scoorde hits met rock en roll-nummers als 'Roll over Beethoven' (1955) en 'Back in the USA' (1959).

**Berry, Jules**
(Jules Paufichet; 1883-1951) Frans acteur. Paufichet speelde o.a. in Jean Renoirs *Le jour se lève* (1939) en in Marcel Carnés *Les visiteurs du soir* (1942).

**Bibeb**
(Elizabeth M. Lampe-Soutberg; geb. 1914) Nederlands journaliste. Lampe-Soutberg publiceerde spraakmakende interviews in het weekblad Vrij Nederland, waarvan een groot aantal werd gebundeld. Zo verscheen in 1965 het boek *Bibeb & VIP's*, waarin gesprekken met o.m. Rudi Carrell, Jan Cremer, Joris Ivens, Joseph Luns en Simon Vestdijk zijn opgenomen.

**Biesheuvel, Mien**
(Mensje van Keulen-Van der Steen; geb. 1946) Nederlands schrijfster. Van Keulen-Van der Steen was van 1970 tot 1973 redacteur bij Propria Cures. In deze periode publiceerde zij in dit weekblad een dagboek onder de schuilnaam Mien Biesheuvel. Zij gebruikte ook de pseudoniemen Constant P. Cavalry, Danny Cruyff en Josien Meloen.

**Biezen, Y. ten**
(Hans Renders; geb. 1957) Nederlands journalist. Renders maakte samen met Wim Verhoeven (geb. 1947) in 1984 het boek *De oplossing* over de paradox van Zeno, waarbij zij zich respectievelijk Y. ten Biezen en A. van Hout noemden. Renders gebruikte ook de pseudoniemen A.v.d.A., Haer, Leendert van Os, J. Sob en Hans Worst.

**Bijkaart, Age**
(Willem Frederik Hermans; geb. 1921) Nederlands schrijver. In 1974 begon Hermans een polemische rubriek in Het Parool onder het pseudoniem Age Bijkaart. In 1977 verscheen de bundel *Boze brieven van Bijkaart*. Hermans schreef tevens onder de schuilnamen Pater Anastase Prudhomme S.J., Pater Frater B.I.M. Boefjes, G. van Grijnen, W.F. Hermans-Bernards, Dirk Hos-

selaar, Camille Houckaert, Fjodor Klondyke, OAS, Ramsus, Ramsus II, Schrijver Dezes, Doctor Victor E. van Vriesland, Sita van de Wissel, L.A. de Witt en Prof. Dr. B.J.O. Zomerplaag.

**Bjarme, Brynjolf**
(Henrik Ibsen; 1828-1906) Noors toneelschrijver en dichter. Ibsen publiceerde in zijn jonge jaren, toen hij als apothekersleerling werkzaam was, een aantal revolutionaire gedichten, die hij met Brynjolf Bjarme ondertekende. Later schreef hij onder eigen naam o.a. de toneelstukken *Peer Gynt* (1867), *Et dukkehjem* (1879; Poppenhuis) en *Gengangere* (1881; Spoken).

**Black, Karen**
(Karen Blanche Ziegler; geb. 1942) Amerikaans actrice. Ziegler is o.a. te zien in *Easy rider* (1969), *Five easy pieces* (1970) en *Nashville* (1975). Zij bleef ook na de scheiding van haar eerste echtgenoot Charles Black onder de naam Karen Black spelen.

**Black, Roy**
(Gerd Höllerich; geb. 1943) Duits zanger en acteur. Höllerich scoorde hits met schlagers als 'Ganz im weiss' (1965) en 'Eine Rose schenk ich dir' (1972).

**Blake, Nicholas**
(Cecil Day Lewis; 1904-1972) Engels dichter en schrijver. Day Lewis schreef onder het pseudoniem Nicholas Blake o.a. een aantal verhalen rond de privé-detective Nigel Strangeways, zoals *The widow's cruise* (1959; De noodlottige zeereis) en *The deadly joker* (1963; De fatale grapjas).

**Blake, Robert**
(Michael James Vijencio Gubitosi; geb. 1933) Amerikaans acteur. Gubitosi speelde van 1975 tot 1978 de detective Tony Baretta in de tv-serie *Baretta*.

**Blakey, Art**
(Abdullah Ibn Buhaina; 1919-1990) Amerikaans bandleider en slagwerker. Buhaina, die in 1955 de band de Jazz Messengers oprichtte, was

een van de belangrijkste vertegenwoordigers van de hard-bop.

**Blaman, Anna**
(Johanna Petronella Vrugt; 1905-1960) Nederlands schrijfster. Vrugt schreef onder het pseudoniem Anna Blaman o.a. de romans *Eenzaam avontuur* (1948) en *De verliezers* (1960).

**Bleeck, Oliver**
(Ross Thomas; geb. 1926) Amerikaans schrijver van detectiveverhalen en thrillers. Thomas schreef onder het pseudoniem Oliver Bleeck o.a *No questions asked* (1976; Geen vragen).

**Blijn, D.**
(Maarten Biesheuvel; geb. 1939) Nederlands schrijver. De dagboekaantekeningen van het Opperwezen die op 19 december 1981 in NRC Handelsblad werden gepubliceerd, vloeiden in werkelijkheid uit de pen van Biesheuvel. Naar aanleiding van deze met God zelf ondertekende aflevering uit de serie 'Hollands Dagboek' ontving de krant honderden boze brieven, waarin het dagblad van blasfemie werd beschuldigd.
In 1983 verscheen bij de Leidse uitgeverij Ter Lugt Pers een bundeling van eerder in Centrum, het tijdschrift van het Academisch Ziekenhuis Leiden, gepubliceerde gedichten. Biesheuvel ondertekende de afzonderlijke gedichten en de bundel, getiteld *Tussen mensen tussen dieren*, met het pseudoniem D. Blijn.

**Bliss, Reginald**
(Herbert George Wells; 1866-1946) Engels schrijver en leraar. Wells publiceerde in 1915 onder het pseudoniem Reginald Bliss de novelle *Boon*. Hij gebruikte tevens de schuilnamen Septimus Browne, Jane Crabtree, D.P., Walker Glockenhammer, S.S., Tyro en H.G. Wheels.

**Bloem, J.C.**
(Victor Emanuel van Vriesland; 1892-1974) Nederlands dichter en letterkundige. Van Vriesland was van 1931 tot 1938 kunstredacteur

bij de Nieuwe Rotterdamse Courant en aansluitend tot 1940 hoofdredacteur van De Groene Amsterdammer. Tijdens de Duitse bezetting was het voor de jood Van Vriesland moeilijk om onder eigen naam te publiceren. Voor zijn in 1941 verschenen vertaling van Franz Grillparzers novelle *Der arme Spielmann* (1847) leende Van Vriesland een van Johan van der Woudes pseudoniemen, Jan Kempe. In 1942 vertaalde Van Vriesland als J.C. Bloem de roman *Caliste* (1787) van Belle van Zuylen. Ook de inleiding signeerde Van Vriesland met deze leennaam. Zowel Bloem als Van der Woude gaven Van Vriesland toestemming voor het gebruik van hun naam c.q. pseudoniem. In 1941 vervaardigde Van Vriesland met behulp van een schrijfmachine 46 exemplaren van zijn twaalf pagina's tellende boekje *Mon repos*, dat hij persoonlijk signeerde en nummerde. In 1960 kreeg Van Vriesland de P.C. Hooftprijs. Hij was van 1962 tot 1965 president van de Internationale PEN. Van Vriesland bediende zich ook van de pseudoniemen Ernst van Daele, M.V. en R. Wiessing-De Sterke. Het met M.V. gesigneerde werk schreef Van Vriesland samen met Marie Huguenin-De Sterke.

**Bloempot, Aris Cornelisse**
(Betje Wolff-Bekker; 1738-1804) Nederlands dichteres en schrijfster. Wolff-Bekker schreef onder de pseudoniemen Aris Cornelisse Bloempot, Wullum Evertz, De grijsaard, Cornelia Houvast, weduwe Goedverstand, Krelis Klaaszen, Ernst Man, Grietje Manninne, Philogunes en Silviana in het periodiek De Grijsaard. Zij gebruikte tevens de schuilnamen Constantia Paulina Dortsma, Jan***, Grietje Jansen, Nuy van der Treuselen, Mej. K.M.I.B.L.S.B.v.G, Grietje Pieters, geb. van Blijdenburg, Godowardus en Egbertus Wijsneus en Eene zuster der Santhortsche gemeente.

**Blom, Jan**
(Breyten Breytenbach; geb. 1939)

Zuidafrikaans dichter, tekenaar en schilder. Breytenbach publiceerde in 1970 onder het pseudoniem Jan Blom de dichtbundel *Lotus*. Hij gebruikte tevens de schuilnaam B.B. Lasarus.

**Bloom, Claire**
(Claire Blume; geb. 1931) Engels actrice. Blume speelde in Charles Chaplins *Limelight* (1952) en in de tv-serie *Brideshead revisted*. Zij is o.a. ook te zien in *Sammy and Rosie get laid* (1987) en *Crimes and misdemeanors* (1989).

**Boeka**
(Philippus Carel Cornelius Hansen; 1867-1930) Nederlands schrijver. Hansen werkte in de jaren negentig van de vorige eeuw als koffieplanter op Midden-Java. In 1903 publiceerde hij in De Indische Gids een artikel waarin hij opkwam voor de Javaanse bevolking, die naar zijn idee een beter leven verdiende. Deze publikatie ondertekende hij met Boeka, een schuilnaam die hij ook gebruikte voor de tendensromans *Een koffieopziener* (1901), *Pàh Troeno* (1901), *Beschaving* (1903) en *Pàhkasinum* (1904). Deze boeken bevatten naast kritiek op het Nederlands koloniaal bewind ook een groot aantal praktische suggesties tot hervormingen.

**Boekuil, De**
(Reimond Herreman; 1896-1971) Vlaams dichter, essayist en journalist. Herreman was redacteur van Forum en het Nieuw Vlaams Tijdschrift. In 1921 was hij medeoprichter van 't Fonteintje. Hij schreef samen met Maurice Roelants (1895-1966) onder het pseudoniem Ray Vere de dichtbundels *Eros* (1914) en *Verwachtingen* (1916). Van 1929 tot in de jaren zestig publiceerde Herreman dagelijks een kroniek in het dagblad Vooruit, die hij met De Boekuil ondertekende.

**Boer Biet**
(Ger de Roos; geb. 1913) Nederlands dirigent. De Roos gaf van 1949 tot 1954 leiding aan het orkest De Bietenbouwers. In deze functie

noemde hij zich Boer Biet.

**Bogarde, Dirk**
(Derek Jules Gaspard Ulric Niven van den Bogaerde; geb. 1921) Engels acteur en schrijver. Van den Bogaerde speelde o.a. in Joseph Losey's *The servant* (1963) en in Luchino Visconti's *Morte a Venezia* (1971).

**Böker, Harda**
(Theo van Gogh; geb. 1957) Nederlands regisseur en columnist. Van Gogh schreef onder de pseudoniemen Harda Böker en Thea Truhll enkele bijdragen voor de *Cosmopolitan Schoolagenda 91-92*, o.a. de Cosmo-Story over Harry en Joke, 'Thea's Tips. Cosmo-girls maken van versieren een sport' en 'Zelfvertrouwen. Een must'.
In oktober 1989 beëindigde Jan Kuitenbrouwer zijn gastredacteurschap bij Propria Cures vroegtijdig, omdat hij verbolgen was over het feit dat men in dit studentenblad enkele bijdragen van Van Gogh onder zijn naam had afgedrukt.

**Bolan, Mark**
(Mark Feld; 1947-1977) Engels zanger en gitarist. Feld scoorde met zijn groep T. Rex o.a. een hit met 'Hot love' (1971) en 'Children of the revolution' (1972).

**Bondi, Beulah**
(Beulah Bondy; 1888-1981) Amerikaans actrice. Bondy won een Emmy voor haar gastoptreden in de tv-serie *The Waltons*.

**Boom, A.L.**
(Kees Fens; geb. 1929) Nederlands letterkundige. Fens publiceerde onder het pseudoniem A.L. Boom columns in De Tijd, die werden gebundeld in *De eenzame schaatser, doorslagen van de tijd* (1978) en in *Mijnheer & Mevrouw Aluin & andere tussenteksten* (1981).

**Boomstekker, Uldert**
(Frits Müller; geb. 1932) Nederlands tekenaar. Müller schreef en tekende onder het pseudoniem Uldert Boomstekker voor drukkerij Tijl te Zwolle een pastiche op de geschiedenis van de drukkunst onder de ti-

tel *De druk der tijden* (1961). Dit boek werd aan de relaties van Tijl cadeau gedaan en kende geen handelseditie. Igor Cornelissen en Müller speelden vanaf 1972 zo'n tien jaar lang met hun jazzorkest de Igoriginal NEW Hotshots in het Literair Café De Engelbewaarder te Amsterdam. Als klarinettist en zanger werd Müller ook wel Fritz the Cat genoemd.

**Boontje**
(Louis Paul Boon; 1912-1979) Vlaams schrijver. Boon publiceerde in 1959 als Lew Waitmans in het dagblad Vooruit een feuilleton, dat nog datzelfde jaar onder de titel *De liefde van Annie Molse* in boekvorm verscheen. Voor deze krant schreef hij tevens korte stukjes onder de schuilnaam Boontje, die later deels werden gebundeld. Boon gebruikte ook de pseudoniemen Baekeland, Lew Brandon, Lea Brandts, J. Dharck, Lodewijk Erent, Louis Erwt, Lowie, David Heintz, Marc Meenen, Marc Menen en Marc Wenen.

**Booth, James**
(David Geeves Booth; geb. 1930) Engels acteur. Geeves Booth speelde o.a. in *The trials of Oscar Wilde* (1960) en *That'll be the day* (1973).

**Booth, Shirley**
(Thelma Booth Ford; geb. 1907) Amerikaans actrice. Ford kreeg in 1952 een Oscar voor haar hoofdrol in *Come back little Sheba*.

**Boray, Lisa**
(Lisa Schulte Noordholt; geb. 1956) Nederlands zangeres. Schulte Noordholt scoorde in 1983 een hit met 'Break it out'.

**Bos, Mieke**
(Maria Jansen; geb. 1937) Nederlands actrice en zangeres. Jansen vormde tot 1963 samen met haar zus Selma het duo De Selvera's. Zij scoorden een hit met o.a. 'Twee reebruine ogen' (1956) en 'De postkoets' (1957). Nadien trad Jansen op in verscheidene musicals en tv-programma's. Zo speelde zij van 1970 tot 1971 de hoofdrol in de

KRO-serie *De klop op de deur*.

**Bouber, Herman**
(Hermanus Blom; 1885-1963) Nederlands acteur en toneelschrijver. Blom is de auteur van verschillende in de Jordaan gesitueerde toneelstukken, zoals *De Jantjes* (1920) dat twee keer is verfilmd.

**Boudewijn, Berend**
(Berend Boudewijn van der Woude; geb. 1936) Nederlands tv-presentator. Van der Woude was presentator van een aantal amusements- en quizprogramma's, zoals *Bij Berend in de keuken*, *Per seconde wijzer*, de *BB Show* en *De Berend Boudewijn Kwis*. Als acteur speelde hij o.a. in het kinderprogramma *Kunt u mij de weg naar Hamelen vertellen?* (1972-73) en in de film *Brandende liefde* (1983) van Ate de Jong. Van 1978 tot 1986 was hij directeur van de Amsterdamse Stadsschouwburg.

**Boumediène, Houari**
(Mohammed Boukharouba; 1927-1978) Algerijns militair en politicus. Boukharouba kwam in 1965 door een staatsgreep aan de macht. Hij was vervolgens tot aan zijn dood het staatshoofd van Algerije.

**Bourvil**
(André Raimbourg; 1917-1970) Frans filmkomiek. Raimbourg speelde o.a. in *La traversée de Paris* (1956) en in *Le mur de l'Atlantique* (1970).

**Bouter, K.**
(Lode Opdebeek; 1869-1930) Vlaams uitgever en schrijver. Opdebeek schreef twaalf delen in de *Gouden Sprookjes*-reeks, die hij met het pseudoniem K. Bouter ondertekende. Hij gebruikte tevens de schuilnamen Rik van Fienen, Bert Koenen, Lodewijk van Laeken en G. Raal.

**Bouts, Dirk**
(Jan Greshoff; 1888-1971) Nederlands dichter, essayist en criticus. Greshoff ondertekende zijn bijdragen in het periodiek De Witte Mier met het pseudoniem Dirk Bouts. Hij gebruikte ook de schuilnamen Joh. G. Brands. Paul Buys, A. van

Doorn, J. Janszen jr., Kees Konyn, A.L. van Kuyck, Ludovicus van Marmerrode, Prikkebeen, Otto P. Reys, Sagetarius, Joost Tack, H.L. Voet, J.J. van Voorne en J. van Zomeren Badius.

**Bowie, David**
(David Robert Jones; geb. 1947) Engels zanger, componist en acteur. Jones scoorde o.a. hits met 'Jean genie' (1972), 'Fame' (1975), 'Heroes' (1977), 'Let's dance' (1983), 'China girl' (1983) en 'Absolute beginners' (1986). In 1973 bracht hij de LP 'The rise and fall of Ziggy Stardust and the spiders from Mars' uit. Datzelfde jaar maakte hij een tournee onder de artiestennaam Ziggy Stardust.

**Box, Edgar**
(Gore Vidal; geb. 1925) Amerikaans (toneel)schrijver. Vidal schreef onder het pseudoniem Edgar Box o.a. de romans *Death before bedtime* (1953) en *Death likes it hot* (1954).

**Boy George**
(George Alan O'Dowd; geb. 1961) Engels zanger. O'Dowd en zijn Culture Club scoorden tussen 1982 en 1986 een aantal hits, w.o. 'Do you really want to hurt me' (1982) en 'Karma chameleon' (1983). Als solist oogstte O'Dowd opnieuw succes met liedjes als 'Everything I own' (1987) en 'Sold' (1987). Onder het pseudoniem Angela Dust schreef hij mee aan de nummers op de CD 'The martyr mantras' (1990) van de groep Jesus Loves You.

**Boyd, Stephen**
(William Millar; 1928-1977) Iers acteur. Millar speelde o.a. in *Ben Hur* (1959) en in *The Oscar* (1966).

**Boz**
(Charles Dickens; 1812-1870) Engels schrijver. Dickens publiceerde onder het pseudoniem Boz *Sketches by Boz* (1936-37; Schetsen van Boz). Hij gebruikte tevens de schuilnamen Charles John Huffam, Timothy Sparks en Tibbs.

**Brabander, Gerard den**
(Jan Gerardus Jofriet; 1900-1968).

Nederlands dichter. Jofriet schreef onder het pseudoniem Gerard den Brabander o.a. de dichtbundels *Cynische portretten* (1934) en *De verduisterde dichter* (1942). Hij gebruikte ook de schuilnamen Jan den Brabander, Brabandronkel, Gerardus en Jan Girjof.

**Brady, Scott**
(Gerald Tierney; 1924-1985) Amerikaans acteur. Tierney speelde o.a. in *Born to kill* (1947), *The China Syndrome* (1979) en *Gremlins* (1984).

**Brandauer, Klaus Maria**
(Klaus Steng; geb. 1944) Oostenrijks acteur. Steng speelde o.a. in *Mephisto* (1981), *Never say never again* (1983), *The lightship* (1985), *Out of Africa* (1985) en *The Russia house* (1990).

**Brandt, Kasper**
(Jakob Winkler Prins; 1849-1904) Nederlands dichter en schrijver. Prins schreef onder het pseudoniem Kasper Brandt o.a. *De ondermeester van Aewerd* (1871), *De armband uit Japan* (1876) en *Ouders en kinderen* (1878).

**Brandt, Willem**
(Willem Simon Brand Klooster; 1905-1981) Nederlands dichter. Klooster schreef onder het pseudoniem Willem Brandt o.a. de dichtbundels *Tropen* (1938) en *Het land van terugkomst. Een Indonesisch reisjournaal in poëzie* (1976).

**Brandt, Willy**
(Herbert Ernst Karl Frahm; 1913-1992) Duits politicus. Frahm was van 1969 tot 1974 bondskanselier van West-Duitsland.

**Branswyck, Luc**
(Joris Diels; 1903-1992) Vlaams acteur, toneelschrijver en regisseur. Diels was van 1935 tot 1944 directeur van de Koninklijke Nederlandse Schouwburg in Antwerpen. Hij schreef onder het pseudoniem Luc Branswyck *Ik ook* (1942) en *En man alleen* (1943). Deze toneelstukken werden onder regie van de auteur in diens eigen theater opgevoerd. Diels gebruikte als toneel-

schrijver tevens de schuilnaam Georges Marc.

**Brassaï**
(Gyula Halász; 1899-1984) Hongaars fotograaf. De door zijn collega André Kertész opgeleide fotograaf Halász legde zich toe op het registreren van het (nacht)leven in de Franse hoofdstad, Parijs.

**Brasseur, Pierre**
(Pierre-Albert Espinasse; 1903-1972) Frans acteur en toneelschrijver. Espinasse speelde de toneelspeler Fernand Lemaître in *Les enfants du paradis* (1945). Hij is o.a. ook te zien in *Quai des brumes* (1938), *Les portes de la nuit* (1946), *Le plaisir* (1952) en *Les yeux sans visage* (1959).

**Breekveld, Arno**
(Atte Jongstra; geb. 1956) Nederlands schrijver en dichter. Jongstra schreef onder het pseudoniem Arno Breekveld de dichtbundel *De hortus* (1992). In het tijdschrift Optima verscheen poëzie van zijn hand, die hij met A.B. signeerde. In 1987 publiceerde hij als Ten Braviaan een artikel in Het Parool. Jongstra ondertekende zijn bijdragen voor het blad Boek en Band van het Koninklijke Verbond van Grafische Ondernemers (KVGO), waarvan hij tevens hoofdredacteur was, met de schuilnamen P.H. Berkelaar, Wim van Bessum, W. Daalderop, O.T.A. Egberts-Richter, Agna Eygenraam, Pieter Glerum, E.M. Grosman-Duits, K. Hoogenbeemt, J. Noordewind, M.J. van Opzeeland, Maria Reynhoudt en H.M. van Terwispel.

**Brendall, Edith**
(Eddy C. Bertin; geb. 1944) Vlaams publicist. Bertin schreef kritieken, poëzie, jeugdboeken, romans en (SF-)verhalen voor pulpblaadjes. Een van de belangrijkste tijdschriften waarin hij publiceerde, is Hoho (1973-74), dat in 1974 in Maxi Hoho (1974-78) werd omgedoopt. Bertin gebruikte o.a. de pseudoniemen Edith Brendall, Lou Croyd, Marianne Conlava, Mario Cunter, Lisa Cut, Lon Glennmoor, Doriac

Greysun, Dirk Carels, Carla Madonna, Juan Fernand Sonando, Diane Sybinski-Croyd, Myrian Syno, Short Tomahawk, Christiane Varen en Eric de Weer.

**Breton de Nijs, E.**
(Robert Nieuwenhuys; geb. 1908) Nederlands schrijver. Nieuwenhuys schreef onder het pseudoniem E. Breton de Nijs *Vergeelde portretten uit een Indisch familiealbum* (1954) en *Tempo doeloe; fotografische documenten uit het oude Indië, 1870-1914* (1961). Onder eigen naam publiceerde hij o.a. het handboek over Indisch-Nederlandse letterkunde, *Oost-Indische Spiegel* (1972).

**Breuner, Roosje W.**
(Jeroen Brouwers; geb. 1940) Nederlands schrijver. In 1976 verscheen in de educatieve serie Cursorisch lezen van uitgeverij Manteau een verhaal van Marten Toonder, getiteld *De Feunix*. De met Roosje W. Breuner ondertekende tekst 'Onderwerpen voor een gedachtenwisseling' die in dit schoolboek aan het beeldverhaal van Toonder werd toegevoegd, is door Brouwers geschreven. Brouwers gebruikte tevens de schuilnamen Jouwre Broesner, Henri van Maaren en Jeroen Zondervan.

**Brice, Pierre**
(Pierre Louis le Bris; geb. 1929) Frans acteur. Le Bris speelde in 1963 de titelrol in *Winnetou* naast Lex Barker als Old Shatterhand. Het duo maakte nadien nog een hele serie films over deze aan het brein van Karl May ontsproten helden.

**Brittany, Morgan**
(Suzanne Cupito; geb. 1951) Amerikaans actrice. Cupito speelde o.a. in *The Birds* (1963). Van 1981 tot 1984 was zij Katherine Wentworth in de soap *Dallas*.

**Broekhuis, Henk**
(Karel van het Reve; geb. 1921) Nederlands slavist, schrijver en journalist. Van het Reve was van 1957 tot 1983 hoogleraar Slavische letterkunde te Leiden. In 1978 verscheen van zijn hand de bundel *Uren met Henk Broekhuis*. Het betrof hier een verzameling artikelen die eerder onder het pseudoniem Henk Broekhuis in NRC Handelsblad hadden gestaan. Van het Reve publiceerde ook onder de schuilnaam Karel Beton.

**Broeksmit, Leo**
(Abraham van Leeuwen; geb. 1918) Nederlands zakenman. Van Leeuwen alias Léon prince de Lignac werd multimiljonair door het succes van de door hem opgerichte bedrijven Keurkoop, Lecturama en het Nederlands Talen Instituut. Hij werd in 1953 voorzitter van de COC-afdeling Rotterdam. In die hoedanigheid noemde hij zich Leo Broeksmit.

**Bronson, Charles**
(Charles Buchinsky; geb. 1920) Amerikaans acteur. Buchinsky speelde o.a. in *The magnificent seven* (1960) en *Once upon a time in the West* (1969).

**Brooks, Elkie**
(Elaine Bookbinder; geb. 1945) Engels zangeres. Bookbinder scoorde een hit met o.a. 'Pearl's a singer' (1977).

**Brooks, Mel**
(Melvin Kaminsky; geb. 1926) Amerikaans regisseur en filmkomiek. Kaminsky maakte o.a persiflages op verschillende filmgenres, zoals de kolderieke western *Blazing saddles* (1974) en de dito science fiction-film *Space balls* (1984).

**Bruce, Lenny**
(Leonard Alfred Schneider; 1926-1966) Amerikaans komiek. De cabaretier Schneider maakte in de jaren vijftig furore met zijn deels geïmproviseerde conferences, waarin hij de hypocrisie van het establishment aan de kaak stelde en niet terugschrok voor grof en, in de ogen van menigeen, obsceen taalgebruik. Hij werd meermalen voor de rechter gesleept door mensen die aanstoot namen aan zijn teksten. In 1974 speelde Dustin Hoffman de titelrol in de film *Lenny* naar het leven van voornoemde legendarische kleinkunstenaar.

**Brugghenaere, Jan de**
(Jan van den Weghe; geb. 1920) Vlaams dichter en schrijver. Van den Weghe publiceerde zijn gedichten in de tijdschriften Arsenaal, De Faun en Klaverendrie onder de schuilnaam Jan de Brugghenaere. Hij gebruikte ook de pseudoniemen J. van der Stock, Jan van Cruwseghen en Hans Ranke.

**Brulin, Tone**
(Antoon van den Eynde; geb. 1926) Vlaams (toneel)schrijver en regisseur. Van den Eynde was in 1952 medeoprichter van het Theater op Zolder in Antwerpen, waaruit het Nederlands Kamertoneel ontstond. Van den Eynde schreef o.a. in 1955 onder het pseudoniem Tone Brulin de absurdistische eenakters *Vertikaal* en *Horizontaal*.

**Bruneel, Th.**
(Prudens van Duyse; 1804-1859) Vlaams dichter. Van Duyse schreef in 1839 onder het pseudoniem Th. Bruneel *Broederlijke toejuichingen aen myne zuster Paulina Bruneel, toen zij in het klooster... werd ingewijd 29 jan. 1839.* Hij gebruikte tevens de schuilnamen Felix Hoogstoel, Eene Vrouw en Prudens Simplicitas.

**Brunoz, O.**
(Edward Brongersma; geb. 1911) Nederlands advocaat en politicus. Brongersma was eind jaren veertig lid van de Eerste Kamer voor de PvdA. Hij schreef van 1959 tot 1967 onder het pseudoniem O. Brunoz artikelen in Vriendschap en Dialoog. In 1961 werd een aantal van de artikelen uit Vriendschap gebundeld onder de titel *Pedofilie.*

**Brynner, Yul**
(Taidje Khan; 1915-1985) Amerikaans acteur en producent van Russische afkomst. Kahn won in 1956 een Oscar voor zijn hoofdrol in *The king and I.* Hij speelde verder o.a. in *Anastasia* (1956), *The ten commandments* (1956) en *Westworld* (1973).

**Buch, Leopold de**
(Rudy Kousbroek; geb. 1929) Ne-

derlands essayist. In 1968 verscheen het uit twee delen bestaande boek *De verbeelding aan de macht. Revolutie in een industriestaat.* De auteurs Bob Groen en Rudy Kousbroek hadden elk een deel voor hun rekening genomen. Kousbroek signeerde zijn bijdrage, *Revolutie in een industriestaat,* in feite een bundeling van eerder in Vrij Nederland verschenen artikelen, met Leopold de Buch. Kousbroek gebruikte tevens de schuilnamen Fred Coyett en Douwe Roubykreks.

**Buffalo Bill**
(William Cody; 1846-1917) Amerikaans cavalerie-officier en entertainer. Vanaf 1873 trok de ex-militair Cody met zijn wildwest-show door de Verenigde Staten.

**Buffalo Bill Jr.**
(Jay Wilsey; 1896-1961) Amerikaans acteur. Wilsey speelde o.a. in zo'n dertig westerns onder de regie van Richard Thorpe. Zijn laatste rol was die van koetsier in de Laurel en Hardy-film *The dancing masters* (1943).

**Buiz'n Beernd**
(Bennie Jolink; geb. 1946) Nederlands zanger, gitarist en componist. Bennie Jolink alias Buiz'n Beernd richtte in 1974 o.a. met gitarist Ferdy Joly (geb. 1949) alias Frederik Puntdroad en drummer Jan Manschot (geb. 1947) alias Brekken Jan Schampschot de Achterhoekse groep Normaal op. De band scoorde een hit met nummers als 'Oerend hard' (1977), 'Alie' (1977) en 'Mamma woar is mien pils' (1982).

**Burg, Lou van**
(Louis van Weerdenburg; 1917-1986) Nederlands toneelspeler, entertainer, showmaster en tv-presentator. Na de Tweede Wereldoorlog trad Van Weerdenburg op als zanger en danser in het Lido in Parijs met Josephine Baker en Marlene Dietrich.

**Burgess, Anthony**
(John Burgess Wilson; geb. 1917) Engels schrijver, journalist en criticus. Wilson schreef onder het pseu-

doniem Anthony Burgess o.a. de roman *A clockwork orange* (1962), die in 1971 door Stanley Kubrick werd verfilmd. Hij gebruikte tevens de schuilnaam Joseph Kell.

**Burgh, Chris de**
(Christopher John Davidson; geb. 1948) Iers zanger. Davidson scoorde in 1986 een hit met 'The lady in red'.

**Burnier, Andreas**
(Catharina Irma Dessaur; geb. 1931) Nederlands schrijfster, dichteres, essayiste en criminologe. Dessaur was van 1973 tot 1988 hoogleraar in de criminologie te Nijmegen. Onder het pseudoniem Andreas Burnier schreef zij o.a. de romans *Het jongensuur* (1969) en *De huilende libertijn* (1970). Zij gebruikte tevens de schuilnaam Reinier.

**Burton, Richard**
(Richard Walter Jenkins; 1925-1984) Engels acteur. Jenkins speelde o.a. in *The spy who came in from the cold* (1965), *Who's afraid of Virginia Woolf* (1966) en *1984* (1984).

**Butler, Richard**
(Ted Allbeury; geb. 1917) Engels schrijver van thrillers. Allbeury, die doorgaans onder eigen naam publiceert, signeerde een vijftal thrillers met een pseudoniem. Als Richard Butler schreef hij *Where all the girls are sweeter* (1975) en *Italian assets* (1976). *Codeword Cromwell* (1980), *The lonely margins* (1981) en *The secret whispers* (1981) ondertekende hij met Patrick Kelly.

**Buttons, Red**
(Aaron Chwatt; geb. 1918) Amerikaans acteur. Chwatt won in 1957 een Oscar voor zijn bijrol in *Sayonara*. Hij speelde o.a. ook in *They shoot horses, don't they* (1969) en *The Poseidon adventure* (1972).

**Buuren, Alex van**
(Willem-Alexander van Oranje-Nassau; geb. 1967) Nederlandse kroonprins. Willem-Alexander reed als Alex van Buuren op 26 februari 1986 de Elfstedentocht.

**Cabot, Bruce**
(Jacques Etienne de Bujac; 1904-1972) Amerikaans acteur van Frans afkomst. De Bujac speelde o.a. in *King Kong* (1933), *Fury* (1936) en *Diamonds are for ever* (1971).

**Caeiro, Alberto**
(Fernando Pessoa; 1888-1935) Portugees schrijver en dichter. Pessoa schreef onder meerdere pseudoniemen. Deze alter ego's dichtte hij verschillende eigenschappen toe. Ieder van hen had zijn eigen wereldvisie en stijl. Alberto Caeiro was de positivist, Ricardo Reis de epicurist en Alvaro de Campos de vitalist. Pessoa ging zelfs zo ver dat hij deze figuren elkaar liet bekritiseren in de Portugese media. Onder zijn eigen naam publiceerde hij bespiegelende, traditionele gedichten.

**Cage, Nicolas**
(Nicholas Coppola; geb. 1964) Amerikaans acteur. Coppola, de neef van regisseur Francis Ford Coppola, speelde o.a. in *Birdy* (1984), *Peggy Sue got married* (1986), *Raizing Arizona* (1987) en *Wild at heart* (1990).

**Cahn, Sammy**
(Samuel Cohen; geb. 1913) Amerikaans liedjesschrijver. Cohen werkte in zijn jeugd in diverse nachtclubs, waar hij danseressen tijdens hun striptease-act op de viool begeleidde. Cohen won vier Oscars, o.a. in 1954 voor het liedje 'Three coins in the fountain', dat hij samen met Jules Styne had geschreven.

**Caine, Michael**
(Maurice Joseph Micklewhite; geb. 1933) Engels acteur. Micklewhite won in 1986 een Oscar voor zijn bijrol in Woody Allens *Hannah and her sisters*. Hij speelde verder o.a.

in *The eagle has landed* (1976) en in *Dressed to kill* (1980).

**Calhern, Louis**
(Carl Henry Vogt; 1895-1956) Amerikaans acteur. Vogt speelde o.a. in Alfred Hitchcocks *Notorious* (1946) en naast Marlon Brando in *Julius Ceasar* (1953).

**Calhoun, Rory**
(Francis Timothy Durgin; geb. 1918) Amerikaans acteur. Voorafgaand aan zijn loopbaan als acteur was Durgin bokser, houthakker en cowboy. Hij speelde o.a. naast Marilyn Monroe in *How to marry a millionaire* (1953).

**Callas, Maria**
(Maria Sophie Cécilia Calogeropoulos; 1923-1977) Amerikaans operazangeres van Griekse afkomst. De sopraan Calogeropoulos vierde o.a. triomfen met haar rol in 'Tosca' van Giacomo Puccini.

**Calleia, Joseph**
(Joseph Alexander Herstall Vincent Spurin Calleja; 1897-1975) Amerikaans acteur en zanger van Maltese afkomst. Calleja speelde o.a. naast Mae West in *My Little Chickadee* (1940) en in Orson Welles' *Touch of evil* (1958).

**Cameron, Rod**
(Nathan Cox; 1910-1983) Canadees acteur. Cox werkte aan het begin van zijn carrière als stuntman en was stand-in voor Buck Jones en Fred MacMurray. Vanaf eind jaren dertig tot eind jaren zeventig speelde hij in zo'n tweehonderd westerns en actie-films.

**Canaponi, Patrizio**
(Adrianus Francis Theodor van der Heijden; geb. 1951) Nederlands schrijver. Van der Heijden publiceerde onder het pseudoniem Patrizio Canaponi de romans *Een gondel in de Herengracht* (1978) en *De draaideur* (1979). Later verschenen deze boeken onder zijn eigen naam.

**Canneel, Piet**
(Valère Depauw; geb. 1912) Vlaams schrijver en journalist. Depauw schreef onder het pseudoniem Piet Canneel o.a. *Niet jammeren,* *broers* (1948) en *Toch lammeren,* *broers* (1950). Onder deze schuilnaam publiceerde hij ook artikelen in het weekblad Rommelpot. Depauw gebruikte voorts de pseudoniemen Geore Darius, Jan Eyck, Bernart van Goor, Jerome de Gryse, Claudine Lagarde, Nicole Menetier, Jean Montreal, Peter Pann en René Solitaire.

**Cannon, Dyan**
(Samille Diane Friesen; geb. 1935) Amerikaans actrice. Friesen speelde o.a. in *Heaven can wait* (1978) en *Honeysuckle Rose* (1980).

**Cantinflas**
(Mario Moreno Reyes; geb. 1911) Mexicaans acteur en stierenvechter. Reyes speelde voornamelijk in Mexicaanse films. In de Hollywood-produktie *Around the world in eighty days* (1956) was hij Passepartout, de knecht en reisgenoot van de door David Niven gespeelde Engelse gentleman globetrotter.

**Cantor, Eddie**
(Edward Israel Iskowitz; 1892-1964) Amerikaans zanger en acteur. Iskowitz speelde o.a. een hoofdrol in de musicals *The kid from Spain* (1932) en *Roman scandals* (1933). In 1956 kreeg hij een Oscar voor zijn gehele oeuvre.

**Capa, Robert**
(André Friedmann; 1913-1954) Amerikaans fotograaf van Hongaarse afkomst. De oorlogsfotograaf Friedmann was in 1947 medeoprichter van het fotopersbureau Magnum.

**Capone, Al**
(Alphonso Caponi; 1895-1947) Amerikaans gangster van Italiaanse afkomst. De vanuit Chicago opererende Caponi verdiende tijdens de drooglegging in de Verenigde Staten kapitalen aan zijn illegale drankhandel.

**Capote, Truman**
(Truman Streckfus-Persons; 1924-1984) Amerikaans schrijver. Streckfus-Persons schreef onder het pseudoniem Truman Capote o.a. de roman *Breakfast at Tiffany's* (1958;

Ontbijt bij Tiffany). Streckfus-Persons veranderde zijn achternaam officieel in Capote.

**Captain Beefheart**
(Don van Vliet; geb. 1941) Amerikaans zanger en beeldend kunstenaar. Van Vliet had succes met LP's als 'Safe as milk' (1968), 'Trout mask replica' (1969) en 'Shiny beast/Bat chain puller' (1978).

**Captain Sensible**
(Raymond Burns; geb. 1957) Engels gitarist en bassist. Burns richtte in 1976 met Chris Miller (geb. 1957) alias Rat Scabies, Dave Vanian en Brian James de punkgroep The Damned op. De band had veel succes met de debuut-LP 'Damned Damned Damned' (1977). Vanaf 1981 liet Burns ook als solist van zich horen. Hij scoorde o.a. een hit met 'Happy talk' (1982).

**Capucine**
(Germaine Marie Lefebvre; 1928-1990) Frans actrice. Lefebvre was de echtgenote van inspecteur Clouseau in *The Pink Panther* (1963). Zij speelde o.a. ook in Federico Fellini's *Satyricon* (1969).

**Carette, Julien**
(Victor Jullien; 1897-1966) Frans acteur. Jullien speelde o.a. in *La bête humaine* (1938) en *La règle du jeu* (1939), beide van Jean Renoir.

**Carlo, Yvonne de**
(Peggy Yvonne Middleton; geb. 1922) Canadees actrice. Middleton speelde o.a. met Clark Gable in *Band of angels* (1957) en met John Wayne in *McLintock!* (1963).

**Carol, Martine**
(Marie Louise de Mourer; 1920-1967) Frans actrice. De Mourer speelde o.a. de titelrol in Max Ophüls' *Lola Montès* (1955).

**Carr, Philippa**
(Eleanor Burford; geb. 1906) Engels schrijfster. Onder het pseudoniem Philippa Carr schreef Burford o.a. *The miracle at St. Bruno's* (1972) en *Saraband for two sisters* (1976). Haar historische romans, zoals de trilogie *Catherine de Medici* (1969), signeerde zij met Jean Plaidy. Bur-

ford gebruikte tevens de schuilnamen Elbur Ford, Victoria Holt, Kathleen Kellow en Ellalice Tate.

**Carradine, John**
(Richmond Reed Carradine; 1906-1988) Amerikaans acteur. Carradine gebruikte aan het begin van zijn acteercarrière de artiestennaam John Peter Richmond, zoals voor zijn bijrol in *The invisible man* (1933). Later ging hij zich John Carradine noemen. Hij speelde onder deze naam o.a. in *Stagecoach* (1939) en in *The shootist* (1976).

**Carré, John Le**
(David John Moore Cornwell; geb. 1931) Engels schrijver van spionageromans. Toen Cornwell met schrijven begon, werkte hij voor de Britse geheime dienst. Vandaar dat de auteur van *The spy who came in from the cold* (1963; Spion aan de muur) in het begin zijn ware identiteit voor het publiek verborgen moest houden.

**Carrell, Rudi**
(Rudolf Wijbrand Kesselaar; geb. 1934) Nederlands programmamaker en entertainer. Na vele jaren van succes in zijn geboorteland, maakt Kesselaar voornamelijk shows voor de Duitse televisie.

**Carroll, Diahann**
(Carol Diahann Johnson; geb. 1935) Amerikaans actrice en zangeres. Johnson speelde o.a. in *Porgy en Bess* (1959). Van 1984 tot 1987 speelde zij Dominique Deveraux in de soap *Dynasty*.

**Carroll, John**
(Julian LaFaye; 1905-1979) Amerikaans acteur. LaFaye speelde o.a. de hoofdrol in *Zorro rides again* (1937).

**Carroll, Lewis**
(Charles Lutwidge Dodgson; 1832-1898) Engels schrijver en wiskundige. Dodgson schreef onder het pseudoniem Lewis Carroll o.a. *Alice's adventures in Wonderland* (1865) en *Through the looking-glass* (1872).

**Carroll, Madeleine**
(Marie-Madeleine Bernadette O'

**Carroll**; 1906-1987) Engels actrice. O'Carrol speelde o.a. in de Alfred Hitchcock-films *The thirty-nine steps* (1935) en *The secret agent* (1936).

**Carson, Sunset**
(Michael James Harrison; 1925-1990) Amerikaans acteur. Harrison speelde in de jaren veertig in zo'n twintig westerns, zoals *Firebrands of Arizona* (1944), *The Oregon Trail* (1945) en *Sunset Carson rides again* (1948).

**Carter, Nick**
(Frederick van Rensselaar Dey; 1865-1922) Amerikaans schrijver. Van Rensselaar Dey schreef vele romans over de detective Nick Carter. Hij was echter niet de enige. Auteurs als Willis Todhunter Ballard, Bryan Carter, John R. Corryll, Frederick William Dairs, Marilyn Granbeck, George Charles Jenks en Dennis Lynds hebben allen aan de serie bijgedragen. Zij ondertekenden hun verhalen steevast met de naam van de hoofdpersoon.

**Casarès, Maria**
(Maria Casarès Quiroga; geb. 1922) Spaans actrice. Quiroga speelde o.a. in Marcel Carnés *Les enfants du paradis* (1945) en in Jean Cocteaus *Orpheé* (1950).

**Cashet, Thomas**
(Herman Bianchi; geb. 1924) Nederlands criminoloog. Bianchi debuteerde in 1991 als dichter onder het pseudoniem Thomas Cashet met de in San Francisco verschenen bundel *A breviary of torment* (Het folterbrevier).

**Casilla, Miguel de**
(Mies Bouhuijs; geb. 1927) Nederlands dichteres en schrijfster. Bouhuijs schreef onder het pseudoniem Miguel de Casilla het blijspel *Het Spaanse riet* (1964). Zij gebruikte ook de schuilnaam Albertina Sabbe.

**Cassel, Jean-Pierre**
(Jean-Pierre Crochon; geb. 1932) Frans acteur. Crochon speelde o.a. in *Le charme discret de la bourgeoisie* (1972) van Luis Buñuel en in *Murder on the Orient Express*

(1974) naar de gelijknamige roman van Agatha Christie.

**Cassidy, Butch**
(Robert Le Roy Parker; 1866-1909) Amerikaans bankrover. Le Roy Parker is een van de legendarische gangsters uit het Wilde Westen, op wiens leven o.a. de film *Butch Cassidy and the Sundance Kid* (1969) met Paul Newman en Robert Redford gebaseerd is.

**Castle, William**
(William Schloss; 1914-1977) Amerikaans acteur, regisseur en producent. Schloss regisseerde misdaadfilms en westerns, zoals *The gun that won the West* (1955). Vanaf 1957 produceerde Schloss een groot aantal horrorfilms, w.o. Roman Polanski's *Rosemary's baby* (1968). In 1975 was hij als acteur te zien in *Shampoo* en *Day of the Locust*.

**Cavalcanti, Alberto**
(Alberto de Almeida Cavalcante; 1897-1982) Braziliaans regisseur, scenario-schrijver en producent. De Almeida Cavalcante maakte o.a. de documentaires *Coal face* (1935) en *North Sea* (1938). In de jaren veertig werkte hij voor de Engelse Ealing-studio's en regisseerde samen met Basil Dearden, Charles Crichton en Robert Hamer de speelfilm *Dead of night* (1945).

**Cavalli, Freddie**
(Fred van Kampen; geb. 1955) Nederlands basgitarist, pianist en zanger. Van Kampen speelde als lid van de band Herman Brood & His Wild Romance achtereenvolgens op de LP's 'Shpritsz' (1978), 'Cha Cha' (1978), 'Go nutz' (1980) en 'Wait a minute' (1980).

**Cavalli, Pier Francesco**
(Pier Francesco Caletti-Bruni; 1602-1676) Italiaans componist, organist en kapelmeester. Caletti-Bruni schreef 41 opera's, w.o. één ter gelegenheid van de bruiloft van Lodewijk XIV.

**Cecchi D'Amico, Suso**
(Giovanni Susanna Cecchi; geb. 1914) Italiaans scenarioschrijfster.

Cecchi was o.a. co-auteur van de scenario's van Vittorio De Sica's *Ladri di biciclette* (1948; Fietsendieven) en Luchino Visconti's *Bellissima* (1951).

**Céline, Louis-Ferdinand**
(Louis-Ferdinand Destouches; 1894-1961) Frans schrijver. Destouches schreef onder het pseudoniem Louis-Ferdinand Céline o.a. de romans *Voyage au bout de la nuit* (1932; Reis naar het einde van de nacht) en *Mort à credit* (1936; Dood op krediet).

**Chandler, Gene**
(Eugene Dixon; geb. 1937) Amerikaans zanger. Dixon scoorde in 1979 een hit met 'Get down'.

**Chandler, Jeff**
(Ira Grossel; 1918-1961) Amerikaans acteur. Grossel speelde o.a. in de western *Broken arrow* (1950) en in Douglas Sirks *Sign of the Pagan* (1954).

**Chandler, Lane**
(Robert Clinton Oakes; 1899-1972) Amerikaans acteur. Oakes speelde voornamelijk in westerns, w.o. *Hurricane Horseman* (1931) en *Texas tornado* (1932), maar was ook te zien in Cecil B. DeMilles *Samson and Delilah* (1949).

**Chaney Jr., Lon**
(Creighton Tull Chaney; 1906-1973) Amerikaans acteur. Chaney speelde o.a. Lenny in de op John Steinbecks roman gebaseerde film *Of mice and men* (1939). In 1942 en 1943 vertolkte hij een hoofdrol in respectievelijk *The ghost of Frankenstein* en *The son of Dracula*.

**Channing, Stockard**
(Susan Williams Antonia Stockard; geb. 1944) Amerikaans actrice en zangeres. Stockard speelde o.a. Betty Rizzo in *Grease* (1978).

**Chaplin, Saul**
(Saul Kaplan; geb. 1912) Amerikaans dirigent, componist en producent. Kaplan schreef met Samuel Cohen alias Sammy Cahn liedjes voor zangers als Bing Crosby en The Andrew Sisters. In 1961 won Kaplan samen met Johnny Green,

Sid Ramin en Irwin Kostal een Oscar voor de score van *West Side story*. Respectievelijk tien en zeven jaar eerder had hij een Academy Award gekregen voor zijn bijdrage aan *An American in Paris* en *Seven brides for seven brothers*.

**Charisse, Cyd**
(Tula Ellice Finklea; geb. 1921) Amerikaans actrice en danseres. Finklea speelde o.a. in *Singin' in the rain* (1952).

**Charles, J.B.**
(Willem Hendrik Nagel; 1910-1983) Nederlands criminoloog, schrijver en dichter. Nagel werd in 1956 hoogleraar penologie te Leiden. Hij publiceerde onder het pseudoniem J.B. Charles o.a. *Volg het spoor terug* (1953) en *Van het kleine koude front* (1962). Nagel schreef ook onder de schuilnaam E.E. Swarts.

**Charles, Ray**
(Ray Charles Robinson; geb. 1930) Amerikaans zanger. Robinson scoorde o.a. een hit met 'I can't stop loving you' (1962).

**Charteris, Leslie**
(Leslie Charles Bowyer Yin; geb. 1907) Amerikaans schrijver. Bowyer Yin schreef tientallen detectiveverhalen rond Simon Templar alias The Saint, zoals *Meet the Tiger* (1928), *Saint versus Scotland Yard* (1932) en *Saint around the world* (1956). In 1928 veranderde Bowyer Yin zijn naam officieel in Charteris.

**Chase, Borden**
(Frank Fowler; 1900-1971) Amerikaans scenario-schrijver. Fowler schreef o.a. mee aan de scenario's van Howard Hawks' *Red river* (1948) en Robert Aldrichs *Vera Cruz* (1954).

**Cher**
(Cherilyn Sarkasian LaPierre; geb. 1946) Amerikaans actrice en zangeres. LaPierre speelde o.a. in *Come back to the Five and Dime, Jimmy Dean, Jimmy Dean* (1983) en *Moonstruck* (1987).

**Chiari, Walter**
(Walter Annichiarico; 1924-1992)

Italiaans acteur. Annichiarico speelde o.a. in Luchino Visconti's *Bellissima* (1951) en in de op Françoise Sagans roman gebaseerde film *Bonjour tristesse* (1958).

**Christian-Jaque**
(Christian Albert François Maudet; geb. 1904) Frans regisseur. Maudet maakte o.a. *Barbe-Bleue* (1951) en *Nana* (1955).

**Christian, Linda**
(Blanca Rosa Henriëtte Stella Welter; geb. 1924) Nederlands actrice. Welter speelde o.a. naast Johnny Weissmuller in *Tarzan and the mermaids* (1948).

**Christie, Agatha**
(Agatha Mary Clarissa Miller; 1890-1976) Engels detectiveschrijfster. Miller bleef ook na de scheiding van haar eerste echtgenoot, Archibald Christie, onder de naam Agatha Christie schrijven. Zij gebruikte tevens de schuilnaam Mary Westmacott.

**Christo**
(Christo Javacheff; geb. 1935) Amerikaans kunstenaar van Bulgaarse afkomst. Javacheff specialiseerde zich in het inpakken van grote objecten, zoals een rotspartij aan de Australische kust en Le Pont-Neuf te Parijs. Deze projecten werden respectievelijk in 1969 en in 1985 gerealiseerd.

**Christopher, Dennis**
(Dennis Christopher Carelli; geb. 1954) Amerikaans acteur. Carelli speelde o.a. in *Apocalypse now* (1979) en *Breaking away* (1979).

**Ciano, Galleozo**
(Ed Schilders; geb. 1951) Nederlands publicist. Schilders schreef onder het pseudoniem Galleozo Ciano een aantal artikelen over erotiek, o.a. over kuisheidsgordels, in het tijdschrift Furore. Hij gebruikte tevens de schuilnaam Dess Eldrich.

**Clair, René**
(René-Lucien Chomette; 1898-1981) Frans regisseur. Chomette maakte o.a. *Entr'acte* (1924) en *A nous la liberté* (1931). In 1960 trad hij toe tot de Académie française.

**Clapton, Eric**
(Eric Clapp; geb. 1945) Engels gitarist en zanger. Clapp scoorde o.a. een hit met 'Wonderful tonight' (1988).

**Clark, Curt**
(Donald Edwin Westlake; geb. 1933) Amerikaans schrijver. Westlake schreef onder het pseudoniem Curt Clark een aantal SF-romans, zoals *Anarchaos* (1967). Hij publiceerde onder de schuilnaam Richard Stark o.a. enkele misdaadromans rond de dief Parker, zoals *The man with the getaway face* (1963) en *Green Eagle score* (1967). Westlake gebruikte ook het pseudoniem John B. Allen, Tucker Coe en Timothy J. Culver.

**Clarke, Mae**
(Mary Klotz; 1907-1992) Amerikaans actrice. Klotz speelde o.a. in *Waterloo Bridge* (1931) en *Frankenstein* (1931).

**Clayderman, Richard**
(Philippe Pagès; geb. 1953) Frans pianist. Pagès scoorde in 1978 een hit met 'Ballade pour Adeline'.

**Cleisbotham, Jedediah**
(Sir Walter Scott; 1771-1832) Engels schrijver en dichter. Scott schreef onder het pseudoniem Jedediah Cleisbotham *Tales of my landlord* (1816). Hij gebruikte tevens de schuilnamen The Aristo of the North, The Caledonian Comet, Captain Cuthbert Clutterbuck, Chrystal Croftangry, The Rev. Dr. Dryasdust, The Great Magican, The Great Unknown, Malachi Malagrowther, Ministrel of the Border, Peter Pattieson, Paul, Somnabulus, Laurence Templeton en The Visionary.

**Cliff, Jimmy**
(James Chambers; geb. 1942) Jamaicaans componist en reggaezanger. Chambers scoorde hits met nummers als 'Wonderful world, beautiful people' (1969), 'Wild world' (1970) en 'Reggae night' (1983).

**Clifford, Francis**
(Arthur Leonard Bell Thompson; 1917-1975) Engels schrijver. Thompson schreef onder het pseu-

doniem Francis Clifford detectiveverhalen en spionageromans, w.o.
*Another way of dying* (1968), *Amigo, amigo* (1973) en *The Grosvenor
Square goodbye* (1974).

**Clive, Colin**
(Colin Clive Greig; 1898-1937)
Frans acteur. Greig speelde o.a. de
krankzinnige geleerde in *Frankenstein* (1931).

**Close Up**
(A. van Domburg; 1895-1983) Nederlands filmjournalist. Van Domburg was o.a. filmrecensent van het
dagblad De Tijd en hoofdredacteur
van FilmForum. Hij was van de jaren dertig tot in de jaren zestig film-
medewerker van de KRO. In die
hoedanigheid noemde hij zich van
1932 tot 1940 Close Up. Daarna
werkte hij onder eigen naam.

**Cobb, Lee J.**
(Leo Jacoby; 1911-1976) Amerikaans acteur. Jacoby speelde o.a.
met Marlon Brando in *On the waterfront* (1954) en met Clint Eastwood in *Coogan's bluff* (1968).

**Cocq, Ben de**
(Wouter Klootwijk; geb. 1945) Nederlands journalist. Klootwijk
schreef eind jaren zeventig als Ben
de Cocq wekelijks een satirische cu-
linaire rubriek voor De Groene Amsterdammer. Deze schuilnaam hanteerde hij ook begin jaren negentig
voor twee series artikelen over het
Nederlandse hotelwezen en over
consumentenartikelen in Vrij Nederland. Hij gebruikte tevens het
pseudoniem Wim Goot.

**Cody, Iron Eyes**
(Oscar Cody; geb. 1907) Amerikaanse circusartiest, acteur en
schrijver. De Indiaan Cody speelde
o.a. in *Alias Jesse James* (1958) en
*A man called Horse* (1970). Cody
schreef verscheidene boeken over
de geschiedenis van de Indianen.

**Cody, Lew**
(Louis Joseph Coté; 1884-1934)
Frans acteur. Coté speelde o.a. naast
Marlene Dietrich in *Dishonored*
(1931) en naast Ginger Rogers in
*Sitting pretty* (1933).

**Colbert, Claudette**
(Lily Claudette Chauchoin; geb.
1903) Amerikaanse actrice van
Franse afkomst. Chauchoin speelde
in 1934 de titelrol in *Cleopatra*. Zij
is o.a. ook te zien in *For the love of
Mike* (1927) en *It happened one
night* (1934), beide van Frank Capra. Haar hoofdrol in laatstgenoemde film werd bekroond met een Oscar.

**Cole, Nat King**
(Nathaniel Adams Coles; 1919-
1965) Amerikaans zanger, pianist
en acteur. Coles scoorde hits met
nummers als 'Mona Lisa' (1950),
'Too young' (1951) en 'Ramblin'
rose' (1962). Als acteur is hij o.a. te
zien in *Pin-up girl* (1944), *Swing in
the saddle* (1944) en *China gate*
(1957).

**Colleano, Bonar**
(Bonar William Sullivan; 1923-
1958) Amerikaans acteur. Sullivan
speelde o.a. in *The way to the stars*
(1945) en *A matter of life and death*
(1946).

**Collins, Tom**
(Ton Droog; geb. 1949) Nederlands
discjockey en tv-presentator. Droog
begon in 1968 zijn carrière bij (het
schip) Veronica als nieuwslezer. Hij
presenteerde o.a. van 1972 tot 1974
de *Tom Collins show*.

**Collodi, Carlo**
(Carlo Lorenzini; 1826-1890) Italiaans schrijver en journalist. Lorenzini schreef onder het pseudoniem
Carlo Collodi o.a. de roman *Le avventure di Pinocchio* (1883).

**Colmar, S.**
(Louis Theodoor Lehmann; geb.
1920) Nederlands dichter en schrijver. Lehmann publiceerde in 1944
de dichtbundel *Het verbreken*, die
hij met S. Colmar ondertekende. Hij
vertaalde datzelfde jaar onder het
pseudoniem Marten Holme *Rubai-
yat of Kemal Isma'ili* uit het Per-
zisch in het Engels.

**Coluche**
(Michel Gérard Joseph Colucci;
1944-1986) Frans acteur van Italiaanse afkomst. Colucci speelde o.a.

met Louis de Funès in *L'Aile ou la cuisse* (1976). Hij is tevens te zien in *Tchao Pantin* (1983).

**Comden, Betty**
(Elizabeth Cohen; geb. 1916) Amerikaans liedjes- en scenarioschrijfster. Cohen was medeverantwoordelijk voor het scenario en de liedjes van de musical *Singin' in the rain* (1952). Zij werkte o.a. ook mee aan het draaiboek voor *On the town* (1949) met Gene Kelly en Frank Sinatra.

**Commutator**
(Albert Jan Luikinga; 1892-1966) Nederlands publicist. Luikinga schreef onder het pseudoniem Commutator een aantal artikelen over homoseksualiteit in de periodieken De Socialistische Gids, Het Volk en Het Nieuwe Leven. In 1927 publiceerde hij tevens onder deze schuilnaam *Homosexualiteit (Geslachtelijke neiging voor personen van dezelfde sexe). Bevattende tevens een proeve van bestrijding van prof. dr. H.Y. Groenewegen's werk 'Het donkere vraagstuk der sexueele ethiek'*.

**Connors, Mike**
(Kreker Jay Ohanian; geb. 1925) Amerikaans acteur van Armeense afkomst. Ohanian speelde in verschillende politieseries. Zo was hij van 1967 tot 1975 de privé-detective Joe Mannix in *Mannix* en van 1981 tot 1982 de chef Ben Slater in *Today's F.B.I.*.

**Conrad, Joseph**
(Teodor Józef Konrad Korzeniowski; 1857-1924) Engels schrijver van Poolse afkomst. Korzeniowski schreef onder het pseudoniem Joseph Conrad o.a. *Lord Jim* (1900) en *The secret agent* (1907).

**Conway, Tom**
(Thomas Charles Sanders; 1904-1967) Engels acteur. Sanders speelde in de jaren veertig de privé-detective Falcon in films als *The Falcon's brother* (1942) en *The Falcon strikes back* (1943). Hij is o.a. ook te zien in *Cat people* (1942) en *I walked with a zombie* (1943).

**Cool, Leslie**
(Jurriaan Andriessen; geb. 1925) Nederlands componist, pianist en orkestleider. Vanaf midden jaren vijftig speelde Andriessen onder de artiestennaam Leslie Cool met een trio en later met een kwartet grotendeels door hemzelf gecomponeerde jazz-muziek voor de KRO-radio. Van 1947 tot 1949 componeerde Andriessen onder het pseudoniem Vic Hall de muziek voor cabaretliedjes, die in KRO-radioprogramma's ten gehore werden gebracht.

**Coolen, Ian H.**
(Co de Kloet; geb. 1932) Nederlands schrijver en wethouder. De Kloet schreef in 1986 onder het pseudoniem Ian H. Coolen de thriller *Moord in 'De Rooie Haan'*, een sleutelroman over de VARA. Hij gebruikte tevens de schuilnaam Cor ten Hoeff.

**Cooper, Alice**
(Vincent Damon Furnier; geb. 1948) Amerikaans zanger en componist. Furnier scoorde een hit met o.a. 'Elected' (1972), 'No more Mr. Nice Guy' (1973) en 'How you gonna see me now' (1978).

**Cooper, Gary**
(Frank James Cooper; 1901-1961) Amerikaans acteur van Engelse afkomst. Cooper won in 1941 en 1952 een Oscar voor zijn hoofdrol in respectievelijk *Sergeant York* en *High noon*. Hij speelde verder o.a. in *A farewell to arms* (1932), *Mr. Deeds goes to town* (1936) en *Vera Cruz* (1953).

**Cooplandt, A.**
(Arij Prins; 1860-1922) Nederlands schrijver. In 1885 debuteerde Prins met de bundel schetsen *Uit het leven*, die hij ondertekende met A. Cooplandt. Onder zijn eigen naam publiceerde hij o.a. *Een koning* (1897) en *De heilige tocht* (1913).

**Cope, Julian**
(Kevin Stapleton; geb. 1957) Engels zanger en gitarist. Stapleton maakte met zijn groep The Teardrop Explodes de singles 'Touch' (1979), 'The

lonely spy' (1979) en 'Treason' (1980). Zij scoorden in Engeland een hit met het nummer 'Reward'.

**Corby, Ellen**
(Ellen Hansen; geb. 1913) Amerikaans actrice. Hansen is o.a. te zien in Alfred Hitchcocks *Vertigo* (1958). Zij speelde tevens in verschillende tv-series. Zo was zij midden jaren zestig moeder Lurch in *The Addams Family* en van 1972 tot 1979 oma Esther Walton in *The Waltons*.

**Corita, Rita**
(Hendrika Sturm; geb. 1917) Nederlands zangeres. Sturm scoorde in 1979 een hit met 'Kant aan mijn broek'.

**Corneille**
(Cornelis Guillaume van Beverloo; geb. 1922) Nederlands schilder en graficus. Van Beverloo, een van de belangrijkste kunstenaars uit de internationale Cobra-groep, maakt sinds eind jaren tachtig ontwerpen voor de decoratie van gebruiksvoorwerpen. Zo kon de ABN in 1988 tienduizenden nieuwe rekeninghouders verblijden met een Corneille-pen en werd het gemeentevervoerbedrijf van Amsterdam op 19 december van datzelfde jaar verrijkt met een Corneille-tram.

**Cornero, Lola**
(Helene Dorothea Catharina Rasmussen; 1892-1980) Duits actrice. Rasmussen behoorde tot de vaste spelerskern van de Hollandia Filmfabriek. Zij speelde o.a. in *Gouden ketenen* (1917) en *Zonnetje* (1920).

**Corri, Adrienne**
(Adrienne Riccoboni; geb. 1930) Engels actrice. Riccoboni speelde o.a. in *Doctor Zhivago* (1965) en in *A clockwork orange* (1971).

**Corsari, Willy**
(Wilhelmina Angela Schmidt; geb. 1897) Nederlands schrijfster en kleinkunstenares. Schmidt schreef onder het pseudoniem Willy Corsari o.a. de romans *De zonden van Laurian Ostar* (1931) en *Schip zonder haven* (1938). Tevens schreef zij detectiveromans, zoals *De misdaad*

*zonder fouten* (1927) en *Spelen met de dood* (1983).

**Cort, Bud**
(Walter Edward Cox; geb. 1948) Amerikaans acteur. Cox speelde o.a. in *M\*A\*S\*H* (1970), *Harold and Maude* (1971) en *Love letters* (1983).

**Cortez, Stanley**
(Stanislaus Krantz; geb. 1908) Amerikaans cameraman. Krantz was o.a. verantwoordelijk voor het camerawerk van Orson Welles' *The magnificent Ambersons* (1942).

**Corydon**
(Jef Last; 1898-1972) Nederlands sinoloog, schrijver en dichter. Last schreef onder eigen naam o.a. *Zuiderzee* (1934) en *De Vliegende Hollander* (1939). In 1946 en 1947 publiceerde hij onder het pseudoniem Corydon twee artikelen in het periodiek Levensrecht. Een aantal bijdragen in het tijdschrift Vriendschap ondertekende hij met Ohira. Hij gebruikte ook de schuilnaam Co. Mantjes.

**Costa-Gavras**
(Konstantinos Gavras; geb. 1933) Frans regisseur van Griekse afkomst. Gavras maakte o.a. de thrillers *The sleeping car murder* (1965), *Z* (1969) en *Missing* (1982). Hij regisseerde tevens *Betrayed* (1988) met Debra Winger en *The music box* (1989) met Jessica Lange.

**Costello, Elvis**
(Declan Patrick McManus; geb. 1955) Engels zanger. McManus scoorde met zijn groep The Attractions een hit met o.a. 'Good year for the roses' (1981) en 'I want you' (1986).

**Craig, James**
(James Henry Meador; 1912-1985) Amerikaans acteur. Meador speelde o.a. in *All that money can buy* (1941) en *The human comedy* (1943).

**Cramer, Ben**
(Bernhard Kramer; geb. 1947) Nederlands zanger. Kramer scoorde vele hits, zoals 'Agata' (1970), 'De

clown' (1971) en 'De oude muzikant' (1973).

**Crawford, Joan**
(Lucille Fay Le Sueur; 1904-1977) Amerikaans actrice. Le Sueur won in 1945 een Oscar voor haar hoofdrol in *Mildred Pierce*. Zij is tevens te zien in George Cukors *A woman's face* (1941) en in Nicholas Rays *Johnny Guitar* (1953). Verder speelde zij o.a. naast Bette Davis in *Whatever happened to Baby Jane* (1962).

**Cronyn, Hume**
(Hume Blake; geb. 1911) Canadees acteur. Blake maakte zijn filmdebuut in Alfred Hitchcocks *Shadow of Doubt* (1943). Hij speelde daarna o.a. in *The postman always rings twice* (1946), *The world according to Garp* (1982) en *Cocoon* (1985).

**Crosby, Bing**
(Harry Lillis Crosby; 1903-1977) Amerikaans zanger en acteur. Crosby won in 1944 een Oscar voor zijn rol in *Going my way*. Hij speelde o.a. ook in *Pennies from heaven* (1936) en *White Christmas* (1954).

**Cruise, Tom**
(Thomas Cruise Mapother IV; geb. 1962) Amerikaans acteur. Cruise Mapother speelde o.a. in *The color of money* (1986), *Top gun* (1986), *Rain man* (1988) en *Born on the fourth of July* (1989)

**Cruze, James**
(Jens Cruz Bosen; 1884-1942) Amerikaans acteur en regisseur van Deense afkomst. De eerste jaren van zijn Hollywood-carrière was Cruz Bosen actief als acteur. Hij speelde o.a. de hoofdrol in *Dr. Jeckyll and Mr. Hyde* (1912). Vanaf 1918 legde hij zich toe op het regisseren van films en maakte o.a. *The covered wagon* (1923) en *The Pony Express* (1925).

**Cummings, Constance**
(Constance Cummings Halverstadt; geb. 1910) Amerikaans actrice. Cummings Halverstadt speelde o.a. in Howard Hawks' *The criminal code* (1931) en Frank Capra's *American madness* (1932).

**Cunningham, E.V.**
(Howard Fast; geb. 1914) Amerikaans (toneel)schrijver. Fast schreef onder het pseudoniem E.V. Cunningham o.a. de misdaadromans *Sylvia* (1960) en *Sally* (1967). Hij gebruikte tevens de schuilnaam Walter Ericson.

**Cuny, Alain**
(René Xavier Marie; geb. 1908) Frans acteur. Marie speelde o.a. in Federico Fellini's *La dolce vita* (1960) en in Marcel Carnés *Les visiteurs du soir* (1942).

**Curly, Alexander**
(Harm Douwe Breemer; geb. 1946) Nederlands zanger. Breemer scoorde een hit met o.a. 'I'll never drink again' (1972) en 'Guus' (1975).

**Curtis, Jamie Lee**
(Jamie Lee Schwartz; geb. 1958) Amerikaans actrice. Jamie Lee Schwartz, de dochter van de acteur Bernard Schwartz alias Tony Curtis, speelde o.a. in *Trading places* (1983) en *A fish called Wanda* (1988).

**Curtis, Peter**
(Norah Robinson; 1904-1983) Engels schrijfster. Lofts schreef onder het pseudoniem Peter Curtis een aantal misdaadromans, w.o. *You're best alone* (1943) en *The witches* (1966). Zij gebruikte tevens de schuilnaam Juliet Astley.

**Curtis, Tony**
(Bernard Schwartz; geb. 1925) Amerikaans acteur. Schwartz speelde o.a. een hoofdrol in Billy Wilders *Some like it hot* (1959) en in Stanley Kubricks *Spartacus* (1960).

**Curtius, Rudolf**
(Marie Boddaert; 1844-1914) Nederlands schrijfster. Boddaert publiceerde onder het pseudoniem Rudolf Curtius de roman *Buiten de wet* (1890). Zij gebruikte ook de schuilnamen Bricole en Luctor.

**Curtiz, Michael**
(Mihály Kertész; 1888-1962) Amerikaans regisseur van Hongaarse afkomst. Kertész won in 1943 een Oscar voor de regie van *Casablanca*. Hij maakte o.a. ook *Twenty thou-*

*sand years in Sing Sing* (1932) met
Bette Davis en Spencer Tracy, *Captain Blood* (1935) met Errol Flynn,
*Passage to Marseille* (1944) met
Humphrey Bogart, *Mildred Pierce*
(1945) met Joan Crawford en *White Christmas* (1954) met Bing Crosby.

**Da Silva, Howard**
(Harold Silverblatt; 1909-1986)
Amerikaans acteur. Silverblatt is
o.a. te zien in Billy Wilders *The lost weekend* (1945) en in Nicholas Rays
*They live by night* (1949). In 1981
speelde hij de filmtycoon Louis B.
Mayer in *Mommie dearest* naar het
leven van Joan Crawford.

**Daalberg, Bruno**
(Petrus de Wacker van Zon; 1758-1818) Nederlands schrijver. De Wacker van Zon publiceerde onder het
pseudoniem Bruno Daalberg o.a.
*Willem Hups* (1805), *Tweeëndertig woorden of de les van Kotzebue*
(1805) en *Nog wat lectuur bij het ontbijt en de theetafel van den heer professor Van Hemert* (1806-07).
Hij gebruikte tevens de schuilnamen
Aelius, Anonymus en Een burger
aan de grenzen van Holland.

**Daen, Frank**
(I.F. de Haan; geb. 1918) Nederlands dichter en schrijver. De Haan
publiceerde onder het pseudoniem
Frank Daen o.a. de dichtbundels
*Wrakhout en schuim* (1950) en *De bruikbaarheid van de tijd* (1957).
Hij schreef ook onder de schuilnamen Franc Maeslandt en Dr. B.
Raes.

**Dagboekanier**
(Henri Knap; 1911-1986) Nederlands journalist en schrijver. Van
1947 tot 1973 schreef Knap onder
het pseudoniem Dagboekanier de
dagelijkse rubriek 'Amsterdams
Dagboek' in Het Parool. Hij gebruikte ook de schuilnamen Adam,
Kees van Doorn, Prikkelbeen, Hans
Velp en N. de Vries.

**Dagover, Lil**
(Marie Antonia Siegelinde Martha
Seubert; 1897-1980) Duits actrice

van Nederlandse afkomst. Seubert speelde o.a. in Robert Wienes *Das Kabinett des Dr. Caligari* (1919), in Fritz Langs *Der müde Tod* (1921) en in F.W. Murnaus *Tartüff* (1925). Zij baseerde haar pseudoniem op de naam van haar eerste echtgenoot, Fritz Daghofer.

**Daisne, Johan**
(Herman Thiery; 1912-1978) Vlaams bibliothecaris, dichter en schrijver. Thiery schreef onder het pseudoniem Johan Daisne o.a. de romans *De trap van steen en wolken* (1942), *De man die zijn haar kort liet knippen* (1947) en *Als kantwerk aan de kim* (1965).

**Dalio, Marcel**
(Israel Moshe Blauschild; 1900-1983) Frans acteur. Blauschild speelde o.a. in *La grande illusion* (1937), *La règle du jeu* (1939), *Casablanca* (1942) en *To have and have not* (1944).

**Darby, Kim**
(Deborah Elias Zerby; geb. 1948) Amerikaans actrice. Zerby speelde o.a. naast John Wayne in *True Grit* (1969).

**Darc, Mireille**
(Mireille Aigroz; geb. 1938) Frans actrice. Aigroz speelde o.a. een hoofdrol in Jean-Luc Godards *Weekend* (1968).

**Darin, Bobby**
(Robert Walden Cassotto; 1938-1973) Amerikaans acteur en zanger. Cassotto speelde o.a. naast Rock Hudson en Gina Lollobrigida in de komedie *Come september* (1961) waarvoor hij tevens de titelsong schreef.

**Darro, Frankie**
(Frank Johnson; 1917-1976) Amerikaans acteur. Johnson speelde o.a. naast Cary Grant en Tony Curtis in de komedie *Operation Petticoat* (1959). Hij vertolkte gastrollen in tv-series als *Alfred Hitchcock presents* en *The untouchables*. De eerste jaren van zijn filmcarrière noemde hij zich Frankie Darrow.

**Darrow, Henry**
(Enrico Thomas Delgado; geb.

1933) Amerikaans acteur. Delgado speelde van 1967 tot 1971 Manolito Montoya in de western-serie *The High Chaparral*. Verder behoorde hij o.a. tot de cast van *The new Dick van Dyke show* (1973-74) en vertolkte hij een gastrol in *Dynasty*.

**Darwell, Jane**
(Patti Woodward; 1879-1967) Amerikaans actrice. Woodward won in 1940 een Oscar voor haar bijrol in *The grapes of wrath*. Zij speelde o.a. ook in *Gone with the wind* (1939), *Jesse James* (1939), *The Ox-Bow incident* (1943), *My darling Clementine* (1946) en *Mary Poppins* (1964).

**Davids, Heintje**
(Hendrika David; 1888-1975) Nederlands revue-artieste. Aan het begin van deze eeuw vormde Hendrika David met haar broer Louis Davids een succesvol duo in vele revues. Een aantal van die revues waren geschreven door haar echtgenoot Philip Pinkhof (1882-1956) alias Rido. Zij werkte verder o.a. mee aan het door het AVRO uitgezonden radioprogramma *De Bonte Dinsdagavondtrein*.

**Davids, Louis**
(Simon David; 1883-1939) Nederlands kleinkunstenaar. David stond drie decennia lang op de planken. Hij zong aan het begin van zijn carrière veelvuldig met zijn zussen Rebecca David (1886-1943) alias Rika Davids en Hendrika David alias Heintje Davids. De conférencier Simon David verwierf een grote schare fans met het vertolken van liedjes als 'De olieman', 'De voetbalmatch', 'De bokswedstrijd', 'Weet je nog wel, oudje', 'De kleine man' en 'Naar de bollen'.

**Davies, Marion**
(Marion Cecilia Douras; 1897-1961) Amerikaans acteur. Douras speelde o.a. in de komedies *The patsy* (1927) en *Show people* (1928), beide van King Vidor.

**Davis, Nancy**
(Anne Frances Robbins; geb. 1921) Amerikaans actrice. Robbins speel-

de o.a. in *The next voice you hear* (1950), *Donovan's brain* (1953) en *Hellcats of the Navy* (1957). In 1952 trouwde zij met Ronald Reagan.

**Davison, Lawrence H.**
(David Herbert Lawrence; 1885-1930) Engels schrijver en dichter. Lawrence, de auteur van o.a. *Lady Chatterley's lover*, schreef onder het pseudoniem Lawrence H. Davison het schoolboek *Movements in European history* (1921). Hij gebruikte ook de schuilnaam Grantorto.

**Day, Doris**
(Doris von Kappelhoff; geb. 1922) Amerikaans actrice en zangeres. Von Kapelhoff speelde o.a. in Alfred Hitchcocks *The man who knew too much* (1956) en in de musicals *Tea for two* (1950) en *The pajama game* (1957). Van 1968 tot 1973 had zij haar eigen tv-serie, *The Doris Day show*.

**Debbie**
(Maria Schildmeyer; geb. 1953) Nederlands zangers. Schildmeyer scoorde een hit met o.a. 'Everybody join hands' (1972) en 'Angelino' (1977).

**Deck, Sasia**
(Wieslawa Sasiadek; geb. 1958) Pools actrice. Sasiadek speelde o.a. in 1991 Jadwiga in de tv-serie *De Dageraad*.

**Dee, Kiki**
(Pauline Matthews; geb. 1947) Engels zangeres. Matthews scoorde samen met Elton John in 1976 een hit met 'Don't go breaking my heart'.

**Dekker, Wubbe**
(Onno Aerden; geb. 1967) Nederlands journalist. Aerden was in 1987 werkzaam bij de commerciële radiopiraat Kontinu FM, alwaar hij zich bediende van de schuilnaam Bart Zomer. In 1991 schreef hij onder het pseudoniem Wubbe Dekker in De Nieuwe Amsterdammer.

**Dendermode, Max**
(Hendrik Hazelhoff; geb. 1919) Nederlands dichter, schrijver en journalist. Hazelhoff schreef onder het pseudoniem Max Dendermonde o.a. *Water en brood* (1941), *De wereld gaat aan vlijt ten onder* (1954) en *Amerika door de achterdeur* (1977).

**Deneuve, Catherine**
(Sylvie-Catherine Dorléac; geb. 1943) Frans actrice. Dorléac speelde o.a. in *Les demoiselles de Rochefort* (1967), *Belle de Jour* (1967), *Tristana* (1970), *Le dernier métro* (1980), *The hunger* (1982) en *Le lieu du crime* (1986).

**Denver, John**
(John Henry Deutschendorf; geb. 1943) Amerikaans zanger. Deutschendorf scoorde een hit met o.a. 'Thank God I'm a country boy' (1975), 'Calypso' (1975) en 'Annie's song' (1976).

**Derek, John**
(Derek Harris; geb. 1926) Amerikaans acteur en regisseur. Harris speelde o.a. in *All the king's men* (1949), *The Thunderbirds* (1952) en *The ten commandments* (1956). In 1981 regisseerde hij *Tarzan, the ape man* waarin zijn echtgenote Mary Cathleen Collins (geb. 1955) alias Bo Derek de rol van Jane speelde.

**Dewaere, Patrick**
(Patrick Jean Marie Henri Bourdeaux; 1947-1982) Frans acteur. Bordeaux speelde o.a. naast Gérard Depardieu in *Les valseuses* (1974) en in Yves Boissets *La clé sur la porte* (1978).

**Dey, Susan**
(Susan Smith; geb. 1952) Amerikaans actrice. Smith was van 1970 tot 1974 Laurie Patridge in de tv-serie *The Patridge Family*. Vanaf 1986 speelt zij Grace van Owen in *L.A. Law*.

**Deyssel, Lodewijk van**
(Karel Joan Lodewijk Alberdingk Thijm; 1864-1952) Nederlands criticus en schrijver. Alberdingk Thijm debuteerde in 1881 met een verhandeling over Hugo, Zola en Molière in het katholieke tijdschrift De Dietsche Warande. Dit artikel ondertekende hij met Lodewijk van Deyssel, het pseudoniem dat de auteur voor het grootste deel van zijn oeuvre zou gebruiken. Hij publiceerde incidenteel onder de schuilnamen

A.J., Max C., Kirghbijl ten Dam, A.
Duycrant, Hovius, H. de Kanter,
L.P., Leonardus Marius, M.S., Van
der Ouwe, Louis Poleslas, Pr-d, Os-
car Quérin, M. Randee, Marius
Saafte, F.J. van Straten, F.J.A.M. de
V. D'Uiterkerke, K.J. Weel en X.

**Dhoeve, Andries**
(Johan Vercammen; geb 1908)
Vlaams dichter. Vercammen publiceerde onder het pseudoniem Andries Dhoeve de dichtbundels *Achter de blinden* (1951) en *Op hetzelfde thema* (1953). Hij gebruikte tevens de schuilnamen Johan Egill en
Joost van de Venne.

**Diamond, I.A.L.**
(Itec Dommnici; 1920-1988) Amerikaanse scenarioschrijver van Roemeense afkomst. Dommnici schreef
o.a. samen met Billy Wilder de scenario's voor diens komedies als
*Some like it hot* (1959), *One, two,
three* (1961) en *The front page*
(1974). In 1960 wonnen Dommnici
en Wilder een Oscar voor het scenario van *The apartment*.

**Diamond, Neil**
(Noah Kaminsky; geb. 1941) Amerikaans zanger. Kaminsky scoorde
met name in de jaren zeventig vele
hits, zoals 'Song sung blue' (1972)
en 'Beautiful noise' (1976).

**Dickinson, Angie**
(Angeline Brown; geb. 1931) Amerikaans actrice. Brown speelde o.a.
in *Rio Bravo* (1959), *Point Blank*
(1967) en *Dressed to kill* (1980).
Van 1974 tot 1978 was zij Suzanne
'Pepper' Anderson in de tv-serie
*Police woman*. Brown bleef zich
ook na de scheiding van haar eerste
man, Gene Dickinson, Angie
Dickinson noemen.

**Dijck, Linda van**
(Linda Marianne de Hartogh; geb.
1948) Nederlands actrice. De Hartogh speelde o.a. in *Het gangster-
meisje* (1966) en *Twee vorstinnen
en een vorst* (1981).

**Dik**
(Dick Bruynesteyn; geb. 1927) Nederlands striptekenaar en karikaturist. Bruynesteyn tekende o.a. vanaf

1967 de strip *Appy Happy* over de
gelijknamige voetballer. Toen Bruynesteyn voornoemde held in 1970
zijn come-back liet maken, had hij
de spelling van diens naam veranderd in Appie Happie.

**Dinesen, Isak**
(Karen Christence Blixen-Finecke;
1885-1962) Deens schrijfster. De
auteur van *Out of Africa* (1937)
schreef onder het pseudoniem Isak
Dinesen o.a. *Winter's tales* (1942;
Wintervertellingen) en *Anecdotes of
destiny* (1958; Anekdoten van het
lot). Blixen-Finecke gebruikte tevens de schuilnamen Pierre Andrézel en Osceola.

**Divine**
(Harris Glenn Milstead; 1945-1989)
Amerikaans acteur. De travestiet
Milstead speelde o.a. in een zestal
cult-films van zijn middelbare
schoolvriend John Waters, w.o.
*Multiple maniacs* (1971) en *Pink
flamingos* (1972).

**DJ Sven**
(Sven van Veen; geb. 1961) Nederlands scratcher en producer. Van
Veen vormt samen met Cornelis
Martinus Maria Witteveen (geb.
1967) alias M.C. Miker G. het hip
hop-duo M.C. Miker G. & DJ Sven.
Zij scoorden een hit met 'Holiday
rap' (1986), 'Celebration rap'
(1986) en 'Nights over New York'
(1989). In 1992 werkte Van Veen
als lid van Opus Magnum mee aan
de creatie van het house-nummer
'Rave to the joy', dat hij zelf onder
de schuilnaam Nu-Jam produceerde.

**Dobie**
(J.F. Doeve; geb. 1907) Nederlands
tekenaar. Doeve was verbonden aan
periodieken als De Groene Amsterdammer, De Haagse Post, Het Handelsblad en De Telegraaf. In 1942
maakte Doeve onder de schuilnaam
Dobie een illustratie en een titelvig-
net bij *Nadien*, de Nederlandse vertaling van Rudyard Kiplings gedicht
*If.*

**Doesburg, Theo van**
(Christian Emil Marie Küpper;
1883-1931) Nederlands schilder, ar-

chitect, dichter en essayist van Duitse afkomst. De veelzijdige kunstenaar Küpper noemde zich meestal Theo van Doesburg, maar gebruikte incidenteel ook de pseudoniemen Aldo Camini en I.K. Bonset.

**Dolman, Margreet**
(Paul Haenen; geb. 1946) Nederlands kleinkunstenaar en schrijver. Sinds maart 1988 vervult Haenen onder de schuilnaam Margreet Dolman de functie van hoofdredacteur bij het door hem met Dammie van Geest opgerichte tijdschrift Mens & Gevoelens. In 1979 maakte hij met zijn alter ego Margreet Dolman de LP 'Dat mens', waarop ook het succesvolle nummer 'Buk nog een keer' te horen is.

**Domino, Fats**
(Antoine Domino; geb. 1928) Amerikaans zanger, orkestleider en componist. Domino scoorde in de jaren vijftig en zestig vele hits met nummers als 'That fat man' (1950), 'Ain't it a shame' (1955) 'Blueberry hill' (1956), 'Blue Monday' (1957), 'There goes my heart again' (1963) en 'When I'm walking' (1963).

**Donahue, Troy**
(Merle Johnson; geb. 1936) Amerikaans acteur. Johnson speelde o.a. in The godfather, part two (1974) en Cockfighter (1974).

**Dongen, Frits van**
(Hein van der Niet; 1901-1975) Nederlands acteur. Van der Niet hanteerde in de loop van zijn carrière verschillende schuilnamen. In Nederland noemde hij zich Frits van Dongen en in Duitsland Fritz van Dongen. In 1939 emigreerde hij naar de VS. Daar veranderde MGM zijn artiestennaam in Philip Dorn. Van der Niet is o.a. te zien in Op hoop van zegen (1934), Rubber (1936), Der Tiger von Eschnapur (1938), Das Indische Grabmal (1938), Tarzan's secret treasure (1941) en Passage to Marseilles (1944). In de twee laatstgenoemde films speelde hij respectievelijk naast Johnny Weismuller en Humphrey Bogart.

**Donker, Anthonie**
(Nicolaas Anthony Donkersloot; 1902-1965) Nederlands dichter, schrijver en politicus. Donkersloot was van 1945 tot 1949 lid van de PvdA Tweede Kamerfractie. Hij publiceerde onder het pseudoniem Anthonie Donker o.a. de dichtbundels Gebroken licht (1934) en De groene wandeling (1962). Tijdens de Tweede Wereldoorlog gebruikte hij de schuilnamen Aart van der Alm, Siem de Maat en Maarten de Rijk.

**Donovan**
(Donovan Philip Leitch; geb. 1946) Engels zanger, gitarist en componist. Leitch scoorde hits met nummers als 'Colours' (1965), 'Sunshine Superman' (1966), 'Mellow yellow' (1966) en 'Atlantis' (1968).

**Doolaard, A. den**
(Cornelis J.G. Spoelstra; geb. 1901) Nederlands schrijver, dichter en journalist. Spoelstra schreef onder het pseudoniem A. den Doolaard o.a. de romans De druivenplukkers (1931), De herberg met het hoefijzer (1933) en Wampie (1938).

**Dopé**
(Peter van Dongen; geb. 1966) Nederlands striptekenaar. Van Dongen publiceerde onder het pseudoniem Dopé de strip Prins & Buster in het tijdschrift Wordt Vervolgd.

**Dor, Karin**
(Kätherose Derr; geb. 1936) Duits actrice. Aan het begin van haar filmcarrière gebruikte Derr de artiestennaam Rose Dor. Later koos zij voor het pseudoniem Karin Dor. Zij speelde o.a. in de James Bondfilm You only live twice (1967) en in Alfred Hitchcocks Topaz (1969).

**Dorna, Mary**
(Mary Jeanette Stoppelman; 1891-1971) Nederlands journaliste en schrijfster. Stoppelman publiceerde onder het pseudoniem Mary Dorna o.a. de verhalenbundels Wanordelijkheden rondom een lastig kind (1933) en Mijn oom Ricardo (1941). Zij gebruikte tevens de schuilnaam Mary Wille.

**Dors, Diana**
(Diana Mary Fluck; 1931-1984) Engels actrice. Fluck speelde o.a. met Alec Guinness in *Oliver Twist* (1948) en met Peter Sellers in *There's a girl in my soup* (1970).

**Douglas, Kirk**
(Issur Danielovitch Demsky; geb. 1916) Amerikaans acteur van Russische afkomst. Demsky speelde o.a. een hoofdrol in Billy Wilders *Ace in the hole* (1951) en in Stanley Kubricks *Paths of glory* (1957).

**Douglas, Melvyn**
(Melvyn Edouard Hesselberg; 1901-1981) Amerikaans acteur. Hesselberg speelde in *Ninotchka* (1939), *A woman's face* (1941) en *Being there* (1979).

**Draayer, Joost den**
(Willem van Kooten; geb. 1941) Nederlands discjockey en tekstschrijver. Van Kooten is vanaf april 1968 directeur van zijn eigen platenmaatschappij Red Bullet Productions. Van 2 januari 1965 tot november 1968 presenteerde hij bij 't schip Veronica radioprogramma's onder de titel *Veronica Top 40* en *Joost mag het weten*.

**Drake, Charles**
(Charles Ruppert; geb. 1914) Amerikaans acteur. Ruppert speelde o.a. met The Marx Brothers in *A night in Casablanca* (1946) en met James Stewart in *The Glenn Miller story* (1954).

**Drake, Tom**
(Alfred Alderdice; 1919-1982) Amerikaans acteur. Alderdice speelde o.a. met Judy Garland in de musical *Meet me in St. Louis* (1944).

**Drapier, M.B.**
(Jonathan Swift; 1667-1745) Iers schrijver en satiricus. Swift publiceerde onder eigen naam o.a. *Gulliver's travels* (1726; Gullivers reizen). In 1724 schreef hij *A letter to the people of Ireland*, dat hij ondertekende met het pseudoniem M.B. Drapier. Swift gebruikte vele schuilnamen, zo ook A.B., Tom Ashe, Isaac Bickerstaff, An Enemy of the Peace, Jack Frenchman, T.

Fribble, Lemuel Gulliver, Gregory Miso-Sarum, M. Flor O'Squarr, A Person of Honour, T.N. Philomath, Presto, Abel Roper, S.P.A.M., Martinus Scriblerus, Tristram Shandy, A Shoeboy, Student of Astrology, T. Tinker, Dr. Andrew Tripe en Simon Wagstaff Esq.

**Draulans, Ivo**
(Jozef Simons; 1888-1948) Vlaams schrijver en dichter. Simons publiceerde onder het pseudoniem Ivo Draulans *Eer Vlaanderen vergaat* (1927). Hij gebruikte ook de schuilnaam IJzer II.

**Dreelen, John van**
(Jacques Theodore van Drielen Gimberg; geb. 1922-1992) Nederlands acteur. Van Drielen Gimberg speelde o.a. in Douglas Sirks *A time to love and a time to die* (1958) en in Alfred Hitchcocks *Topaz* (1969). Hij vertolkte gastrollen in de tv-series *Charley's Angels*, *The Six Million Dollar Man* en *Dynasty*.

**Dressler, Marie**
(Leila Marie Koerber; 1869-1934) Canadees actrice. Koerber won een Oscar voor haar hoofdrol in *Min and Bill* (1930). Verder speelde zij o.a. naast Greta Garbo in *Anna Christie* (1930).

**Droes, Kees**
(August Vermeylen; 1872-1945) Vlaams schrijver, dichter, en kunsthistoricus. In 1889 debuteerde Vermeylen onder het pseudoniem Kees Droes in Jong Vlaanderen met de twee sonnetten getiteld *Vlaamsche kermissen*. In het tijdschrift Van Nu en Straks ondertekende hij zijn bijdragen, behalve met zijn eigen naam, ook met A.V. de Meere en Victor Lieber. Vermeylen gebruikte tevens de schuilnamen Fritz Darène, Halies, Karl-Christian-Friedrich Krause en Karel de Visscher. Samen met Frits Sand schreef hij onder de schuilnaam Frans Heuvels.

**Dru, Joanne**
(Joanne Letitia Laycock; geb. 1923) Amerikaans actrice. Laycock speelde o.a. in Howard Hawks' *Red river* (1948) en in John Fords *She wore a*

*yellow ribbon* (1949).

**Drucker, Wilhelmina Elisabeth**
(Wilhelmina Elisabeth Lensing; 1847-1925) Nederlands politiek activiste. De feministe Lensing was in respectievelijk 1889 en 1894 mede-oprichtster van de Vrije Vrouwen-vereniging en de Vereniging voor Vrouwenkiesrecht. De uit 1969 stammende actiegroep Dolle Mina werd naar haar vernoemd.

**Ducal, Charles**
(Frans Dumortier; geb. 1952) Vlaams leraar en dichter. Dumortier schreef onder het pseudoniem Charles Ducal o.a. de dichtbundel *De hertog en ik* (1989) en de verhalen-bundel *De meesterknecht* (1992).

**Duin, André van**
(Adrianus Marinus Kyvon; geb. 1947) Nederlands komiek. Kyvon maakte vanaf 1970 verschillende shows voor radio en tv. Hij scoorde een hit met 'Sambaballensamba' (1974), ''k Heb hele grote bloem-koole' (1978) en 'Er staat een paard in de gang' (1980). Hij speelde o.a. de hoofdrol in *De boezemvriend* (1982) van Dimitri Frenkel Frank.

**Duinkerken, Anton van**
(Wilhelmus Johannes Maria Antonius Asselbergs; 1903-1968) Nederlands dichter en essayist. Asselbergs publiceerde onder de schuilnaam Anton van Duinkerken o.a. de dichtbundels *Onder Gods ogen* (1927) en *Tobias met de engel* (1946). Hij gebruikte voorts de pseudoniemen Antonides, Pieter Bakx, Sels Bergas, Andries van Doorn en Ch. André Leffens.

**Dulieu, Jean**
(Jan van Oort; geb. 1921) Nederlands violist, tekenaar en schrijver van kinderboeken. Van Oort schreef en tekende onder het pseudoniem Jean Dulieu tientallen verhalen over Paulus de Boskabouter, waarvan de eerste aflevering op 2 februari 1946 in Het Vrije Volk verscheen.

**Dumaar, P.**
(Pieter Hendrik van Moerkerken jr.; 1877-1951) Nederlands dichter en (toneel)schrijver. Van Moerkerken

publiceerde in 1911 de roman *Gijsbert en Ada*, die hij met P. Dumaar ondertekende. Hij gebruikte tevens de schuilnaam P. Terduyn.

**Dumaer, L.A.**
(Ella van Dantzig-Van den Bergh; 1907-1965) Nederlands redactrice. Van Dantzig-Van den Bergh schreef in de hongerwinter van 1944-45 onder de schuilnaam L.A. Dumaer voor het illegale tijdschrift Paraat.

**Dumont, Margaret**
(Daisy Baker; 1889-1965) Amerikaans actrice. Baker speelde in zeven films van The Marx Brothers, w.o. *Animal crackers* (1930) en *A night at the opera* (1935). In deze films werd zij voortdurend achter-volgd en vernederd door Groucho Marx.

**Dunne, Irene**
(Irene Dunn; 1898-1990) Amerikaans actrice. Dunn speelde o.a. in *Magnificent obsession* (1935) en *Show Boat* (1936). Zij werd onder meer genomineerd voor een Oscar voor haar hoofdrol in *Theodora goes wild* (1936) en voor haar hoofdrol *The awful truth* (1937). Ondanks vijf Oscarnominaties heeft zij echter nooit een Academy Award in ontvangst mogen nemen.

**Duoduo**
(Li Shizheng; geb. 1951) Chinees dichter en journalist. Li leeft sinds de studentenopstand van 1989 in ballingschap. Hij schreef sinds 30 juni 1989 meermalen een column voor NRC Handelsblad.

**Dupont, Marc**
(Hans Warren; geb. 1921) Nederlands dichter en criticus. Warren publiceerde in 1954 onder de schuil-naam Marc Dupont enkele gedichten in Podium. Zijn stukjes over vinkduivenfokken voor de periodieken Avicultura en De Vinkduiven-bode ondertekende hij met Arcangelo. Hij gebruikte tevens het pseudoniem Engel Piccardt.

**Dura, Lex**
(G.J. Kemper; geb. 1948) Nederlands advocaat. Sinds 1979 publiceert Kemper onder het pseudoniem

Lex Dura bespiegelingen over juridische aangelegenheden in Vrij Nederland.

**Duras, Marguerite**
(Marguerite Donnadieu; geb. 1914) Frans (scenario)schrijfster en regisseuse. Donnadieu schreef onder het pseudoniem Marguerite Duras o.a. het scenario voor *Hiroshima mon amour* (1959) en de roman *L'Amant* (1984; De minnaar).

**Dussen, Hank**
(Freek de Jonge; geb. 1944) Nederlands komiek. De Jonge schreef in de periode 1974-75 een column voor het muziektijdschrift Oor, die hij soms met Hank Dussen en soms met Warder Middelie ondertekende.

**Dvorak, Ann**
(Anna McKim; 1912-1979) Amerikaans actrice. McKim speelde naast Spencer Tracy in *Sky devils* (1932). Zij is o.a. ook te zien in Howard Hawks' *Scarface* (1932).

**Dyckmans, Dirk**
(Bert Peleman; geb. 1915) Vlaams dichter en journalist. In 1949 publiceerde Peleman onder het pseudoniem Dirk Dyckmans de roman *Karmijnrood*. Hij gebruikte ook de schuilnamen Walter van Weert, Geert Groenendijck, Mon Marentack en Tijl.

**Dylan, Bob**
(Robert Allen Zimmerman; geb. 1941) Amerikaans zanger en componist. Zimmerman schreef o.a. de nummers 'Blowin' in the wind' (1963) en 'Mr. Tambourine Man' (1965). Hij gebruikte tevens de artiestennamen Blind Boy Grunt, Robert Milkwood Thomas, Tedham Porterhouse en Lucky Wilbury. In 1962 veranderde Zimmerman zijn achternaam officieel in Dylan.

**d'E.**
(Robert M.P.J. Franquinet; 1915-1979) Nederlands schilder, dichter en schrijver. Franquinet publiceerde op 3 februari 1945 in de Limburgse editie van Het Parool een artikel over het letterkundig maandblad Overtocht, dat hij met d'E. ondertekende. Hij gebruikte tevens de schuilnaam Hegeso.

**Ebstein, Katja**
(Karin Witkiewicz; geb. 1945) Duits actrice en zangeres. Witkiewicz had succes met nummers als 'Der Stern von Mykonos' (1973) en 'Die Hälfte seines Lebens' (1976).

**Eckmar, F.R.**
(Jan de Hartog; geb. 1914) Nederlands (toneel)schrijver. De Hartog schreef onder het pseudoniem F.R. Eckmar – 'verrek maar' – de detectiveverhalen *Een linkerbeen gezocht* (1935), *Spoken te koop* (1936), *Drie dode dwergen* (1937), *Ratten op de trap* (1937) en *De maagd en de moordenaar* (1938). Later zijn deze boeken onder zijn eigen naam herdrukt.

**Eden, Barbara**
(Barbara Huffman; geb. 1934) Amerikaans actrice. Huffman speelde o.a. van 1965 tot 1970 naast Larry Hagman in de tv-serie *I dream of Jeannie*.

**Edinga, Hans**
(Hans Heidstra; 1918-1980) Nederlands dichter en schrijver. Heidstra schreef onder het pseudoniem Hans Edinga o.a. de dichtbundels *De vrouw van de herfst* (1952) en *De wintertuin* (1954).

**Edwards, Blake**
(William Blake McEdwards; geb. 1922) Amerikaans scenarioschrijver, regisseur en producent. McEd-

wards regisseerde o.a. *Breakfast at Tiffany's* (1961) en *The Pink Panter* (1963).

**Eemlandt, W.H.**
(Willem Hendrik Haasse; 1889-1955) Nederlands schrijver. Willem Hendrik Haasse, de vader van Hella Haasse, schreef onder het pseudoniem W.H. Eemlandt een aantal politieromans rond commissaris Van Houthem, zoals *Moord met muziek* (1954) ·en *Kogels bij het dessert* (1954).

**Eerens, Henri**
(Henri François Jean van der Kooy; 1886-1955) Nederlands acteur. In de jaren dertig regisseerde Van der Kooy onder het pseudoniem Henri Eerens verschillende hoorspelen voor de KRO.

**Ekland, Britt**
(Britt-Marie Eklund; geb. 1942) Zweeds actrice. Eklund speelde o.a. een hoofdrol in de James Bond-film *The man with the golden gun* (1974).

**Eleutheros**
(Jacques Gans; 1907-1972) Nederlands journalist, schrijver en dichter. Gans was columnist bij De Telegraaf en richtte in 1950 het eenmanstijdschrift Het Pamflet op. In 1945 schreef hij onder de schuilnaam Eleutheros de dichtbundel *In uw licht*. Hij gebruikte ook de pseudoniemen Jaap Kip en Le Jars J.F.

**Eliot, George**
(Mary Ann Evans; 1819-1880) Engels schrijfster. Evans schreef onder het pseudoniem George Eliot de romans *Middlemarch* (1872) en *Romola* (1863).

**Elise**
(Eliza C.F. van Calcar-Schiötling; 1822-1904) Nederlandse schrijfster. Van Calcar-Schiötling publiceerde onder het pseudoniem Elise o.a. *Vertellingen van de oude tante Christine* (1848), *Wat is de winter voor armen en rijken* (1855) en *Moeders a.b.c. boekje. Wat lekkers uit keuken en tuin* (1856).

**Ellington, Duke**
(Edward Kennedy Ellington; 1899-1974) Amerikaans jazzpianist, orkestleider en componist. Ellington is een van de belangrijkste orkestleiders uit de geschiedenis van de jazzmuziek. Hij verwierf wereldfaam met nummers als 'Black brown and beige' (1942) en 'Sophisticated lady' (1933).

**Ellison, James**
(James Ellison Smith; geb. 1910) Amerikaans acteur. Smith was van 1935 tot 1937 Johnny Nelson in acht *Hopalong Cassidy*-films. Hij speelde o.a. ook de rol van Buffalo Bill in *The plainsman* (1936).

**Elro, H. van**
(Roel Martinus Frederik Houwink; 1899-1987) Nederlands dichter, schrijver en essayist. Houwink publiceerde onder het pseudoniem H. van Elro de dichtbundels *Madonna in tenebris* (1925) en *Hesperiden* (1925). Hij gebruikte ook de schuilnaam Boekenoogen.

**Elsinck**
(Henk Elsink; geb. 1935) Nederlands kleinkunstenaar en schrijver. De cabaretier Elsink schreef onder het pseudoniem Elsinck een aantal thrillers, zoals *Moord per fax* (1991) en *Biecht van een moordenaar* (1992).

**Elsschot, Willem**
(Alfons Jozef de Ridder; 1882-1960) Vlaams schrijver en dichter. De Ridder schreef onder het pseudoniem Willem Elsschot o.a. *Lijmen* (1924), *Kaas* (1933), *Het been* (1938) en *Het dwaallicht* (1946). Hij gebruikte tevens de schuilnamen Chevalier en Nicodemus.

**Elten, Donaert van**
(Herman Roelvink; 1883-1957) Nederlands toneelschrijver. Roelvink was van 1913 tot 1917 artistiek leider van de Koninklijke Vereeniging Het Nederlandsch Tooneel. Onder het pseudoniem Donaert van Elten vertaalde hij in 1906 *The art of the theatre* van Edward Gordon Craigs.

**Eluard, Paul**
(Eugène Paul Grindel; 1895-1952) Frans dichter. Grindel publiceerde zijn eerste dichtbundel onder eigen

naam. Zijn overige werk, zoals *Poésie et vérité* (1942), schreef hij onder het pseudoniem Paul Eluard.

**Elvey, Maurice**
(William Seward Folkard; 1887-1967) Engels regisseur. Folkard heeft meer dan driehonderd films op zijn naam staan, w.o. *The elusive pimpernel* (1920) en *The hound of the Baskervilles* (1921).

**Ely, Ron**
(Ronald Pierce; geb. 1938) Amerikaans atleet en acteur. Pierce speelde van 1966 tot 1968 de titelrol in de tv-serie *Tarzan*. Dezelfde rol vertolkte hij ook in de speelfilms *Tarzan's deadly silence* en *Tarzan's jungle rebellion*, beide uit 1970. Vanaf 1978 was Pierce te zien als gastacteur in tv-series als *The Love Boat* en *Fantasy Island*.

**Enklaar, Willem**
(Jacob Pieter Romijn; geb. 1912) Nederlands schrijver, journalist en uitgever. Romijn was van 1950 tot 1952 redacteur van De Gids. In 1944 schreef hij de novelle *Koorts*, die hij met Willem Enklaar ondertekende. Onder de schuilnaam W. Indenhaeck publiceerde hij *Kleine kerstkroniek 1944* (1945). Romijn gebruikte voorts de pseudoniemen E. Legrand, Jan van Naarden en G. van Zwet.

**Ent, Anton**
(Henk van der Ent; geb. 1939) Nederlands dichter en schrijver. Van der Ent schreef onder het pseudoniem Anton Ent o.a. de dichtbundels *Hagel en sneeuw* (1969) en *Domein van meidoorn* (1992).

**Enya**
(Eithne Ni Bhraoáin; geb. 1961) Iers zangeres en componiste. Ni Bhraoáin behaalde in 1988 een eerste plaats in de Top 40 met het nummer 'Orinoco flow'.

**Espé**
(Piet Schreuders; geb. 1951) Nederlands vormgever. Schreuders tekende onder het pseudoniem Espé strips in de stijl van Hergé voor o.a. Aloha (1972) en Tante Leny Presenteert (1977). Momenteel verzorgt hij o.a.

de vormgeving van de jeugdrubriek Achterwerk in de VPRO-gids en van de door hem zelf samengestelde bladen Furore en De Poezenkrant. Schreuders gebruikte ook de schuilnamen Eipt Cdeehrrssu en Peter Staal.

**Dr. Esperanto**
(Lazar Ludvik Zamenhof; 1859-1917) Pools oogarts. In 1887 publiceerde Zamenhof onder het pseudoniem Dr. Esperanto het boek *Lingvo internacia*, een handleiding voor een door hem ontwikkelde taal. Zamenhof ontwikkelde een kunstmatige taal, gebaseerd op woorden van verscheidene Europese talen. Hij zag zijn taal als een instrument waarmee door taalbarrières van elkaar gescheiden volkeren zich konden verbroederen. In zijn schuilnaam is het Franse espérer, hopen, te herkennen. Inmiddels draagt deze taal de naam van haar schepper, Esperanto.

**Essex, David**
(David Albert Cook; geb. 1947) Engels acteur, zanger en componist. Cook vertolkte o.a. de rol van Che Guevara in de musical *Evita* en speelde de hoofdrol in de films *That'll be the day* (1973) en *Stardust* (1974). Daarnaast scoorde Cook hits met o.a. 'Gonna make you a star' (1974) en 'Oh what a circus' (1978).

**Estang, Luc**
(Lucien Bastard; geb. 1911) Frans dichter en schrijver. Bastard schreef onder het pseudoniem Luc Estang o.a. de roman *Temps d'amour* (1947; Een seizoen van liefde) en de dichtbundel *La laisse du temps* (1977).

**Evans, Dale**
(Frances Octavia Smith; geb. 1912) Amerikaans actrice. Smith speelde o.a. met haar echtgenoot Roy Rogers en haar paard Buttermilk in zo'n dertig westerns, zoals *Apache Rose* (1947) en *Pals of the Golden West* (1951). Van 1951 tot 1957 was zij tevens te zien in het tv-programma *The Roy Rogers Show*.

**Evans, Linda**
(Linda Evanstad; geb. 1942) Amerikaans actrice van Noorse afkomst. Evanstad was o.a. van 1981 tot 1989 Krystle Carrington in de soap *Dynasty*.

**Everage, Dame Edna**
(Barry Humphries; geb. 1934) Australisch entertainer en schrijver. De travestiet Humphries viert furore met zijn alter ego Dame Edna Everage, een stijlvolle dame op leeftijd die geen blad voor de mond neemt. In zijn talkshow *The Dame Edna Experience* confronteert hij showbizz-sterren als Cher, Liza Minnelli en Larry Hagman met insinuerende vragen en belerende monologen. In 1989 schreef Humphries de 'autobiografie' *My gorgeous life* (Het uitzinnige leven van Dame Edna Everage).

**Ewell, Tom**
(Yewell Tomkins; geb. 1909) Amerikaans acteur. Tomkins is in *The seven year itch* (1955) de ontrouwe echtgenoot die een romance heeft met zijn door Marilyn Monroe gespeelde bovenbuurvrouw. Hij is o.a. ook te zien in *Adam's rib* (1949) en in de in 1974 uitgekomen remake van de *The Great Gatsby* (1949).

**Eyk, Peter van**
(Götz van Eick; 1913-1969) Duits acteur. Von Eick speelde o.a. met Erich von Stroheim in Billy Wilders *Five graves to Cairo* (1943) en in de op de roman van John Le Carré gebaseerde film *The spy who came in from the cold* (1965).

**Fabian**
(Fabian Forte; geb. 1940) Amerikaans acteur en zanger. Forte scoorde in 1957 een hit met 'I'm a man' en 'Turn me loose'. In 1959 maakte hij zijn filmdebuut in *Hound-Dog-Man*. Forte speelde verder o.a. in *Five weeks in a balloon* (1962). Sinds begin jaren tachtig acteert Forte onder eigen naam, zoals in *Get crazy* (1983).

**Fabian, Françoise**
(Michèle Cortès de Léone y Fabianera; geb. 1933) Frans actrice. Cortès de Léone y Fabianera speelde o.a. in Luis Buñuels *Belle de Jour* (1967) en in Eric Rohmers *Ma nuit chez Maud* (1969).

**Fair, A.A.**
(Erle Stanley Gardner; 1889-1970) Amerikaans schrijver. Gardner schreef onder het pseudoniem A.A. Fair detectiveromans rond het speurdersduo Bertha Cool en Donald Lam, zoals *Fools die on Friday* (1947) en *All grass isn't green* (1970). Hij gebruikte tevens de schuilnamen Kyle Corning, Charles M. Green, Carleton Kendrake, Charles J. Kenny, Robert Parr en Les Tillray.

**Fairbanks, Douglas**
(Douglas Elton Thomas Ullman; 1883-1939) Amerikaans acteur en producent. In 1919 was Ulman medeoprichter van United Artists en hij produceerde in de jaren twintig een aantal kostuumfilms, zoals *The three musketeers* (1921) en *The thief of Bagdad* (1924), waarin hij tevens een hoofdrol speelde.

**Fairchild, Morgan**
(Patsy McClenny; geb. 1950) Amerikaans actrice. McClenny was o.a. van 1985 tot 1986 Jordan Roberts in

de tv-serie *Falcon Crest*.

**Faith, Adam**
(Terence Nelhams; geb. 1940) Engels zanger en acteur. Nelhams scoorde een hit met o.a. 'What do you want' (1959) en 'Poor me' (1960).

**Falco**
(Johannes Hölzel; geb. 1957) Oostenrijks zanger. Hölzel scoorde een hit met o.a. 'Der Kommissar' (1982) en 'Rock me Amadeus' (1985).

**Falke, J.C.**
(Johan van der Woude; 1906-1979) Nederlands schrijver. Van der Woude schreef onder het pseudoniem J.C. Falke de romans *Een groene lantaren* (1957) en *Bodega rapsodie* (1961). In 1944 publiceerde hij illegaal *Zeven Brieven*, die hij ondertekende met Martijn Cort. Hij gebruikte ook de schuilnaam Jan Kempe.

**Falkland, Samuel**
(Herman Heijermans; 1864-1924) Nederlands toneel(schrijver). Heijermans schreef van 1894 tot 1911 onder het pseudoniem Samuel Falkland ruim zeshonderd 'Schetsen', die eerst in De Telegraaf en later in het Algemeen Handelsblad verschenen. Ze werden gebundeld in *Schetsen van Samuel Falkland* (1894-1911). Heijermans gebruikte tevens de schuilnamen Ahasverus, Dirk Akerman, Barend Bof, Colijn, W.v.D., Deyssellianus, Emanuel Diaz, Barendje Donderkop, Doria, Mr. Icarus Forens, Gerrit, Gerritje, Koos Habbema, Frans Hoekstra, Ivan Jelakowitsch, Hendrik Kittelman, Hans Lidi Ficor, S. Mons, Hans Müller, W. van de Mijnssum, Cali Nicta, P. Peers, M. de Pinto, Heinz Sperber, J.W. Stoop, Koning Tempelman, E.W. Thijssen en Herman van de Zandhoeve.

**Fallada, Hans**
(Wilhelm Friedrich Rudolf Ditzen; 1893-1947) Duits schrijver en journalist. Ditzen schreef onder het pseudoniem Hans Fallada o.a. de romans *Bauern, Bonzen en Bomben*

(1931; Boeren in nood) en *Kleiner Mann, was nun?* (1932; Wat nu, kleine man?).

**Fame, Georgie**
(Clive Powell; geb. 1943) Engels zanger, pianist en componist. Powell scoorde met zijn band The Blue Flames een hit met nummers als 'Yeh, yeh' (1964) en 'Get away' (1966).

**Faro, Isaac**
(Cornelis Israël; geb. 1922) Nederlands schrijver. Israël schreef onder het pseudoniem Isaac Faro o.a. de romans *Heksen huilen niet, of de oranje pyjama* (1961) en *De vrouwenclub* (1971). Hij gebruikte tevens de schuilnamen Aukje Baluin en Vera Dunham.

**Faye, Alice**
(Alice Jeanne Leppert; geb. 1912) Amerikaans actrice. Leppert speelde o.a. in de musicals *That night in Rio* (1941) en *Weekend in Havanha* (1941).

**Fender, Freddy**
(Baldemar Huerta; geb. 1937) Amerikaans zanger. Huerta scoorde in 1975 een hit met 'Before the next teardrop falls' en 'Wasted days and wasted nights'.

**Fenton, Shane**
(Bernard Jewrie; geb. 1942) Engels zanger. Jewrie scoorde met zijn groep Shane Fenton and the Fentones in 1962 een hit met 'I'm a moody guy'. Begin jaren zeventig veranderde Jewry zijn artiestennaam in Alvin Stardust. Hij oogstte opnieuw succes met nummers als 'My coo-ca-choo' (1974), 'You you you' (1974) en 'Pretend' (1981).

**Ferguut, Jan**
(Jan van Droogenbroeck; 1835-1902) Vlaams dichter en schrijver. In 1866 schreef Van Droogenbroeck de bundel *Makamen en Ghazelen*, die hij met Jan Ferguut signeerde. Deze schuilnaam gebruikte hij een jaar later opnieuw voor zijn vertaling van de opera *Ondine* van Albert Lortzing. Van Droogenbroeck publiceerde in 1866 in het satirisch weekblad Reinaert de Vos een ge-

dicht getiteld *Heldenlied*, dat hij met Casteleyn ondertekende.

**Fernandel**
(Fernand-Joseph-Désiré Contandin; 1903-1971) Frans chansonnier, filmkomiek en regisseur. Contandin speelde o.a. in *Il piccolo mondo di Don Camillo* (1952) en in *La grande bagarre de Don Camillo* (1955) de Italiaanse plattelandspastoor Don Camillo, die immer met de communistische burgemeester Peppone wedijvert om de gunsten van de dorpsbewoners.

**Ferrars, Elizabeth**
(Morna Doris Brown; geb. 1907) Engels schrijfster. De als Morna Doris MacTaggart geboren echtgenote van Robert Brown schreef onder het pseudoniem Elizabeth Ferrars tientallen detectiveverhalen, w.o. *Fear the light* (1960; Schuw het licht) en *The wandering widows* (1962; De onechte weduwen). Zij gebruikte tevens de schuilnaam E.X. Ferrars.

**Ferrer, José**
(José Vincente Ferrer Otero y Cintron; 1909-1992) Amerikaans acteur en regisseur van Portoricaanse afkomst. Ferrer Otero y Cintron won in 1950 een Oscar voor zijn titelrol in *Cyrano de Bergerac*. Verder speelde hij o.a. in David Leans *Lawrence of Arabia* (1962) en in Woody Allens *A midsummer night's sex comedy* (1982).

**Feyder, Jacques**
(Jacques Frédérix; 1885-1948) Waals regisseur. Frédérix maakte in Hollywood o.a. *The kiss* (1929) met Greta Garbo in de hoofdrol. Begin jaren dertig keerde hij terug naar Europa om daar o.a. *La grand jeu* (1934) en *La kermesse héroïque* (1935) te regisseren. Zijn assistent in die Franse periode was Marcel Carné.

**Fields, Gracie**
(Grace Stansfield; 1898-1979) Engels zangeres en actrice. Stansfield speelde o.a. in de musical *Looking on the bright side* (1932) en in de komedie *Queen of hearts* (1936).

**Fields, W.C.**
(William Claude Dukinfield; 1879-1946) Amerikaans komiek en scenarioschrijver. Dukinfield speelde o.a. in *Sally of the sawdust* (1925) en *David Copperfield* (1935). Hij schreef onder verschillende pseudoniemen scenario's voor films, waarin hij zelf de hoofdrol vertolkte. Zo gebruikte hij o.a. de schuilnaam Mahatma Kane Jeeves voor het draaiboek van de komedie *Bank dick* (1940) en Otis Criblecoblis voor het script van *Never give a sucker an even break* (1941).

**Fitch, Clarke**
(Upton Sinclair; 1878-1968) Amerikaans schrijver. Sinclair schreef onder het pseudoniem Clarke Fitch o.a. de jeugdboeken *Wolves of the Navy; or, Clif Faraday's search for a traitor* (1899) en *A strange cruise; or, Clif Faraday's yacht chase* (1903). Hij gebruikte tevens de schuilnamen Frederick Garrison en Arthur Stirling.

**Fitzgerald, Barry**
(William Joseph Shields; 1888-1961) Iers acteur. Shields won in 1944 een Oscar voor zijn bijrol in *Going my way*. Verder speelde hij o.a. in John Fords *How green was my valley* (1941) en in de thriller *The naked city* (1948).

**Flanor**
(Gerard Keller; 1829-1899) Nederlands schrijver. Keller verzorgde van 1861 tot 1864 voor het weekblad De Nederlandsche Spectator de rubriek 'Vlugmaren', die hij met Flanor signeerde. In 1864 zette Carel Vosmaer (1826-1888) deze rubriek onder hetzelfde pseudoniem voort, terwijl incidenteel ook andere auteurs, eveneens als Flanor, een aflevering voor hun rekening namen. Een van de medewerkers aan De Nederlandsche Spectator die zich van de nom de plume Flanor bediende, was P.A.M. Boele van Hensbroek, die tevens onder de schuilnamen Pepifax en Een vriend van Flanor publiceerde. In 1899 schreef Keller *Het servetje*. Herin-

*nering aan 'Oefening kweekt kennis'*, dat hij met Conviva ondertekende.

**Fleming, Rhonda**
(Marilyn Louis; geb. 1922) Amerikaans actrice. Louis speelde o.a. met Ingrid Bergman in *Spellbound* (1945) en met Sylvia Kristel in *The nude bomb* (1980).

**Flying Officer X**
(Herbert Ernest Bates; 1905-1973) Engels schrijver en journalist. Bates schreef de verhalenbundels *The greatest people of the world* (1942) en *How sleep the brave* (1943), ondertekend met Flying Officer X.

**Fontaine, Joan**
(Joan de Beauvoir de Havilland; geb. 1917) Amerikaans actrice van Engelse afkomst. Joan de Beauvoir de Havilland is de zuster van de actrice Olivia de Havilland. In 1937 verving ze haar achternaam voor die van de man met wie haar moeder kort daarvoor was hertrouwd, George M. Fontaine.
De Beauvoir de Havilland speelde in *Rebecca* (1940) de door de huishoudster geterroriseerde tweede vrouw van Mr. de Winter. In 1941 won ze een Oscar voor haar hoofdrol in de eveneens door Alfred Hitchcock geregisseerde film, *Suspicion.*

**Fop, Trijntje**
(Kees Stip; geb. 1913) Nederlands dichter. Stip schreef vanaf 1951 onder het pseudoniem Trijntje Fop honderden korte gedichten over dieren die in een aantal kranten, w.o. de Volkskrant, gepubliceerd werden. Van deze versjes verschenen meerdere bundels. Stip gebruikte tevens de schuilnamen Chronos, Katrijn, McMesser en Nike.

**Forbes, Bryan**
(John Theobald Clarke; geb. 1926) Engels regisseur en acteur. Clarke regisseerde o.a. *The L-shaped room* (1952) en *Raging moon* (1970), waarvoor hij tevens de scenario's had geschreven.

**Forbes, Colin**
(Raymond Harold Sawkins; geb. 1923) Engels schrijver. Sawkins schreef onder het pseudoniem Colin Forbes o.a. de thrillers *The Palermo ambush* (1972; Hinderlaag bij Palermo) en *Shockwave* (1990; Schokgolf). Hij gebruikte tevens de schuilnamen Richard Raine en Jay Bernard.

**Ford, Ford Madox**
(Ford Hermann Hueffer; 1873-1939) Engels schrijver. Hueffer richtte in 1908 het literaire maandblad The English Review op. Hij schreef onder het pseudoniem Ford Madox Ford o.a. de romans *The half moon* (1909) en *The good soldier* (1915). In 1919 liet hij zijn naam officieel veranderen in Ford.

**Ford, Francis**
(Francis O'Fearna; 1882-1953) Amerikaans acteur en regisseur. Francis O'Fearna is de oudere broer van de western-regisseur Sean Aloysius O'Fearna alias John Ford. Hij speelde o.a. in de door zijn broer geregisseerde films *The informer* (1932) en *The sun shines bright* (1953).

**Ford, John**
(Sean Aloysius O'Fearna; 1895-1973) Amerikaans regisseur. Ford werd beroemd door zijn westerns, zoals *Stagecoach* (1939) en *The searchers* (1956), waarin John Wayne een hoofdrol speelde. In 1952 won hij een Oscar voor de regie van *The quiet man.*

**Forestier, Pauwel**
(Josephus Albertus Alberdingk Thijm; 1820-1889) Nederlands dichter en schrijver. Alberdingk Thijm schreef onder het pseudoniem Pauwel Forestier o.a. meermalen in De Gids. Hij gebruikte tevens de schuilnamen Piet van Amstel, A.Z.B., Buiksloter, Markies van Carabas, Cora, Egbertus Wilhelmus, H., Van Herstal, Alb. van Herstelle, Sybrand Joosten B.K. Amsterdammer, Kirghbijl ten Dam, M., Nel nisi per Christum, Lukas Peregrijn, P.F., Pieter Reyser de Jongere, Een stem uit de Dietsche Warande en Joosten Sybrant.

**Forest, Mark**
(Lou Degni; geb. 1933) Amerikaans acteur. De voormalig atleet Degni verwierf faam als gespierde bonk in Italiaanse vechtfilms, zoals *Maciste, gladiatore di Sparta* (1964), waarbij hij zich bediende van de artiestennaam Mark Forest. Hij gebruikte tevens het pseudoniem Lou Segni.

**Forsythe, John**
(John Lincoln Freund; geb. 1918) Amerikaans acteur. De voormalig sportcommentator Freund speelde van 1981 tot 1989 Blake Carrington in de soap *Dynasty*. Van 1976 tot 1981 was hij de mysterieuze Charlie uit *Charlie's Angels*, die men nooit te zien kreeg en van wie men alleen de stem hoorde.

**Fortuyn/O'Brien**
De Nederlands beeldend kunstenaar Irene Fortuyn (geb. 1959) en de Engels beeldend kunstenaar Robert O'Brien (1951-1988) signeerden hun gemeenschappelijk werk met Fortuyn/O'Brien. Het oeuvre van dit duo bestaat voor een belangrijk deel uit waarnemingsexperimenten. De objecten maken de toeschouwer bewust van de wijze waarop hij kijkt. Ook na het overlijden van O'Brien in 1988 is Fortuyn onder de naam Fortuyn/O'Brien blijven werken.

**Fox, William**
(Wilhelm Fried; 1879-1952) Amerikaans filmproducent van Hongaarse afkomst. Fried richtte in 1915 Fox Film Corporation op, die in de jaren twintig een van de grootste produktiemaatschappijen werd en tevens zo'n duizend bioscopen in bezit had. Fox Film Corporation produceerde o.a. F.W. Murnaus *Sunrise* (1927) en Jean Renoirs *The river* (1929). In 1935 fuseerde Fox met 20th Century.

**France, Anatole**
(Jacques Anatole François Thibault; 1844-1924) Frans schrijver. Thibault schreef onder het pseudoniem Anatole France o.a. de romans *Le crime de Silvestre Bonnard* (1881; De misdaad van Sylvestre Bonnard) en *L'Ile des pingouins* (1908; Het eiland der pinguïns). In 1921 kreeg hij de Nobelprijs voor literatuur.

**Franciosa, Anthony**
(Anthony George Papaleo; geb. 1928) Amerikaans acteur van Italiaanse afkomst. Papaleo speelde o.a. in Elia Kazans *A face in the crowd* (1957) en in Fred Zinnemans *A hatful of rain* (1957).

**Francis, Jan**
(Jan Franciscus Vleeschouwer; geb. 1949) Nederlands modefotograaf. De zich Jan Francis noemende fotograaf publiceert met name in Italiaanse en Nederlandse glossy's.

**Frank, René**
(Reinder Breedveld; geb. 1940) Nederlands acteur. Breedveld speelt o.a. vanaf 1992 de Nederlandse ambassadeur in Argentinië, Jan Q. van Velsen, in de door de TROS en Veronica uitgezonden soap *Foreign affairs*. In een van de eerste afleveringen van de serie vertelt dit personage dat hij ooit de initiaal Q aan zijn naam heeft toegevoegd om zich te onderscheiden van zijn vele naamgenoten.

**Franklin, Melvin**
(David English; geb. 1942) Amerikaans zanger. David English alias Melvin Franklin en Otis Miles (geb. 1941) alias Otis Williams waren in 1961 medeoprichters van de soulband The Temptations. De groep scoorde een hit met nummers als 'I can't get next to you' (1969), 'Just my imagination' (1971) en 'Papa was a rolling stone' (1972).

**Frazer, Liz**
(Elizabeth Winch; geb. 1933) Engels actrice. Winch speelde naast Peter Sellers in *I'm all right Jack* (1959). Zij is o.a. ook te zien in *The great rock and roll swindle* (1980).

**Frederick, Pauline**
(Beatrice Pauline Libbey; 1883-1938) Amerikaans actrice. Libbey speelde naast Peter Lorre in *Thank you, Mr. Moto* (1937). Zij is o.a. ook te zien in Ernst Lubitsch' *Three women* (1924).

**Freed, Arthur**
(Arthur Grossman; 1894-1973)

Amerikaans producent en tekstdichter. Grossman produceerde in de jaren veertig en vijftig voor MGM vele musicals, zoals *Meet me in St. Louis* (1944), *Singin' in the rain* (1952) en *Bells are ringing* (1960).

**Freezer, Harriët**
(Wilhelmina Eybergen; 1911-1977) Nederlands schrijfster. Eybergen publiceerde onder het pseudoniem Harriët Freezer o.a. de bundels *Wat doe je? O, niks* (1965), *Houd je nog een beetje van me?* (1971) en *Het onderste uit de man* (1972).

**French, Paul**
(Isaac Asimov; geb. 1920) Amerikaans biochemicus en SF-schrijver van Russische afkomst. Asimov schreef onder het pseudoniem Paul French zes SF-romans voor kinderen rond de held David 'Lucky' Starr, w.o. *David Starr, space ranger* (1952) en *Lucky Starr and the rings of Saturn* (1958). Asimov gebruikte tevens de schuilnaam George E. Dale.

**Fresnay, Pierre**
(Pierre-Jules Louis Laudenbach; 1897-1975) Frans acteur. Laudenbach speelde o.a. in Alfred Hitchcocks *The man who knew too much* (1934) en in Jean Renoirs *La grande illusion* (1937).

**Funès, Louis de**
(Louis Germain David de Funès de Galarza; 1914-1983) Frans filmkomiek. De Funès de Galarza speelde de hoofdrol in een serie slapsticks over de gendarmes van Saint-Tropez. In 1980 vertolkte hij de titelrol in de verfilming van Molières toneelstuk *L'Avare* (De vrek).

**Gabin, Jean**
(Jean Gabin Alexis Moncorgé; 1904-1976) Frans acteur. Moncorgé speelde o.a. in Jean Renoirs *La grande illusion* (1937) en in Marcel Carnés *Quai des brumes* (1938).

**Gabor, Zsa Zsa**
(Sári Gábor; geb. 1917) Amerikaans actrice van Hongaarse afkomst. Sari Gabor was op haar vijftiende Miss Hongarije. Daarna vertrok ze naar Hollywood en speelde o.a. in *Touch of evil* (1958) van Orson Welles.

**Gal**
(Gerard Alsteens; geb. 1940) Vlaams cartoonist. Alsteens tekende o.a. voor Knack, NRC Handelsblad en De Groene Amsterdammer. In 1980 was hij een van de exposerende kunstenaars in het Belgische paviljoen op de Biënnale van Venetië.

**Garbo, Greta**
(Greta Lovisa Gustafsson; 1905-1990) Zweeds actrice. Aanvankelijk speelde Gustafsson onder het pseudoniem Mona Gabor. Vanaf 1923 gebruikte zij de artiestennaam Greta Garbo. Deze diva is o.a. te zien in *Die freudlose Gasse* (1925) en *Ninotchka* (1939).

**Garfield, John**
(Julius Garfinkle; 1913-1952) Amerikaans acteur. Garfinkle speelde o.a. naast Spencer Tracy in *Tortilla flat* (1942) en in de eerste Amerikaanse versie van *The postman always rings twice* (1946).

**Garland, Beverly**
(Beverly Fessenden; geb. 1926) Amerikaans actrice. Fessenden speelde o.a. in *The joker is wild* (1957) en *Airport 1975* (1974). Van 1964 tot 1965 was zij te zien in *The Bing Crosby Show*. Het eerste jaar van haar carrière trad zij op onder

# 54   Garland, Judy

de artiestennaam Beverly Campbell.

**Garland, Judy**
(Frances Ethel Gumm; 1922-1969)
Amerikaans actrice en zangeres.
Gumm speelde o.a. in de musicals
*The wizard of Oz* (1939) en *A star is
born* (1954).

**Garner, James**
(James Scott Baumgarner; geb.
1928) Amerikaans acteur. Baumgarner speelde o.a. de titelrol in de
speelfilm *Marlowe* (1969) en in de
western tv-serie *Maverick* (1957-
62).

**Gary, Romain**
(Romain Kacev; 1914-1980) Frans
schrijver en diplomaat. Kacev
schreef onder het pseudoniem Romain Gary o.a. de romans *Les racines du ciel* (1956) en *Lady L.*
(1959). In 1975 publiceerde hij onder de schuilnaam Emile Ajar de roman *La vie devant soi* (1975; *Een
heel leven voor je*), die in 1977
werd verfilmd met Simone Signoret
in de hoofdrol.

**Gavin, John**
(Jack Golenor; geb. 1928) Amerikaans acteur. Golenor speelde o.a.
de fotograaf Steve Archer in *Imitation of life* (1959) en Sam Loomis in
*Psycho* (1960).

**Gaynor, Janet**
(Laura Gainor; 1906-1984) Amerikaans actrice. Gainor won bij de allereerste Oscaruitreiking in 1928
een Oscar voor haar vertolkingen in
*Sunrise* (1927), *Seventh Heaven*
(1927) en *Street Angel* (1928).

**Gaynor, Mitzi**
(Francesca Mitzi von Gerber; geb.
1930) Amerikaans zangeres, danseres en actrice. Von Gerber trad op in
vele musicals. Zo speelde zij met
Gene Kelly in *Les girls* (1957) en
met Bing Crosby in *The joker is
wild* (1957).

**Gedrick, Jason**
(Jason Michael Gedroic; geb. 1965)
Amerikaans acteur. Gedroic speelde
o.a een onverschrokken straaljagerpiloot in *Iron Eagle* (1986).

**Geerlinck, Johannes**
(Johan Brouwer; 1898-1943) Ne-

derlands schrijver en historicus.
Brouwer schreef in 1939 het boek
*De schatten van Medina-Sidonia*,
dat hij met Maarten van de Moer
ondertekende. In 1941 publiceerde
hij onder het pseudoniem Johannes
Geerlinck de psychologische roman
*Vandaag geen spreekuur. Het verborgen leven van een oude stad.*

**Geestzwaard, J.**
(Jan Willem Jacobs; 1895-1967)
Nederlands dichter. Jacobs publiceerde de illegale dichtbundels *Gedachten zijn vrij!* (1945), *Voorwaarts en niet vergeten* (1944) en
*Sta op* (1945), waarvan hij de eerstgenoemde met Piet van Amersfoort
en de andere met J. Geestzwaard
ondertekende.

**Gent, Jan van**
(Joop van den Broek; geb. 1926)
Nederlands journalist en schrijver.
Van den Broek schreef onder het
pseudoniem Jan van Gent een aantal
politieromans rond de Amsterdamse
inspecteur A. Sluiter, zoals *Triptiek
voor een moord* (1956) en *Spionnen
in het web* (1957). Hij gebruikte tevens de schuilnaam G. Buitendijk.

**George, Gladys**
(Gladys Anna Clare; 1900-1954)
Amerikaans actrice. Clare speelde
o.a. naast Humphrey Bogart in de
gangsterfilm *The roaring twenties*
(1939).

**Geray, Steven**
(Stefan Gyergyay; 1898-1973) Tsjechisch acteur. Gyergyay speelde o.a.
een hoofdrol in de film noirs *Gilda*
(1946) en *So dark the night* (1946).

**Gerbrandy, Pieter Sjoerds**
(Pieter Gerbrandij; 1885-1961) Nederlands politicus. Gerbrandij was
o.a. van 1940 tot 1945 minister-president van de Nederlandse regering
in ballingschap te Londen.

**Gerlach, Eva**
(Margery Dorit Gwendoline Dijkstra; geb. 1948) Nederlands dichteres. Dijkstra schreef onder het pseudoniem Eva Gerlach o.a. de dichtbundels *De kracht van verlamming*
(1988) en *In een bocht van de zee*
(1990).

**Gerlo, Ada**
(Annie Salomons; 1885-1980) Nederlands schrijfster. Salomons schreef onder het pseudoniem Ada Gerlo de romans *Herinneringen van een onafhankelijke vrouw* (1915), *Daadloze dromen* (1919) en *De oude schuld* (1922).

**Gerrold, David**
(Jarold D. Friedman; geb. 1944) Amerikaans schrijver. Friedman publiceerde o.a. de SF-romans *When Harlie was one* (1972) en *The man who folded himself* (1973), die hij ondertekende met David Gerrold. Onder dit pseudoniem schreef hij tevens een aflevering van de tv-serie *Star Trek*.

**Gerron, Kurt**
(Kurt Gerson; 1897-1944) Duits acteur en regisseur. De door Max Reinhardt tot acteur opgeleide Gerson vluchtte toen Hitler aan de macht kwam naar Nederland. Aldaar regisseerde hij o.a. *Merijntje Gijzens jeugd* (1936).

**Gershwin, George**
(Jacob Gershvin; 1898-1937) Amerikaans componist en pianist van Russische afkomst. Gershvin componeerde o.a. *Rhapsody in blue* (1923) en *Porgy and Bess* (1935).

**Gershwin, Ira**
(Israel Gershvin; 1896-1983) Amerikaans liedjesschrijver en componist. Gershvin maakte tot 1924 liedjes die als begeleiding bij zwijgende films werden gespeeld. Deze nummers signeerde hij met Arthur Francis. Daarna schreef hij teksten bij de filmmuziek van zijn broer George en later, na diens dood, bij het werk van componisten als Kurt Weill.

**Getijer, I. de**
(Hendrik de Vries; 1896-1989) Nederlands dichter en beeldend kunstenaar. De Vries publiceerde in 1944 als I. de Getijer poëzie in het tijdschrift Podium. Hij gebruikte tevens de schuilnaam Riek van der Zee.

**Getty, Estelle**
(Estelle Scher; geb. 1923) Amerikaans actrice. Scher speelde o.a.

vanaf 1985 Sophia Petrillo in de tv-serie *Golden Girls*.

**Geubels, dr. Onno**
(Henk van Dorp; geb. 1940) Nederlands journalist. Van Dorp maakte van 1969 tot 1972 voor 't schip Veronica een sportprogramma onder de titel *Sportief zijn beter worden*, waarin hij de meest uiteenlopende typetjes speelde, zoals Piet Brindizi, dr. Onno Geubels, J. Hova, Jochem Jofel, Max Koopziek, Dirk van Muntenstein en Klaas Oeverloos. Frits Barend (geb. 1947), die toen al met Van Dorp samenwerkte, nam het karakter Heiko van den Ende voor zijn rekening.

**Gibson, Hoot**
(Edward Richard Gibson; 1892-1962) Amerikaans acteur. Gibson speelde in ruim tweehonderd westerns, w.o. *Action* (1921) en *Sure fire* (1921), beide van John Ford.

**Gijsen, Marnix**
(Joannes Goris; 1899-1984) Vlaams schrijver en dichter. Goris schreef onder het pseudoniem Marnix Gijsen o.a. *De vleespotten van Egypte* (1952) en *Klaaglied om Agnes* (1961). Hij gebruikte tevens de schuilnamen Bert Bron, W. van Dingen, Doxa, Viva Gabriëls, Goy, Lily Gijsen, Sinjoor en Zeno.

**Gilbert, John**
(John Pringle; 1895-1936) Amerikaans acteur. Pringle is o.a. te zien in *The merry widow* (1925) van Erich von Stroheim. Hij speelde tevens in een aantal films met Greta Garbo, zoals *Flesh and the devil* (1926) en *Queen Christina* (1933).

**Gilbert & George**
Het zich Gilbert & George noemende Engels kunstenaarsduo Gilbert Proersch (geb. 1943) en George Passmore (geb. 1942) legde zich toe op het maken van volumineuze felgekleurde fotocollages, waarin zij zelf veelvuldig figureren.

**Gildo, Rex**
(Ludwig Alexander Hirtreiter; geb. 1936) Duits acteur en zanger. Hirtreiter scoorde een hit met schlagers als 'Zarina' (1961) en 'Marie, der

letzte Tanz ist nur für dich' (1974).

**Glitter, Gary**
(Paul Gadd; geb. 1944) Engels zanger. Gadd begon als nachtclub blueszanger onder de artiestennaam Paul Raven. Hij gebruikte in 1967 de schuilnaam Paul Monday voor het lied 'Here comes the sun'. Vanaf 1971 noemt hij zich Gary Glitter. Tot zijn meest populaire nummers behoren 'Rock and roll part I' (1972), 'I didn't know I loved you' (1972), 'Do you wanna touch me' (1973) en 'I'm the leader of the gang I am' (1973).

**Goddard, Paulette**
(Pauline Marion Goddard Levy 1905-1990) Amerikaans actrice. Goddard Levy speelde o.a. met haar echtgenoot Charles Chaplin in *Modern times* (1936) en in *The great dictator* (1940).

**Goede, Armand de**
(Armand Boni; 1909-1991) Vlaams schrijver. Boni schreef onder zijn eigen naam jeugdliteratuur en historische romans, w.o. de trilogie *De paap van Stabroek* (1963), *De duivelse brug* (1964) en *Het torment van meester Servaas* (1965). Onder het pseudoniem Armand de Goede publiceerde hij een aantal dichtbundels, zoals *Door het leven* (1936).

**Golan, Menahem**
(Menahem Globus; geb. 1929) Israëlisch regisseur en producent. Globus regisseerde o.a. *El Dorado* (1963) waarin de acteur Topol debuteerde. Hij bouwde samen met zijn neef Yoram Globus de firma The Cannon Group uit tot een van de grootste filmbedrijven ter wereld.

**Goldwyn, Samuel**
(Schmuel Gelbfish; 1882-1974) Amerikaanse filmtycoon van Poolse afkomst. Toen Gelbfish in 1893 naar Engeland verhuisde, ging hij zich Goldfish noemen. In 1895 immigreerde hij naar Amerika en richtte daar samen met zijn naaste verwanten Edgar en Arch Selwyn de maatschappij Goldwyn Picture Corporation op. De naam van deze filmmaatschappij verwijst naar de namen Goldfish en Selwyn. In 1918 veranderde Gelbfish wettelijk zijn achternaam in Goldwyn. Toen hij in 1923 zonder zijn compagnons een nieuw bedrijf oprichtte, probeerde Goldwyn Pictures Corporation hem ervan te weerhouden om die nieuwe studio ook Goldwyn Picture Corporation te noemen. De rechter die het conflict beslechtte, stelde onder het motto 'A self- made man may prefer a self-made name' dat Goldwyn vrij was in de keuze van zijn firmanaam.

**Gordon, Ruth**
(Ruth Gordon Jones; 1896-1985) Amerikaans scenarioschrijfster en actrice. Jones schreef o.a. mee aan het draaiboek van *Adam's rib* (1949). In de jaren zestig brak zij door als actrice. Zij speelde meestal oude excentrieke dames, zo ook in *Rosemary's baby* (1968).

**Gorki, Maxim**
(Aleksej Maksimovitsj Pesjkov; 1868-1936) Russisch schrijver. Pesjkov schreef onder het pseudoniem Maxim Gorki o.a. *Matj* (1907; *De moeder*) en *Destvo* (1913-14; *Kinderjaren*).

**Gossaert, Geerten**
(Frederik Carel Gerretson; 1884-1958) Nederlands historicus en politicus. Gerretson was van 1925 tot 1954 hoogleraar in de koloniale geschiedenis van Nederlands-Indië aan de Rijksuniversiteit te Utrecht. In 1911 publiceerde hij onder het pseudoniem Geerten Gossaert een dichtbundel getiteld *Experimenten*. Het zou z'n enige dichtbundel blijven.

**Gould, Elliott**
(Elliott Goldstein; geb. 1938) Amerikaans acteur. Goldstein speelde de rol van Hawkeye in de speelfilm *M\*A\*S\*H* (1970) van Robert Altman. Hij is o.a. ook te zien in Ingmar Bergmans *Beröringen* (1971), in Robert Altmans *Nashville* (1975) en in Richard Attenboroughs *A bridge too far* (1977).

**Grade, Lew**
(Louis Winogradski; geb. 1906) En-

gels filmproducent van Russische afkomst. Winogradski produceerde o.a. *The boys from Brazil* (1978) en *The Muppet Movie* (1979).

**Graft, Guillaume van der**
(Wilhelmus Barnard; geb. 1920) Nederlands dichter, essayist en theoloog. Barnard schreef onder het pseudoniem Guillaume van der Graft o.a. de dichtbundels *Vogels en vissen* (1953) en *Woorden van brood* (1956). Hij gebruikte ook de schuilnaam Stylitès.

**Grahame, Gloria**
(Gloria Grahame Hallward; 1925-1981) Amerikaans actrice. Hallward won in 1952 een Oscar voor haar bijrol in *The bad and the beautiful.* Zij is o.a. ook te zien in *The big heat* (1953) en in *Human desire* (1954), beide van Fritz Lang.

**Grandmaster Flash**
(Joseph Saddler; geb. 1958) Amerikaans discjockey en rapper. Sadler is een pionier op het gebied van scratchen. Hij maakte in 1982 een van de eerste politiek geëngageerde rapplaten, 'The message'. In 1983 bracht hij met zijn band The Furious Five drie platen uit, te weten 'White lines', 'Jesse' en 'New York New York', waarmee de groep veel succes oogstte.

**Granger, Stewart**
(James Lablache Stewart; geb. 1913) Engels acteur. Stewart speelde o.a. in *Fanny by gaslight* (1944) en *Moonfleet* (1955).

**Grant, Cary**
(Archibald Alexander Leach; 1904-1986) Engels acteur. Leach speelde o.a. in Howard Hawks' *Only angels have wings* (1939), in Joseph L. Mankiewicz' *People will talk* (1951) en in Alfred Hitchcocks *North by Northwest* (1959). In 1969 kreeg hij een Oscar voor zijn gehele oeuvre.

**Grant, Kathryn**
(Olive Kathryn Grandstaff; geb. 1933) Amerikaans actrice. Grandstaff speelde onder het pseudoniem Kathryn Grant in o.a. *The brothers Rico* (1957) en *Anatomy of a mur-*

*der* (1959). De titels van de klassieke thriller *Rear window* (1954), waarin zij een bijrol vertolkte, vermelden bij grote uitzondering haar eigen naam.

**Grant, Lee**
(Lyova Haskell Rosenthal; geb. 1926) Amerikaans actrice en regisseuse. Rosenthal speelde o.a. in *Detective story* (1951) en *In the heat of the night* (1967). Zij won zowel in 1975 als in 1985 een Oscar voor respectievelijk haar bijrol in *Shampoo* en de regie van de documentaire *Down and out in America.*

**Graves, Peter**
(Peter Aurness; geb. 1924) Amerikaans acteur. Aurness speelde o.a. een Duitse spion in Billy Wilders *Stalag 17* (1953). Hij was van 1967 tot 1973 James Phelps in de tv-serie *Mission: impossible.*

**Gray, Coleen**
(Doris Jensen; geb. 1922) Amerikaans actrice. Jensen speelde o.a. naast John Wayne in *Red river* (1948) en met Bing Crosby in *Riding high* (1950).

**Grayson, Kathryn**
(Zelma Kathryn Elizabeth Hedrick; geb. 1922) Amerikaans actrice en zangeres. Hedrick speelde in vele musicals, w.o. *Show Boat* (1951) en *Kiss me Kate* (1953).

**Green, Hannah**
(Joanne Greenberg-Goldenberg; geb. 1932) Amerikaans schrijfster. Greenberg-Goldenberg schreef onder het pseudoniem Hannah Green o.a. de roman *I never promised you a rose garden* (1973; Ik heb je nooit een rozentuin beloofd).

**Grey, Joel**
(Joel Katz; geb. 1932) Amerikaans zanger, danser en acteur. Katz won in 1972 een Oscar voor zijn rol van ceremoniemeester in de musical *Cabaret.*

**Grijs, Piet**
(Hugo Brandt Corstius; geb. 1935) Nederlands wiskundige, essayist en columnist. Brandt Corstius schrijft onder het pseudoniem Piet Grijs een wekelijkse column in Vrij Neder-

land. Van 1979 tot 1986 verzorgde hij als Stoker een column voor de Volkskrant. Hij gebruikte ook de schuilnamen Raoul Achterhout, Gerard Balthasar, Battus, drs. G. van Buren, Raoul Chapkis, Dolf Cohen, Jan Eter, Jan Eter jr., Maaike Helder, Peter Malenkov, G. Prijs, Celina Smit, Talisman, Juha Tanttu, Hugo de Torenkraai, Jozef Trapjes en Joop den Uyl.

**Grile, Dod**
(Ambrose Gwinett Bierce; 1842-1914?) Amerikaans schrijver en journalist. Bierce schreef onder het pseudoniem Dod Grile o.a. *The friend's delight* (1872) en *Cobwebs from an empty skull* (1874).

**Grimajeur**
(Maurice Gilliams; 1900-1982) Vlaams dichter en schrijver. Gilliams schreef onder eigen naam o.a. *Elias of het gevecht met de nachtegalen* (1936). Tussen 1917 en 1919 leverde hij verschillende bijdragen aan de periodieken Vlaamsch Leven en De Wilde Wingerd, die hij met Grimajeur, Franz van Sanden en Floris van Merckem ondertekende. Onder laatstgenoemd pseudoniem publiceerde hij in 1917 tevens de dichtbundels *Dichtoefeningen* en *Dit is van dat monniksken.*

**Gris, Juan**
(José Victoriano Gonzalez; 1887-1927) Spaans schilder. De kubist Gonzalez verhuisde in 1906 naar Parijs, waar hij het pseudoniem Juan Gris aannam.

**Gronon, Rose**
(Marthe Bellefroid; 1901-1979) Vlaams schrijfster en lerares. Bellefroid publiceerde een groot deel van haar werk, w.o. de romans *Sarabande* (1957) en *De ramkoning* (1962), onder het pseudoniem Rose Gronon. Zij gebruikte tevens de schuilnaam Bella van Wildert.

**Grot, Anton**
(Antocz Franziszek Groszewski; 1884-1974) Amerikaans art-director van Poolse afkomst. Grozewski was verantwoordelijk voor de art-direction van o.a. *Little Ceasar* (1930) en

*Mildred Pierce* (1945).

**Guevara, Che**
(Ernesto Guevara de la Serra; 1928-1967) Argentijns politiek activist. De la Serra was nauw betrokken bij de Cubaanse Revolutie onder leiding van Fidel Castro. Hij vervulde van 1959 tot 1965 enkele hoge Cubaanse overheidsposten. Zo was hij o.a. minister van Industrie. Nadien vertrok De la Serra naar het Latijns-Amerikaanse vasteland, om zich aldaar voor verschillende revolutionaire doelen in te zetten.

**Gullit, Ruud**
(Ruud Dil; geb. 1962) Nederlands voetballer. Dil speelt sinds 1987 bij AC Milan, waarmee hij in 1989 de Europacup en in 1990 de Supercup won.

**Haarsma, Menno van**
(Sjoerd Leiker; 1914-1988) Nederlands schrijver, dichter en journalist. Leiker was redacteur van het literair tijdschrift De Tsjerne. Hij schreef in 1944 onder de schuilnaam Menno van Haarsma de roman *Drie getuigen*. Hij gebruikte ook het pseudoniem Simon le Croyant.

**Habakuk II de Balker**
(Herman Hendrik ter Balkt; geb. 1938) Nederlands dichter. Ter Balkt publiceerde onder het pseudoniem Habakuk II de Balker o.a. de dichtbundels *Uier van 't Oosten* (1970) en *De gloeilamp, De varkens* (1972). In 1973 ondertekende hij zijn eerste prozawerk, *Zwijg*, met de schuilnaam Foel Aos.

**Habe, Hans**
(János Békessy; 1911-1977) Hongaars schrijver en journalist. Békessy schreef onder het pseudoniem Hans Habe o.a. de romans *Ob tausend fallen* (1941; Al vallen er duizenden aan uw zijde), *Die Mission* (1965; In geheime missie) en *Das Netz* (1969; Het net).

**Hackett, Buddy**
(Leonard Hacker; geb. 1924) Amerikaans komiek. Hacker speelde o.a. in *The music man* (1962) en *It's a mad mad mad mad world* (1963).

**Hagen, Jean**
(Jean Shirley Verhagen; 1923-1977) Amerikaans actrice. Verhagen speelde o.a. in *Adam's rib* (1949), *Asphalt jungle* (1950) en *Singin' in the rain* (1952).

**Hagman, Larry**
(Larry Hageman; geb. 1931) Amerikaans acteur. Hageman speelde o.a. van 1978 tot 1991 J.R. in de soap *Dallas*. J.R. is de roepnaam van John Ross Ewing.

**Hale, Alan**
(Rufus Alan MacKahan; 1892-1950) Amerikaans acteur. MacKahan speelde o.a. Little John in *Robin Hood* (1922) en in *The adventures of Robin Hood* (1938).

**Hall, Jon**
(Charles Hall Locher; 1913-1979) Amerikaans acteur. Hall Locher debuteerde in 1935 onder eigen naam met een rol in *Women must dress*. Hij noemde zich vervolgens Lloyd Crane en koos in 1937 voor de artiestennaam Jon Hall. Onder dit laatste pseudoniem speelde hij o.a. in *Arabian nights* (1942).

**Hallyday, Johnny**
(Jean-Philippe Smet; geb. 1943) Frans zanger en acteur. Smet behaalde in de jaren zestig meermalen een hoge plaats op de Franse hitlijsten met liedjes als 'Viens danser le Twiste', 'Da doo ron ron' en 'Ma guitare'. Hij verkocht tientallen miljoenen platen. Sinds 1960 speelde hij in enkele films, w.o. *Détective* (1985) van Jean-Luc Godard.

**Hamilton, Mollie**
(Mary Margaret Kaye; geb. 1909) Engels schrijfster en schilderes. Kaye schreef onder het pseudoniem Mollie Hamilton de detectiveroman *Later than you think* (1958). In 1937 publiceerde zij het kinderboek *Potter Pinner Meadow*, dat zij met Molly Kaye ondertekende.

**Hammond, Kay**
(Dorothy Katherine Standing; 1909-1980) Engels actrice. Standing speelde o.a. in *Blithe spirit* (1945) van David Lean.

**Hamsun, Knut**
(Knut Pedersen; 1859-1952) Noors schrijver en journalist. Pedersen schreef onder het pseudoniem Knut Hamsun o.a. de romans *Pan* (1894) en *Markens grode* (1917; Hoe het groeide). In 1920 won hij de Nobelprijs voor literatuur.

**Handje Plak**
(Leonhard Huizinga; 1906-1980) Nederlands schrijver en journalist. In 1945 publiceerde Huizinga het illegale boekje *Wat straks? Handje

*Plak antwoordt Seyss Inquart op zijn rede van 3 januari 1945.* Huizinga gebruikte ook de pseudoniemen Felix Dufort, E.N. Harold en Laurens van Sint Laurens.

**Hanln, Roger**
(Roger Lévy; geb. 1925) Frans acteur. Lévy speelde o.a. de geheimagent Le Tigre in *Le Tigre aime la chair fraiche* (1964) en *Le Tigre se parfume à la dynamite* (1965), beide van Claude Chabrol.

**Hanna-Barbera**
De Amerikaanss striptekenaars en animatiefilmmakers William Denby Hanna (geb. 1910) en Joseph Roland Barbera (geb. 1911) begonnen in 1940 samen te werken in de tekenfilmstudio van MGM. Nadat dit bedrijf in 1957 werd gesloten, richtten ze hun eigen firma op: Hanna-Barbera Productions. Het duo verwief wereldfaam met de tekenfilmseries van Tom en Jerry, The Flinstones, Huckleberry Hound en Yogi Bear.

**Hansen, Han**
(Jan Jansen; geb. 1932) Nederlands journalist. Jansen werkte van 1956 tot 1992 als journalist voor de Volkskrant. Zijn bijdragen ondertekende hij immer met het pseudoniem Han Hansen. In augustus 1973 veranderde Jansen zijn achternaam officieel in Hansen.

**Hansen, Joachim**
(Joachim Spieler; geb. 1930) Duits acteur. Spieler speelde o.a. in *The boys from Brazil* (1978).

**Hansse, Tol**
(Hans van Tol; geb. 1940) Nederlands zanger. Van Tol scoorde een hit met o.a. 'Big city' (1978), 'Achter de rhododenderon' (1978) en 'Oma' (1979).

**Harding, Lex**
(Reinhard Lodewijk den Hengst; geb. 1945) Nederlands discjockey. Den Hengst maakte vanaf 7 februari 1970 bij Veronica het radioprogramma *Veronica Top 40*, dat in 1974 werd omgedoopt in *De Nederlandse Top 40*. Op 12 mei 1990 presenteerde hij zijn laatste aflevering.

**Harlingen, R. van**
(Reinder Blijstra; 1901-1975) Nederlands schrijver. Blijstra publiceerde clandestien de novelles *Bij nadere kennismaking* (1944) en *Haaien voor Nabatoe* (1945), die hij met R. van Harlingen ondertekende.

**Harlow, Jean**
(Harlean Carpentier; 1911-1937) Amerikaans actrice. Carpentier speelde met Stan Laurel en Oliver Hardy in *Double whoopee* (1928) en met Clark Gable in *Red Dust* (1932). Verder is zij o.a. te zien in *Platinum blonde* (1931) en *Dinner at eight* (1933).

**Harmelen, Herman van**
(Eli Asser; geb. 1922) Nederlands journalist en tekstschrijver. Asser vervaardigde teksten voor Wim Sonneveld en is de schepper van de legendarische tv-serie *'t Schaap met de vijf poten*. Hij schreef talloze liedjes, samen nam voor de VARA-radio. De liedjes waarover Asser wat minder tevreden was, signeerde hij doorgaans met Herman van Harmelen. Rond 1950 schreef Asser voor Vrij Nederland een wekelijkse column, 'Nutteloze Notities', die hij met Lapsus ondertekende.

**Harold**
(Albrecht P.J.M.F. Rodenbach; 1856-1880) Vlaams dichter. Rodenbach publiceerde gedichten in o.a. de periodieken de Vlaamsche Kunstbode, Rond den Heerd en De Vlaamsche Vlagge, die hij met Harold ondertekende. In het laatstgenoemde tijdschrift schreef hij ook onder het pseudoniem C. Sneyssens. Rodenbach gebruikte tevens de schuilnamen Bursche en François Quillon.

**Harris, Barbara**
(Sandra Markowitz; geb. 1935) Amerikaans actrice. Markowitz speelde o.a. in *Nashville* (1975), *Family Plot* (1976) en *Peggy Sue got married* (1986).

**Hart, Martin**
(Maarten 't Hart; geb. 1944) Nederlands schrijver. 't Hart schreef onder het pseudoniem Martin Hart zijn

eerste twee romans *Stenen voor een ransuil* (1971) en *Ik had een wapenbroeder* (1973). Hij publiceerde tevens onder de schuilnamen Jacob Stillebroer en Maartje 't Hart.

**Harvey, Laurence**
(Laroesjka Mischa Skikne; 1928-1973) Engels acteur van Litouwse afkomst. Skikne speelde o.a. in *Room at the top* (1959) en *The Alamo* (1960).

**Hasselt, G. van**
(Ernest Claes; 1885-1968) Vlaams schrijver en ambtenaar. Claes publiceerde de verhalen *De oude moeder* (1946), *Kerstnacht in de gevangenis* (1946), *Gebed van de gevangene* (1946) en *Gerechtelijke dwaling* (1947) onder het pseudoniem G. van Hasselt.

**Hasso, Signe**
(Signe Eleonora Cecilia Larsson; geb. 1910) Zweeds actrice. Larsson speelde o.a. in Cecil B. DeMilles *The story of Dr. Wassell* (1944) en in George Cukors *A double life* (1947).

**Havanha**
(Hendrik van Heerde; 1905-1968) Nederlands schrijver. Van Heerde schreef onder het pseudoniem Havanha o.a. een aantal boeken over Garriet Jan en Annegien, w.o. *Garriet Jan op volle toeren* (1964) en *Het bonte leven van Garriet Jan* (1965). Hij gebruikte tevens de schuilnaam H. van Cannevelt.

**Havank**
(Henricus van der Kallen; 1904-1964) Nederlands detectiveschrijver. Van der Kallen schreef onder het pseudoniem Havank bijna dertig romans rond de Franse inspecteur Charles C.M. Carlier, bijgenaamd de Schaduw.

**Hayden, Sterling**
(Christian Walter; 1916-1986) Amerikaans acteur. Hamilton speelde o.a. in *The killing* (1956) en *Dr. Strangelove; or, How I learned to stop worrying and love the bomb* (1963), beide van Stanley Kubrick. Hij is tevens te zien in Francis Ford Coppola's *The godfather* (1971) en in Bernardo Bertolucci's *Novecento* (1976).

**Hayward, Susan**
(Edythe Marrener; 1918-1975) Amerikaans actrice. Marrener won in 1958 een Oscar voor haar hoofdrol in *I want to live* van Robert Wise. Verder speelde zij o.a. in *With a song in my heart* (1952) en *I'll cry tomorrow* (1955).

**Hayworth, Rita**
(Margarita Carmen Cansino; 1918-1987) Amerikaans actrice. Cansino speelde o.a. samen met Fred Astaire in *You will never get rich* (1941) en *You were never lovelier* (1942). Samen met Gene Kelly is zij te zien in *Cover girl* (1944).

**Heartfield, John**
(Helmut Herzfeld; 1891-1968) Duits grafisch ontwerper. Herzfeld is de grondlegger van de politieke fotomontage.

**Heeke, Joost**
(Theo Joekes; geb. 1923) Nederlands politicus, journalist en schrijver. Joekes schreef onder eigen naam o.a. *Moord in de Ridderzaal* (1980). Hij schreef in 1942 en 1943 onder de schuilnaam Joost Heeke poëzie en politieke verhandelingen voor het literair verzetstijdschrift Lichting van G.J.W. de Jongh en Th.J. Hondius. Toen Joekes rond 1950 in Engeland woonde, bood hij verscheidene uitgevers materiaal ter publikatie aan, waarbij hij zich voordeed als Constant van de Borgh. Voor deze actie liet Joekes zelfs briefpapier ontwerpen. Geen enkele uitgever toonde echter interesse.

**Heemskerk, Kees**
(Kees Pronk; geb. 1919) Nederlands schrijver van streekromans. Pronk publiceerde in 1952 de roman *Goud uit water*, die hij met Kees Heemskerk ondertekende. Onder zijn eigen naam schreef hij o.a. *Huis van alle winden* (1954) en *Het grote waagstuk* (1963).

**Heezen, Charley**
(Joannes Henri François; 1884-1948) Nederlands letterkundige.

François schreef o.a. de romans *Anders* (1918) en *Het masker* (1922), die hij ondertekende met Charley Heezen. Deze schuilnaam gebruikte hij eveneens voor een aantal artikelen in het tijdschrift Levensrecht. In 1939 hanteerde François het pseudoniem B. Tj. de Jongh voor het boek *Wat de Indische zedenmisdrijven ons te zeggen hebben.*

**Heide, Willy van der**
(Wilhelmus Henricus Maria van den Hout; 1915-1985) Nederlands schrijver, dichter en journalist. Van den Hout schreef onder het pseudoniem Willy van der Heide o.a. de *Bob Evers*-serie. Hij gebruikte tevens de schuilnamen Victor H. Huitink, Sylvia Sillevis, Victor Valstar, Willy Waterman, Willem W. Waterman en Dr. P.G. van der Woude.

**Heino**
(Heinz Georg Kramm; geb. 1938) Duits zanger. Kramm scoorde een hit met schlagers als 'La montanara (Das Lied der Berge)' (1973) en 'Die schwarze Barbara' (1975).

**Heintje**
(Hendrik Nicolaas Theodoor Simons; geb. 1955) Nederlands zanger. Simons scoorde als tienerster meerdere hits, w.o. 'Mama' (1967) en 'Ik hou van Holland' (1970). Hij verkocht ruim 35 miljoen platen.

**Helder, Jan**
(Gerrit Kouwenaar; geb. 1923) Nederlands dichter en schrijver. Kouwenaar publiceerde onder het pseudoniem Jan Helder *Pieter Dourlein. Het getrouwe relaas van de belevenissen van een Nederlands marineman* (1951) en *De Kaap in zicht! Een verhaal uit de tijd van Jan van Riebeeck* (1952). Hij gebruikte tevens de schuilnamen Gérard Q. Bleyensburgh en K. van Rigter.

**Helm, Brigitte**
(Brigitta Eva Gisela Schittenhelm; geb. 1906) Duits actrice. Schittenhelm speelde o.a. een dubbelrol in Fritz Langs *Metropolis* (1927).

**Helman, Albert**
(Lou Lichtveld; geb. 1903) Neder-

lands schrijver. Lichtveld ondertekende zijn meeste werk, zoals de romans *De stille plantage* (1931) en *De dolle dictator* (1935), met Albert Helman. Tijdens de Duitse bezetting publiceerde Lichtveld ook onder andere schuilnamen. Zo schreef hij als Joost van den Vondel *Rei van smeeckelingen* (1944) en *Kerstbede* (1944) en als Friedrich W. Nietzsche een studie over Duitsland en het Duitse volk, getiteld *Aldus sprak Zarathustra* (1944). Dit laatstgenoemde boek werd in 1946 onder zijn eigen naam herdrukt met de titel *Een les in literatuurgeschiedenis.* Lichtveld gebruikte voorts de pseudoniemen Hypertonides N. Slob, Nico Slob.

**Helpman, Mr. G.**
(Huub Schouten; 1865-1936) Nederlands dominee. Schouten publiceerde onder het pseudoniem Mr. G. Helpman een vijftal brochures over homoseksualiteit, w.o. *De neiging tot het eigen geslacht* (1911). In 1908 schreef hij onder de schuilnaam Aug. Platen *Het hofschandaal te Berlijn.*

**Hendriksone, G.**
(Emanuel Hiel; 1834-1899) Vlaams dichter en librettist. Hiel publiceerde onder het pseudoniem G. Hendriksone o.a. *Eenige galmen bij de 25ste verjaring van 's Konings krooning* (1856), *Looverkens* (1859) en *Nieuwe liedekens* (1861).

**Henreid, Paul**
(Paul George Julius von Henreid; 1905-1992) Amerikaans acteur en regisseur van Oostenrijkse afkomst. Von Henreid regisseerde o.a. *Dead ringer* (1964) met Bette Davis in de hoofdrol en maakte voor de televisie een aantal afleveringen van de series *Alfred Hitchcock presents* en *Bonanza*. Als acteur is hij o.a. te zien als Victor Laslo in *Casablanca* (1942).

**Henry, Buck**
(Henry Zuckerman; geb. 1930) Amerikaans acteur, scenarioschrijver en regisseur. Zuckerman schreef mee aan de scenario's voor o.a. *The*

*graduate* (1967) en *What's up doc*
(1972). Als acteur is hij o.a. te zien
in *The man who fell to earth* (1976)
en *Gloria* (1980).

**Henry, O.**
(William Sydney Porter; 1862-
1910) Amerikaans schrijver en journalist. Porter schreef onder het
pseudoniem O. Henry o.a. de verhalenbundels *The four million* (1906;
De vier miljoen) en *Heart of the
West* (1907; Het hart van Amerika).

**Hepburn, Audrey**
(Audrey Kathleen Hepburn-Ruston;
geb. 1929) Amerikaans actrice van
Engels-Nederlandse afkomst. Hepburn-Ruston won in 1953 een Oscar
voor haar hoofdrol in *Roman holiday*. Verder speelde zij o.a. in *Sa-
brina* (1954), *Breakfast at Tiffany's*
(1961), *My fair lady* (1964) en *Always* (1989).

**Hergé**
(Georges Remi; 1907-1983) Belgisch tekenaar. Remi verworf wereldfaam met de stripverhalen over
Tintin, oftewel Kuifje.

**Hermus, Anton**
(Herman Tonus; geb. 1945) Nederlands publicist. De stripdeskundige
Tonus schreef onder het pseudoniem Anton Hermus o.a. in 1982 *Alles past in elkaar*. Hij gebruikte ook
de schuilnamen Jozef Hermanusse,
Hille J. Anton Hermus, Herton I en
Tom Knok.

**Hershey, Barbara**
(Barbara Herzstein; geb. 1948)
Amerikaans actrice. Herzstein
speelde o.a. in *Hannah and her sisters* (1986), *Tin men* (1987) en *The
last temptation of Christ* (1988).

**Herzog, Werner**
(Werner Stipetic; geb. 1942) Duits
regisseur, scenarioschrijver en producent. Stipetic maakte o.a. *Aquirre,
der Zorn Gottes* (1972), *Fitzcarraldo* (1981) en *Wo die grünen Amei-
sen träumen* (1984).

**Hessling, Catherine**
(Andrée Madeleine Heuchling;
1899-1979) Frans actrice. Van 1917
tot 1919 stond Heuchling model
voor de schilder Auguste Renoir. In
1920 trouwde ze met zijn zoon,
Jean. Ze speelde de volgende tien
jaar in een aantal door haar echtgenoot geregisseerde films, maar keerde na haar scheiding in 1930 de film
de rug toe.

**Heston, Charlton**
(Charles Carter; geb. 1922) Amerikaans acteur. Carter speelde in *The
greatest show on earth* (1952) en
*The ten commandments* (1956), beide van Cecil B. DeMille. In 1959
kreeg hij een Oscar voor de titelrol
in *Ben Hur*.

**Heusen, Jimmy van**
(Edward Chester Babcock; 1913-
1990) Amerikaans componist. Babcock kreeg in 1944 met Johnny Burke een Oscar voor het liedje 'Swinging on a star' in *Going my way*.
Met Sammy Cahn won hij Oscars
voor 'All the way' in *The joker is
wild* (1957), 'High hopes' in *A hole
in the head* (1959) en 'Call me irres-
ponsible' in *Papa's delicate condition* (1963). Babcock schreef tevens
ruim zeventig liedjes voor Frank Sinatra en de muziek voor zes van de
zeven Crosby-Hope *Road*-films.

**Hichtum, Nienke van**
(Sjouke Maria Diederika Bokma de
Boer; 1860-1939) Nederlands
schrijfster. Bokma de Boer schreef
onder het pseudoniem Nienke van
Hichtum o.a. het kinderboek *Afke's
tiental* (1903).

**Higgens, Jack**
(Harry Patterson; geb. 1929) Engels
schrijver. Patterson schreef onder
het pseudoniem Jack Higgins o.a. de
roman *The Eagle has landed* (1975;
De Adelaar is geland). Hij publiceerde ook onder de pseudoniemen
Martin Fallon, James Graham,
Hugh Marlowe en Henry Patterson.

**Hildebrand**
(Nicolaas Beets; 1814-1903) Nederlands dichter en prozaschrijver.
Beets publiceerde in 1939 onder de
schuilnaam Hildebrand een bundel
essays en novellen getiteld *Camera
Obscura*. Hij gebruikte ook de pseudoniemen Crito en *Een evangelie-
dienaar*.

**Hildebrand, Pater**
(Jules Raes; 1884-1961) Vlaams schrijver en archivaris. Raes schreef onder zijn kloosternaam Hildebrand verscheidene boeken over de geschiedenis van de kapucijnerorde. Als H. Cappaert publiceerde hij *Roeping en liefde, een boekje over liefde, roeping en de voorbereiding op het huwelijk.*

**Hoeck, Ed. van den**
(Hendrik Jan Schimmel; 1823-1906) Nederlands (toneel)schrijver en dichter. Schimmel was van 1851 tot 1867 redacteur van De Gids. Onder het pseudoniem Ed. van den Hoeck schreef hij de toneelstukken *Het slot van Abcou* (1869) en *Zege na strijd* (1878).

**Hoffman, Thom**
(Thomas Ancion; geb. 1957) Nederlands acteur. Ancion speelde o.a. in *Luger* (1981), *Rituelen* (1988) en *De avonden* (1989).

**Hokke, Dana**
(Dana Constandse; geb. 1930) Nederlands lerares en dichteres. Constandse schreef onder het pseudoniem Dana Hokke o.a. de dichtbundel *Gebroken wit* (1981).

**Holden, William**
(William Franklin Beedle; 1918-1981) Amerikaans acteur. Beedle speelde in een aantal films van Billy Wilder. Zo was hij de schrijver en gigolo in *Sunset Boulevard* (1950) en de krijgsgevangene Sefton in *Stalag 17* (1953). Voor deze laatste rol kreeg hij een Oscar. Verder is hij te zien in o.a. *The bridge on the river Kwai* (1957).

**Holiday, Billy**
(Eleanora Fagan; 1915-1959) Amerikaans zangeres. Fagan had vanaf haar vijftiende veel succes met het zingen van jazznummers, zoals haar hit 'Strange fruit' (1939). In 1972 speelde Diana Ross de hoofdrol in de op Fagans leven gebaseerde film *The lady sings the blues.*

**Holland, Peter**
(Nicolaas Adrianus van Onselen; geb. 1951) Nederlands discjockey. Van Onselen presenteerde in de ja-

ren tachtig bij de VARA het populaire radioprogramma *Dubbellisjes.* Momenteel werkt hij o.a. als discjockey voor Power FM.

**Hollander, Frederick**
(Friedrich Holländer; 1892-1976) Duits componist. Holländer schreef o.a. de score voor films waarin Marlene Dietrich een hoofdrol vertolkt, zoals *Der blaue Engel* (1930), *Destry rides again* (1939) en *A foreign affair* (1948).

**Hollander, Xaviera**
(Vera de Vries; geb. 1943) Nederlands schrijfster. De Vries schreef onder het pseudoniem Xaviera Hollander o.a. de autobiografische roman *The Happy Hooker* (1972), waarvan wereldwijd meer dan 7,5 miljoen exemplaren werden verkocht.

**Holliday, Judy**
(Judith Tuvim; 1922-1965) Amerikaans actrice en zangeres. Tuvim speelde o.a. in *Adam's rib* (1949) en *Bells are ringing* (1960). In 1950 ontving ze een Oscar voor haar hoofdrol in *Born yesterday* (1950).

**Holly, Buddy**
(Charles Hardin Holley; 1936-1959) Amerikaans zanger. Holley scoorde met zijn begeleidingsband The Crickets eind jaren vijftig hits met nummers als 'That'll be the day', 'Peggy Sue', 'Oh boy', 'Maybe baby', 'Early in the morning' en 'It doesn't matter anymore'.

**Holm, Ian**
(Ian Holm Cuthbert; geb. 1931) Engels acteur. Cuthbert speelde o.a. in *Alien* (1979), *Brazil* (1985), *Wetherby* (1985) en *Another woman* (1988).

**Homo**
(Arthur Cornette; 1852-1907) Vlaams schrijver. Cornette publiceerde in 1878 onder het pseudoniem Homo *Brieven aan het opkomende geslacht over de vrije gedachte.* In datzelfde jaar verscheen eveneens van zijn hand *De vrijmetselarij en hare beschavende rol in de XIX eeuw. Opmerkingen voor oningewijden,* dat hij met *Een vrij-*

metselaar ondertekende.

**Homunculus**
(Albert Verwey; 1865-1937) Nederlands dichter. Verwey behoorde tot de Tachtigers. Hij was o.a. medeoprichter en redacteur van De Nieuwe Gids (1885-89). In 1887 schreef hij onder het pseudoniem Homunculus *Intriganten.* Hij gebruikte tevens de schuilnamen M. Wenke, Alan Lichtenberger en A. de Mare. In 1885 publiceerde hij samen met Willem Kloos het lyrisch epos *Julia, een verhaal van Sicilië,* dat zij met het pseudoniem Guido ondertekenden.

**Hooven, A. ten**
(Adriaan Venema; geb. 1941) Nederlands historicus, schrijver en journalist. Venema publiceerde in 1982 onder het pseudoniem A. ten Hooven de roman *Lemmingen.*

**Hope, Bob**
(Leslie Townes Hope; geb. 1903) Amerikaans acteur van Engelse afkomst. Hope speelde o.a. met Bing Crosby en Dorothy Lamour in zeven *Road*-films, w.o. *Road to Singapore* (1940) en *Road to Utopia* (1945). In 1965 kreeg hij een Oscar voor zijn gehele oeuvre.

**Hopper**
(Nico Scheepmaker; 1930-1990) Nederlands dichter en journalist. Onder het pseudoniem Hopper verzorgde Scheepmaker van 1966 tot 1975 in de Volkskrant de rubriek 'Zeg er 'ns wat van' over literaire en taalkundige onderwerpen. Hij publiceerde tevens onder de schuilnamen Peter de Groot, Karel Kip, Charles Poel, Nico van Rein, Sch-r, Trijfel, Ivo Vettewinkel en Nico Willstein.

**Hopper, Hedda**
(Elda Furry; 1890-1966) Amerikaans actrice en columniste. Furry was een van de meest vooraanstaande society-verslaggevers uit de geschiedenis van de Amerikaanse massamedia. In 1963 schreef zij samen met James Brown *The whole truth and nothing but* over het leven van Hollywood-sterren als Marlon Brando en Liz Taylor.

**Horvath, Zoltan**
(Ary den Hartog; 1889-1958) Nederlands (toneel)schrijver. Den Hartog schreef in 1935 de komedie *Ex-koning Peter,* die hij met Zoltan Horvath ondertekende.

**Hossein, Robert**
(Robert Hosseinhoff; geb. 1927) Frans acteur en regisseur. Hosseinhoff speelde o.a. in *Les grands chemins* (1963) en *Les uns et les autres* (1981). Hij regisseerde o.a. *Les misérables* (1982).

**Houdini, Harry**
(Erich Weisz; 1874-1926) Amerikaans illusionist en goochelaar. De zich Harry Houdini noemende Weisz verwierf wereldfaam met zijn acts als boeienkoning.

**Houseman, John**
(Jacques Haussmann; 1902-1988) Amerikaans acteur, scenarioschrijver en producent van Frans-Engelse afkomst. Haussmann had als producent een belangrijk aandeel in de totstandkoming van Orson Welles' hoorspel *War of the worlds* (1938) en diens film *Citizen Kane* (1941). Tussen 1945 en 1962 produceerde Haussmann voor Paramount achttien films, w.o. *The bad and the beautiful* (1952) en *Lust for live* (1956). In 1973 won Haussmann als acteur een Oscar voor zijn rol in *Paper chase.* Verder speelde hij in o.a. *Ghost story* (1981) en *Another woman* (1988).

**Houten, Jan van**
(Jan ten Brink; 1834-1901) Nederlands schrijver. Ten Brink was van 1869 tot 1887 redacteur van het periodiek Nederland. Zijn bijdragen aan dit tijdschrift signeerde hij o.a. met Dominé Courrier en Jan van Houten.
Onder laatstgenoemde schuilnaam publiceerde hij ook in 1863 zijn novelle getiteld *Praktische menschen. Bijdrage tot de kennis der zeden van de Europesche maatschappij in Nederlandsch Indië.* Ten Brink gebruikte eveneens de pseudoniemen Flanor II, Jan de Regt III en Dr. Alexius van Staden.

**Hove, Prosper van**
(Cyriel Buysse; 1859-1932) Vlaams schrijver. Buysse was medeoprichter van de tijdschriften Van Nu en Straks (1893) en Groot-Nederland (1903). In dit laatste tijdschrift, dat hij tot zijn dood zou blijven redigeren, publiceerde hij in 1905 en 1906 kritische bijdragen, die hij ondertekende met Prosper van Hove. Samen met zijn tante, Virginie Loveling, schreef hij voor dit periodiek de roman *Levensleer* (1907), die zij met Louis Bonheyden signeerden. In 1911 verscheen dit als boek.

**Hovink, Rita**
(Hendriekje Jannie Vink; 1944-1979) Nederlands zangeres. Vink begon haar zangcarrière bij de Jonge Flierefluiters en de Leather Jackets. Als soliste scoorde zij vele hits, w.o. 'Ay Dolores' (1976) en 'Laat me alleen' (1976).

**Howard, Leslie**
(Leslie Howard Stainer; 1893-1943) Engels acteur van Hongaarse afkomst. Stainer speelde o.a. in *The scarlet pimpernel* (1935), *Pygmalion* (1938) en *Gone with the wind* (1939).

**Howard, Susan**
(Jeri Lynn Mooney; geb. 1942) Amerikaans actrice. Mooney was o.a. van 1979 tot 1987 Donna Krebs in de soap *Dallas*.

**Howerd, Frankie**
(Francis Howard; 1921-1992) Engels acteur. Howard speelde o.a. met Alec Guinness in *The ladykillers* (1955) en met Peter Frampton en The Bee Gees in *Sergeant Pepper's Lonely Hearts Club Band* (1978).

**Howlin' Wolf**
(Chester Arthur Burnett; 1910-1976) Amerikaans blueszanger, mondharmonicaspeler en gitarist. Burnett scoorde in 1952 een hit met 'How many more years'. Rond 1960 had hij succes met platen als 'Smokestack lightning', 'Killing floor' en 'Back door man'.

**Hoyer, George**
(Gustavo Bernardo José Hilter-mann; geb. 1914) Nederlands publicist en politiek commentator. Hiltermann publiceerde in de Tweede Wereldoorlog onder de schuilnaam George Hoyer *7 stompjes kaars* (1944), *Boris Alexandrowitsch Bjelkin. Een verhaal uit Sovjet-Rusland* (1945) en *Simon reist per spoor* (1945).

**Hudson, Rock**
(Roy Harold Scherer; 1925-1985) Amerikaans acteur. Scherer is o.a. te zien naast James Dean in *Giant* (1956). Hij speelde tevens in een aantal films van Douglas Sirk. Zo was hij de schatrijke playboy Bob Merrick in *Magnificent obsession* (1954) en de tuinman Ron Kirby in *Written on the wind* (1956). Van 1984 tot 1985 speelde hij Daniel Reece in de soap *Dynasty*.

**Humperdinck, Engelbert**
(Arnold George Dorsey; geb. 1936) Engels acteur en zanger. De rockzanger Dorsey scoorde een hit met o.a. 'Release me' (1967) en 'The last waltz' (1967).

**Hunter, Jeffrey**
(Henry Herman McKinnies Jr.; 1925-1969) Amerikaans acteur. McKinnies speelde o.a. naast John Wayne in *The searchers* (1956). Hij is tevens te zien in *The true story of Jesse James* (1956) van Nicholas Ray.

**Hunter, Kim**
(Janet Cole; geb. 1922) Amerikaans actrice. Cole speelde o.a. de radiotelefoniste June in *A matter of life and death* (1946) en Stella Kowalski, de zus van Blanche, in *A streetcar named Desire* (1951). Voor deze laatste rol kreeg Cole een Oscar.

**Huston, Walter**
(Walter Houghston; 1884-1950) Canadees acteur. Houghston speelde o.a. de titelrol in *Abraham Lincoln* (1930) van D.W. Griffith. Hij kreeg in 1948 een Oscar voor zijn bijrol in *The treasure of Sierra Madre*.

**Hutton, Betty**
(Elizabeth Jane Thornburg; geb. 1921) Amerikaans actrice. Thornburg speelde o.a. in *Annie get your*

*gun* (1950) en *The greatest show on earth* (1952).

**Huybrechts, M.**
(Hubert Melis; 1872-1949) Vlaams toneelschrijver. Melis schreef onder het pseudoniem M. Huybrechts o.a. het toneelstuk *Maria van Brabant* (1903).

**Ido, Victor**
(Hans van der Wall; 1869-1948) Nederlands schrijver. Van der Wall schreef onder het pseudoniem Victor Ido o.a. *De paupers* (1915) en *De dochters van den resident* (1922). Hij gebruikte tevens de schuilnaam Saint-Bris.

**Idol, Billy**
(William Michael Albert Broad; geb. 1955) Engels zanger en gitarist. Broad, een voormalig lid van de punkband Generation X, maakte ook als solist furore, o.a. met de nummers 'Hot in the city' (1982) en 'Eyes without a face' (1983).

**Iependaal, Willem van**
(Willem van der Kulk; 1891-1970) Nederlands schrijver en dichter. Van der Kulk schreef onder het pseudoniem Willem van Iependaal o.a. de romans *Polletje Piekhaar* (1935) en *De commissaris kan me nog meer vertellen* (1951).

**Ihlfeldt, Karl**
(Arnold Aletrino; 1858-1916) Nederlands arts, criminoloog en literator. Aletrino schreef onder het pseudoniem P.A. Saaije Az. een inleiding bij Frederik van Eedens *Grassprietjes* (1885). Zijn in 1905 verschenen gerechtelijk geneeskundige studie *Over uranisme* ondertekende hij met Karl Ihlfeldt. Aletrino gebruikte ook de schuilnaam Acu insma.

**IJlander, Gijs**
(Gijs Hoetjes; geb. 1947) Nederlands schrijver. Hoetjes publiceerde onder het pseudoniem Gijs IJlander o.a. *Kapper* (1988) en *Zwartwild* (1992).

**Ingram, Rex**
(Reginald Ingram Montgomery Hitchcock; 1893-1950) Iers regis-

seur, scenarioschrijver en acteur.
Montgomery Hitchcock maakte o.a.
*The four horseman of the apocalypse* (1921) en *Mare Nostrum* (1926). Hij werkte tevens mee aan het scenario van Erich von Stroheims *Greed* (1925).

**Inkel, Jeroen van**

(Jeroen Donderwinkel; geb. 1961) Nederlands discjockey en tv-presentator. Donderwinkel presenteerde van 1989 tot 1991 het tv-programma *Countdown* bij Veronica.

**Insingel, Mark**

(Marcus Henri Laurent Thérèse Donckers; geb. 1935) Vlaams dichter, hoorspelauteur en schrijver. Donckers schreef onder het pseudoniem Mark Insingel o.a. de dichtbundel *Modellen* (1970) en het hoorspel *Wanneer een dame een heer de hand drukt* (1975).

**Irish, William**

(Cornell George Hopley-Woolrich; 1903-1968) Amerikaans schrijver. Hopley-Woolrich schreef een aantal thrillers onder het pseudoniem William Irish, w.o. *Phantom lady* (1942; Het alibi van een spook), *Deadline at dawn* (1944; De dood wacht tot morgen) en *Waltz into darkness* (1947). Laatstgenoemde roman werd in 1969 door François Truffaut verfilmd onder de titel *La sirène du Mississippi*.

**l'Isle, Jean de**

(Alphonse Daudet; 1840-1897) Frans schrijver. Daudet, die bekend werd met de onder eigen naam gepubliceerde novellenbundel *Lettres de mon moulin* (1869; Brieven uit mijn molen), signeerde een aantal korte verhalen met het pseudoniem Jean de l'Isle.

**Ivans**

(Jacob van Schevichaven; 1866-1935) Nederlands detectiveschrijver. Tussen 1917 en 1935 publiceerde Van Schevichaven onder het pseudoniem Ivans 35 boeken rond de Engelse private eye Geoffrey Gill ('G.G.') en zijn Nederlandse vriend de advocaat Willy Hendriks. Behalve de *G.G.*-boeken schreef hij

ook de *May*-serie over een vrouwelijke speurder van half-Indiaanse afkomst en de *Max Dennenberg*-serie met een Nederlandse detective in de hoofdrol.

**d'Ivol, Paul**

(Paul Deleutre; 1856-1915) Frans schrijver. Deleutre schreef onder het pseudoniem Paul d'Ivoi o.a. *Les cinq sous de Lavarède* (1894; Met een kwartje de wereld rond).

**Iwerks, Ub**

(Ubbe Ert Iwwerks; 1901-1971) Amerikaans animator. Iwwerks creëerde samen met Walt Disney het figuurtje Mickey Mouse. Voor de Disney-studio's werkte hij aan de special effects van o.a. de tekenfilms *Peter Pan* (1953), *Lady and the tramp* (1955) en *Sleeping beauty* (1959). Hij was tevens verantwoordelijk voor de trucages in Alfred Hitchcocks *The Birds* (1963).

# J

**Jacobs, Marc**
(Rob van Dam; geb. 1954) Nederlands discjockey en tv-presentator. Van Dam presenteerde van 1989 tot 1990 *De ontbijtshow* bij RTL 4.

**Jacobse, Muus**
(Klaas Hanzen Heeroma; 1909-1972) Nederlands dichter, essayist en letterkundige. Heeroma publiceerde onder het pseudoniem Muus Jacobse o.a. de dichtbundels *De doortocht* (1936) en *Bijbelse gedichten* (1946). Hij schreef tevens onder de schuilnamen Gerben Bos, Marten Kolkman, Leen Visser en A. Waterman.

**James, John**
(John James Anderson; geb. 1956) Amerikaans acteur. Anderson speelde o.a. van 1981 tot 1985 Jeff Colby in de soap *Dynasty*.

**Jannings, Emil**
(Theodor Friedrich Emil Janenz; 1884-1950) Zwitsers acteur. Janenz won in 1928 bij de allereerste Oscar-uitreikingen een Oscar voor zijn hoofdrol in *The way of all flesh* en *The last command*. Hij speelde o.a. ook de oude portier in *Der letzte Mann* (1924) en professor Rath in *Der blaue Engel* (1930).

**Janosch**
(Horst Eckert; geb. 1931) Duits schrijver en tekenaar. Eckert schreef en tekende onder het pseudoniem Janosch o.a. de kinderboeken *Das Leben der Tiere* (1981; Dieren zijn ook mensen) en *Riesenparty für den Tiger* (1989; Groot feest voor de tijger: Hoe de kleine tijger eens jarig was).

**Jansen, Thomas**
(Tom Rooduijn; geb. 1953) Nederlands journalist. Rooduijn stuurde in de jaren zestig onder het pseudo-niem Thomas Jansen een verhaal naar Propria Cures in het kader van de Kerstprijsvraag. Hij won een redacteurszetel. Dit was hem echter indertijd geheel ontgaan. Zo kon het gebeuren dat Rooduijn zo'n vijftien jaar na dato vernam dat hij redacteur van PC had kunnen worden.

**Jazzie B**
(Beresford Romeo; geb. 1963) Engels rapper en discjockey. Romeo richtte samen met Philip 'Daddae' Harvey het Soul II Soul-collectief op. De groep werkt telkens met verschillende zangeressen. Zij scoorden vele hits, w.o. 'Keep on movin'' (1989), 'Back to life (However do you want me)' (1989) en 'Get a life' (1989).

**Jean, Gloria**
(Gloria Jean Schoonover; geb. 1928) Amerikaans actrice. Schoonover speelde als kindsterretje o.a. in *The underpup* (1939) en *Never give a sucker an even break* (1941).

**Jeanne Marie**
(Martha Visser; 1896-1985) Nederlands schrijfster. Visser schreef onder het pseudoniem Jeanne Marie o.a. de kinderboeken *Van Robbie en Ineke* (1956) en *Paulientje gaat op stap* (1961).

**Jean Paul**
(Johann Paul Richter; 1763-1825) Duits schrijver. Richter schreef onder het pseudoniem Jean Paul o.a. de romans *Die unsichtbare Loge* (1793) en *Flegeljahre* (1804).

**Jersey, Jack**
(Jack de Nijs; geb. 1941) Nederlands zanger en componist. De Nijs trad aanvankelijk op onder eigen naam en scoorde hits met nummers als 'Sophia Loren' (1970), 'Ay ay waar blijft Maria' (1971) en 'Helena' (1972). In 1973 zette hij zijn carrière voort onder de artiestennaam Jack Jersey. Hij continueerde zijn succes met liedjes als 'Papa was a poor man' (1974), 'She was dynamite' (1977) en 'Sri Lanka my shangri la' (1980).

**Jiang Qing**
(Li Yun Ho; 1914-1991) Chinees

politica en actrice. Li noemde zich toen ze tijdens de Culturele Revolutie als propandiste werkzaam was Jiang Qing. In 1981, vijf jaar na het overlijden van haar echtgenoot Mao Zedung, werd zij ter dood veroordeeld. Het vonnis is echter nooit uitgevoerd. Als filmactrice gebruikte zij de artiestennaam Lan Pin.

**Joeks, Herbert**
(Herman Jozef van Hugten; geb. 1915) Nederlands acteur, kleinkunstenaar en zanger. Van Hugten was in de jaren zestig en zeventig de Indiaan Klukkluk in het kinderprogramma *Pipo de Clown*. Hij speelde verder o.a. in de tv-series *Pension Hommeles* (1958-59) en *Swiebertje* (1969-70). Hij is ook te zien in de filmkomedies *Fanfare* (1960) en *De boezemvriend* (1982).

**Dr. John**
(Malcolm John Rebenack; geb. 1941) Amerikaans gitarist, pianist, zanger en componist. Rebenack oogstte succes met de nummers 'Right place, wrong time' (1973) en 'Such a night' (1973).

**John, Elton**
(Reginald Kenneth Dwight; geb. 1947) Engels zanger, pianist en componist. Dwight scoorde vele hits, zoals 'Song for guy' (1978), 'Nikita' (1985) en 'Sacrifice' (1989).

**Johnson, Rita**
(Rita McSean; 1912-1965) Amerikaans actrice. McSean speelde o.a. naast Spencer Tracy in *Edison the man* (1940).

**Joint, Julian the**
(Jules Deelder; geb. 1944) Nederlands dichter en schrijver. In 1968 noemde Deelder zich als lid van de de popgroep Schlagergezelschap 'De Hyacint' Julian the Joint. Tot deze band behoorde ook Rob Peters (geb. 1941) alias Larry Nightingale en diens zuster Rosalie.
Rob Peters bedient zich als beeldend kunstenaar sinds 1978 van het pseudoniem Justsó. In zijn werk staat oorlogstuig als het slagschip Bismarck centraal.

**Jolson, Al**
(Asa Yoelson; 1886-1950) Amerikaans zanger en acteur van Russische afkomst. Yoelson speelde o.a. de hoofdrol in de eerste geluidsfilm, *The Jazz Singer* (1927).

**Jones, Jennifer**
(Phyllis Lee Isley; geb. 1919) Amerikaans actrice. Isley won in 1943 een Oscar voor haar rol als boerenmeisje in *The song of Bernadette* (1943). Zij speelde verder o.a. in *Since you went away* (1944) en *The towering inferno* (1974).

**Jones, Tom**
(Thomas Jones Woodward; geb. 1940) Engels zanger. Woodward scoorde een hit met o.a. 'It's not unusual' (1965), 'The green, green grass of home' (1966) en 'Delilah' (1967).

**Jonghe, Marie-Claire de**
(Freddy de Vree; geb. 1939) Vlaams dichter en essayist. De Vree was medeoprichter van het tijdschrift Hoos en redacteur van het tijdschrift Nul. De Vree publiceerde onder de schuilnaam Marie-Claire de Jonghe de dichtbundels *Jaja* (1969) en *De lemen liefde* (1969). Hij gebruikte tevens de pseudoniemen James Klont en Jan Vlaming.

**Joost**
(Evert Werkman; geb. 1915) Nederlands schrijver en journalist. Werkman schreef in de stijl van Vondel commentaren op actuele gebeurtenissen in De Groene Amsterdammer, die hij ook met Vondel ondertekende. In 1958 werd een honderdtal van deze artikelen gebundeld onder de titel *Joost mag het zeggen*. Werkman gebruikte tevens de pseudoniemen Invaller, Aart van Nes, Plataan en Jantina Wemeling.

**Jordaan, Johnny**
(Johan van Musscher; 1924-1989) Nederlands zanger. Van Musscher scoorde vele hits met zijn Amsterdamse liedjes, zoals 'Daar mag je alleen maar naar kijken' (1962) en 'Ze zijn nog niet vergeten' (1981).

**Jouhandeau, Marcel**
(Marcel Provence; 1888-1979)

Frans schrijver. Provence schreef onder het pseudoniem Marcel Jouhandeau o.a. de romans *La jeunesse de Théophile* (1921) en *Oncle Henri* (1943; Oom Henri).

**Jourdan, Louis**
(Louis Gendre; geb. 1919) Frans acteur. Gendre speelde o.a. een pianist in Max Ophüls' *Letter from an unknown woman* (1948) en een Afghaanse prins in de James Bondfilm *Octopussy* (1983).

**Joyce, Brenda**
(Betty Leabo; geb. 1915) Amerikaans actrice. Leabo speelde o.a. in de jaren veertig de rol van Jane in vijf Tarzan-films. Zo is zij naast Johnny Weismuller te zien in *Tarzan and the Amazons* (1945) en *Tarzan and the Leopard Woman* (1946).

**Joyce & Co.**
In 1968 werd het collectief Joyce & Co. opgericht met als leden Mick Broekhof, Jeroen Fonville, Geerten Meijsing (geb. 1950), Kees Snell (geb. 1951), Frans H.B. Verpoorten jr. en Henk Willem Zeevat. De publikaties van Joyce & Co. zijn voor het overgrote deel van de hand van Meijsing en Snell. Meijsing en Zeevat vertaalden in 1975 enkele verhalen. Verpoorten is de auteur van werkbrieven en hij stelde met Meijsing in 1975 voor het tijdschrift Maatstaf het portfolio *Golino* samen. Maar al het overige gepubliceerde werk van het collectief Joyce & Co. is geschreven door Meijsing en Snell, die zich respectievelijk van de pseudoniemen Erwin Charles David Garden en Keith Snell bedienden. Zo publiceerden zij in 1971 een artikel in het filmtijdschrift Skoop getiteld 'Erotiek & het romantisch principe' dat zij met Voor Joyce & Co.: Keith Snell/Erwin Garden ondertekenden. Het schrijversduo maakte o.a. ook als Joyce & Co. de romans *Erwin (1974), Michael van Mander* (1979) en *Cecilia* (1986). Meijsing signeerde in 1981 zijn roman *Een meisjesleven* met de schuilnaam Eefje

Wijnberg.

**Jugo, Jenny**
(Eugenie Walter; geb. 1905) Duits actrice. Walter speelde o.a. de rol van Eliza Doolittle in *Pygmalion* (1935).

**Julius**
(Julius Vuylsteke; 1836-1903) Vlaams dichter, schrijver, boekhandelaar, advocaat en politicus. In 1860 publiceerde Vuylsteke onder het pseudoniem Julius een dichtbundel met aan de poëzie van Piet Paaltjens verwant werk, getiteld *Zwijgende liefde*. Acht jaar later verscheen onder zijn eigen naam *Uit het studentenleven en andere gedichten*.

**Jurado, Katy**
(Maria Christina Estella Marcella Jurado Garcia; geb. 1924) Amerikaanse actrice van Mexicaanse afkomst. Garcia speelde o.a. met Gary Cooper in *High noon* (1952) en met Albert Finney in *Under the volcano* (1984).

**Jürgens, Udo**
(Udo Jürgen Bockelmann; geb. 1934) Oostenrijks zanger. Bockelmann scoorde een hit met o.a. 'Merci chérie' (1966), 'Zeig mir den Platz an der Sonne' (1971) en 'Griechischer Wein' (1975).

**Kalatozov, Michail Konstantinovitsj**
(Michail Kalatozisjvili; 1903-1973) Georgisch regisseur. Kalatozisjvili won in Cannes een Palme d'Or met *Letjat zjoeravli* (1958; Als de kraanvogels overvliegen).

**Kamagurka**
(Luc Zeebroek; geb. 1956) Vlaams striptekenaar en kleinkunstenaar. Zeebroek maakte samen met Peter van Heirseele verscheidene cabaretvoorstellingen en tv-programma's. De stripfiguren Bert en Cowboy Henk behoren tot zijn meest bekende creaties. De lezers van Vlaamse en Nederlandse media, zoals NRC Handelsblad, Nieuwe Revu en Humo, volgen hun avonturen op de voet.

**Kamahl**
(Kamalesvaran; geb. 1938) Australisch zanger van Maleisische afkomst. Kamaesvaran scoorde in 1975 een hit met 'The elephant song', 'Chanson d'amour' en 'White Christmas'.

**Kampurt, Remko**
(Remco Campert; geb. 1929) Nederlands schrijver en dichter. Campert publiceerde in 1968 de roman *Tjeempie! Of Liesje in Luiletterland*, die hij met Remko Kampurt signeerde. Tijdens zijn middelbare schooltijd was hij op Het Amsterdams Lyceum redacteur van HALO (Het Amsterdams Lyceïsten Orgaan). In die hoedanigheid schreef hij in 1948 onder het pseudoniem Vincent Moreno een kort surrealistisch verhaal. Tevens maakte hij onder de schuilnaam Klungel voor deze schoolkrant een serie satirische gedichten over het schoolleven, getiteld *In de Lyceum-kroeg* (1947-

1948). Iedere aflevering illustreerde de auteur persoonlijk met een met Erce ondertekende cartoon.

**Kaps, Fred**
(Abraham Bongers; 1926-1980) Nederlands goochelaar. Bongers gebruikte aan het begin van zijn carrière de artiestennaam Mystica. Daarna trad hij op onder het pseudoniem Fred Kaps. Als een van Nederlands bekendste goochelaars gaf hij o.a. voorstellingen die werden bijgewoond door zowel de Nederlandse als de Engelse koninklijke familie.

**Karina, Anna**
(Hanna Karin Blarke Bayer; geb. 1940) Frans actrice van Deense afkomst. Bayer speelde o.a. in enkele films van haar echtgenoot Jean-Luc Godard, w.o. *Vivre sa vie* (1962), *Pierrot le fou* (1965) en *Alphaville* (1965).

**Karloff, Boris**
(William Henry Pratt; 1887-1969) Engels acteur. Pratt speelde in vele griezelfilms. Hij was een aantal keren het monster van Frankenstein in films als *Frankenstein* (1931), *The bride of Frankenstein* (1935) en *The son of Frankenstein* (1939). Hij is o.a. ook te zien in *The mask of Fu Manchu* (1932), *The raven* (1935), *The walking dead* (1936) en *The raven* (1963). Vlak voor zijn dood speelde hij de rol van een bejaarde horror-filmster in *Targets* (1968) van Peter Bogdanovich.

**Kasparov, Gary Kimovitsj**
(Gary Weinstein; geb. 1963) Russisch schaker. Kasparov droeg tot zijn twaalfde jaar de naam van zijn vader, Weinstein, die hij op zevenjarige leeftijd had verloren. Zijn achternaam werd toen veranderd in Kasparov, een Russische versie van zijn moeders familienaam, Kasparjan.

**Kaye, Danny**
(David Daniel Kaminsky; 1913-1987) Amerikaans zanger, acteur en komiek. Kaminsky speelde de hoofdrol in verschillende musicals, w.o. *The secret life of Walter Mitty*

(1947) en *The inspector general* (1949). In 1954 werd hij onderscheiden met een Oscar voor zijn gehele oeuvre.

**Kazan, Elia**

(Avraam Elija Kazanjoglou; geb. 1909) Amerikaans regisseur. Kazanjoglou maakte o.a. *A streetcar named Desire* (1951), *East of Eden* (1955) en *On the waterfront* (1954). Voor deze laatste film, waarin Marlon Brando de hoofdrol speelde, kreeg hij een Oscar.

**Kazàn, Hans**

(Hans Mulders; geb. 1953) Nederlands tv-presentator en goochelaar. Mulders presenteert sinds 2 oktober 1989 vijf dagen per week de quiz *Prijzenslag* bij RTL 4.

**Kazan, Max**

(Jozef Bierkens; geb. 1939) Vlaams dichter. Bierkens was medeoprichter van het avantgardistische tijdschrift Labris (1962-76). Hij schreef onder het pseudoniem Max Kazan o.a. de dichtbundels *Navelverbonden* (1961) en *Munchs kabinet* (1971).

**Keaton, Buster**

(Joseph Francis Keaton; 1895-1966) Amerikaans regisseur en komiek. Keaton speelde o.a. de hoofdrol in de door hem zelf geregisseerde film *The general* (1926). In 1959 werd hij onderscheiden met een Oscar voor zijn gehele oeuvre.

**Keaton, Diane**

(Diane Hall; geb. 1946) Amerikaans actrice. Hall speelde o.a. meermalen een hoofdrol in een film van haar toenmalige levenspartner Woody Allen, w.o. *Sleeper* (1973), *Annie Hall* (1977) en *Manhattan* (1977).

**Keel, Howard**

(Harry Clifford Leek; geb. 1917) Amerikaans acteur. Leek was o.a. van 1981 tot 1991 Clayton Farlow in de soap *Dallas*.

**Keeley, Yvonne**

(Yvonne Paay; geb. 1952) Nederlands zangeres en radiopresentatrice. Yvonne Paay, de zus van Patricia Paay, behaalde samen met Scott Fitzgerald in 1977 een eerste plaats

in de Top 40 met het nummer 'If I had words'.

**Kemp, Bernard**

(Bernard Frans Vlierden; 1926-1980) Vlaams schrijver, essayist en criticus. Van Vlierden was vanaf 1969 hoogleraar in de Nederlandse letteren te Brussel. Hij publiceerde onder het pseudoniem Bernard Kemp o.a. de romans *De glimlachende God* (1965), *De paardesprong* (1976) en *Het weekdier* (1979).

**Kendall, Johnny**

(Johan Donkerkaat; geb. 1941) Nederlands zanger. Donkerkaat scoorde met zijn beatgroep Johnny Kendall en the Heralds een hit met o.a. 'St. James Infirmary' (1964), 'Jezebel' (1964) en 'See see rider' (1965).

**Kent, Karin**

(Janneke Kanteman; geb. 1943) Nederlands zangeres. Kanteman scoorde o.a. een hit met 'Dans je de hele nacht met mij' (1966).

**Kerr, Deborah**

(Deborah Jane Trimmer; geb. 1921) Engels actrice. Trimmer speelde o.a. in *The life and death of Colonel Blimp* (1943), in *From here to eternity* (1953) en in *The king and I* (1956).

**Kertbeny, Karl Maria**

(Karl Maria Benkert; 1824-1882) Oostenrijks vertaler en schrijver van Hongaarse afkomst. Benkerts grootmoeder verwierf ooit de adellijke titel Kertbeny waardoor zij en haar afstammelingen zich voortaan Benkerts von Kertbeny konden noemen. In 1847 diende Karl Maria Kertbeny bij de Hongaarse Rijksdag het verzoek in om zijn titel als enkelvoudige achternaam te mogen gebruiken. In 1848 werd hiertoe toestemming verleend. Kertbeny publiceerde vanaf 1860 Duitse, Franse en Hongaarse essays over zowel politieke onderwerpen als over zijn ontmoetingen met prominenten uit het culturele leven van de Middeneuropese steden die hij bezocht. Van de hand van Kertbeny verschenen in 1861 te

Leipzig twee anonieme brochures waarin hij ageert tegen de geldende zedenwetten. Kertbeny pleit voor een toleranter beleid. Deze publikaties zijn met name van belang omdat daarin het woord 'Homosexualisten' wordt geïntroduceerd.

**Kid Creole**
(August Darnell; geb. 1950) Canadees zanger en basgitarist van Dominicaanse afkomst. In 1980 formeerden twee leden van Dr. Buzzard's Original 'Savannah' Band, August Darnell en Andy Hernandez (geb. 1951) alias Coati Mundi, een nieuwe groep, Kid Creole and the Coconuts. Dit gezelschap scoorde een hit met nummers als 'I'm a wonderful thing baby' (1982), 'Annie, I'm not your daddy' (1982) en 'Stool pigeon' (1982).

**Kidd, Michael**
(Milton Greenwald; geb. 1919) Amerikaans danser en choreograaf. Greenwald was o.a. verantwoordelijk voor de choreografie in de muziekfilms *Knock on wood* (1954) en *Guys and dolls* (1955).

**Kim, Sandra**
(Sandra Caldarone; geb. 1971) Belgisch actrice en zangeres. Caldarone won in 1986 het Eurovisie Songfestival met het liedje 'J'aime la vie'.

**King, B.B.**
(Riley B. King; geb. 1925) Amerikaans blueszanger en gitarist. King scoorde vele hits, zoals 'Everyday I've the blues' (1955), 'Sweet little angel' (1956), 'Sweet sixteen' (1960), 'Don't answer the door' (1969) en 'The thrill is gone' (1970).

**King, Carole**
(Carole Klein; geb. 1942) Amerikaans componist en zangeres. Klein schreef jaren lang samen met haar levenspartner, Gerry Goffin, songs voor de meest uiteenlopende artiesten, zoals Dusty Springfield, The Drifters en The Monkees. Met Kleins eigen vertolking van 'It might as well rain until September' (1961) behaalde zij ook als uitvoerend artiest een plaats op de hitlijst.

**King, Nosmo**
(Vernon Watson; 1885-1949) Engels entertainer. De komiek Watson ontleende zijn pseudoniem Nosmo King aan het rookverbod op de deuren van een theater waar hij optrad.

**Kingsley, Ben**
(Krishna Bahji; geb. 1943) Engels acteur van Indiase afkomst. Bahji won in 1982 een Oscar voor zijn titelrol in *Ghandi*. Hij speelde verder o.a. een hoofdrol in *Betrayal* (1982) en *Turtle diary* (1985).

**Kinski, Klaus**
(Klaus-Günther Nakszynski; geb. 1926) Duits acteur van Poolse afkomst. Nakszynski speelde o.a. in een aantal films van Werner Herzog, zoals *Nosferatu: Phantom der Nacht* (1979), *Woyzek* (1979) en *Fitzcarraldo* (1982). Hij is verder te zien in *Doctor Zhivago* (1965) en *The little drummer girl* (1984).

**Kinski, Nastassja**
(Nastassja Nakszynski; geb. 1961) Duits actrice. Nakszynski speelde o.a. in *Falsche Bewegung* (1975), *Tess* (1979), *Cat people* (1982), *Paris Texas* (1984) en *The Hotel New Hampshire* (1984).

**Kirov, Sergej Mironowitsj**
(Sergej Mironowitsj Kostzikov; 1886-1934) Russisch politicus. De in 1934 vermoorde communistische leider Kostzikov was lid van het Politburo en had binnen de Partij een grote bijdrage geleverd aan het vestigen van Stalins macht. Na de dood van Kostzikov begon Stalin een grote zuiveringsactie van de Partij. Hij liet honderden mensen excuteren en duizenden verbannen.
Of Kostzikov het slachtoffer was van een samenzwering tegen Stalin en de zijnen, zoals Stalin beweerde, wordt door vele historici in twijfel getrokken. Sommige geschiedschrijvers speculeren dat Stalin verantwoordelijk was voor de aanslag. Kostzikov zou te populair geworden zijn en daarmee de positie van de Sovjetleider hebben bedreigd.

**Kissinger, Henry**
(Heinz Kissinger; geb. 1923) Ame-

rikaans politicus. Kissinger werd in 1969 adviseur in buitenlandse aangelegenheden van president Nixon. Van 1973 tot 1977 was hij minister van Buitenlandse Zaken. Voor de rol die Kissinger speelde bij het beëindigen van de Vietnam-oorlog ontving hij in 1973 de Nobelprijs voor de vrede.

**Klazien uit Zalk**

(Klaasje Rotstein-van den Brink; geb. 1919) Nederlands publiciste. Rotstein-van den Brink schreef in 1981 onder het pseudoniem Klèùsien uut Zalk *Regels veur et weer, en nog een heleboel meer.* Naar aanleiding van haar optredens voor de NCRV-televisie verscheen vanaf 1990 een serie boekjes met tips onder de titel *Van allerhande dingen over de natuur,* die zij met de schuilnaam Klazien uit Zalk ondertekende.

**Klerken, Jef van**

(Jos Janssen; 1888-1968) Vlaams toneelschrijver. De zeer produktieve toneelschrijver Janssen publiceerde een drietal toneelstukken onder het pseudoniem Jef van Klerken.

**Klikspaan**

(Johannes Kneppelhout; 1814-1885) Nederlands schrijver. Kneppelhout publiceerde onder het pseudoniem Klikspaan de bundels *Studenten-Typen* (1841), *Studentenleven* (1844) en *De studenten en hun bijloop* (1844). Hij schreef tevens onder de schuilnaam Diximus.

**Knasterhuis, Jaap**

(Rogier Proper; geb. 1947) Nederlands journalist en scenarioschrijver. Proper geeft leiding aan het team scenaristen, dat de teksten van de oorspronkelijke Australische versie van *Goede tijden, slechte tijden* vertaalt. Gaandeweg is de discrepantie tussen de orginele en de Nederlanse serie steeds groter geworden. In Wim T. Schippers legendarische radioprogramma *Ronflonflon* heette Proper Jaap Knasterhuis. Met dit pseudoniem ondertekende hij tevens een column in het filmtijdschrift Skoop en zijn stukjes over

filmtermen voor de jeugdpagina van Vrij Nederland, 'De blauw geruite kiel', die in 1989 werden gebundeld onder de titel *Wel, en ook.* In 1967 en 1968 verzorgde Proper samen met Theun de Winter (geb. 1944) als Elsa Botenbauwer een roddelrubriek in Propria Cures, getiteld 'Het leven'. In diezelfde periode schreef Proper met John Jansen van Galen voor dit periodiek enkele artikelen over studentenpolitiek, die zij met Jan Nagel signeerden. Proper gebruikte tevens de schuilnamen Sam Brilleslijper en Dr. Kaal.

**Kochius**

(Willem Johannes Cornelis Arondeus; 1894-1943) Nederlands kunstenaar en schrijver. Arondeus gebruikte als lid van het (kunstenaars)verzet de schuilnamen Kochius en Smit. Hij was betrokken bij illegale publikaties, bij de vervalsing van persoonsbewijzen en de aanslag op het Amsterdamse bevolkingsregister.

**Konsalik, Heinz Günther**

(Heinz Günther; geb. 1921) Duits schrijver. Günther schreef onder het pseudoniem Konsalik zo'n honderd romans, zoals *Der Artz von Stalingrad* (Dokter van Stalingrad), *Strafbataillon 999 en Bluthochzeit in Prag* (Bloedbruiloft in Praag). Hij gebruikte ook de schuilnamen Jens Bekker, Stefan Doerner, Boris Nikolai en Henry Pahlen.

**Kooiker, Leonie**

(Mieke Kooyker-Romijn; geb. 1927) Nederlands schrijfster van kinderboeken. Kooyker-Romijn schreef onder het pseudoniem Leonie Kooiker o.a. *Het malle ding van Bobbistiek* (1970) en *De diamant van de piraat* (1972).

**Koopman, Wanda**

(Sonja Prins; geb. 1912) Nederlands dichteres. Prins debuteerde in 1933 onder het pseudoniem Wanda Koopman met de dichtbundel *Proeve in strategie.* Haar latere werk verscheen voornamelijk onder eigen naam, zoals de bundel *Brood en rozen* (1953). Prins schreef ook onder de schuilnamen Willie Albrecht, Daams en L. Lenormand.

**Kopland, Rutger**
(Rutger Hendrik van den Hoofdakker; geb. 1934) Nederlands psychiater en dichter. Van den Hoofdakker publiceerde onder het pseudoniem Rutger Kopland o.a. de dichtbundels *Het orgeltje van Yesterday* (1968), *Een lege plek om te blijven* (1975) en *Al die mooie beloften* (1978).

**Korda, Alexander**
(Sándor László Kellner; 1893-1956) Hongaars regisseur en producent. Kellner produceerde o.a. *The tales of Hoffman* (1951) van Michael Powell en Emeric Pressburger, *The third man* (1949) van Carol Reed, en *Hobson's choice* (1954) van David Lean.

**Korda, Vincent**
(Vincent Kellner; 1897-1979) Hongaars art-director. Kellner won in 1940 een Oscar voor zijn decors in *The thief of Bagdad*. Hij was tevens medeverantwoordelijk voor de decors in *The third man* (1949).

**Korda, Zoltán**
(Zoltán Kellner; 1895-1961) Hongaars regisseur. Kellner regisseerde o.a. *Elephant boy* (1937), *The four feathers* (1939) en *Jungle book* (1942).

**Kraaykamp, Johnny**
(Jan Hendrik Kraaijkamp; geb. 1925) Nederlands acteur en komiek. Kraaijkamp maakte van 1956 tot 1972 samen met Rijk de Gooijer talloze tv-programma's, zoals *De Weekendshow*, *Johnny en Rijk* en *Een paar apart*. Nadien ging Kraaijkamp zich meer en meer toeleggen op het spelen van serieuze rollen. Zo is hij o.a. te zien in *De aanslag* (1985) en *De wisselwachter* (1986). Voor zijn bijdrage aan deze films kreeg Kraaijkamp in 1986 een Gouden Kalf.

**Kramer, Karin**
(Willemien Kuitenbrouwer; geb. 1931) Nederlands schrijfster. Kuitenbrouwer schreef onder het pseudoniem Karin Kramer o.a. vier jeugdboeken over de boerendochter Hilde, w.o. *Een boeket voor Hilde* (1971) en *Hilde's nieuwe toekomst* (1971).

**Kröjer, P.S. Maxim**
(Paul Collet; 1901-1979) Vlaams criticus en (toneel)schrijver. Collet publiceerde onder het pseudoniem P.S. Maxim Kröjer o.a. het essay *Gesprekken onder de schemerlamp* (1964) en de studie *De psychologie van het moderne drama* (1929).

**Kronkel**
(Simon Carmiggelt; 1913-1987). Nederlands schrijver. Carmiggelt schreef van 1946 tot 1983 dagelijks onder het pseudoniem Kronkel cursiefjes in Het Parool. Hij publiceerde tevens onder de schuilnamen Karel Bralleput, Ds. Hanebraaier, Coba Mug, P.A. Ressaux, Dick van Schoonhoven en Adri Zultvouwer.

**Kruiningen, Harry van**
(Henri Adelbert Janssen; geb. 1906) Nederlands schilder en tekenaar. Janssen illustreerde o.a. een aantal kinderboeken van G.J.M van het Reve alias Gerard Revers, zoals *De avonturen van Mop en Strop* (1930) en *De wonderlijke avonturen van Jonkheer Stribbel* (1931).

**Kruutmoes, Gait Jan**
(Kees Schilperoort; geb. 1917) Nederlands radiopresentator en zanger. Schilperoort trad lange tijd op als zanger en conferencier bij de Bietenbouwers en vanaf 1955 tot 1975 (met enige onderbreking) bij de boerenkapel De Boertjes van Buuten. In die hoedanigheid noemde hij zich Gait Jan Kruutmoes.

**Kuckuc, Ina**
(Ilse Kokula; geb. 1944) Duits sociaal werkster en pedagoog. Kokula was in de periode 1985-86 de eerste gasthoogleraar van de Belle van Zuylen wisselleerstoel aan de Rijksuniversiteit te Utrecht. Vervolgens doceerde zij aan diverse Duitse universiteiten. Zij schreef in 1975 onder het pseudoniem Ina Kuckuc *Der Kampf gegen Unterdrückung. Materialien aus der deutschen Lesbierinnenbewegung*.

**Kultuur, Koos**
(Han Geurts; geb. 1959) Nederlands journalist. Geurts, die doorgaans onder eigen naam publiceert, schrijft onder het pseudoniem Koos Kultuur kritische stukken over culturele en cultuurpolitieke aangelegenheden in de Delftse Courant.

**Kuyle, Albert**
(L.M.A. Kuitenbrouwer; 1904-1958) Nederlands dichter en schrijver. Kuitenbrouwer was medeoprichter van de periodieken De Gemeenschap en De Nieuwe Gemeenschap. Hij publiceerde onder het pseudoniem Albert Kuyle o.a. de novellen *De bries* (1929), *Weerlicht* (1933) en *Harmonika* (1939). Hij gebruikte tevens de schuilnaam Janus.

**La Pat**
(Patty Trossèl; geb. 1963) Nederlands zangeres en componiste. Nadat Trossèl de new wave-band TO-lips had verlaten, stortte zij zich op een solo-carrière. Met haar debuut-CD 'Eine Frau fur die Liebe' (1989) en de opvolger 'La gabbia d'oro' (1991) oogstte de alt alom lovende kritieken. Zij zingt o.a Italiaanse operaliederen en songs uit het repertoire van Zarah Leander en Marlene Dietrich. Trossèl componeerde tevens de muziek voor de film *Theo & Thea en de ontmaskering van het tenenkaasimperium* (1989) met Adèle Bloemendaal en Marco Bakker in een hoofdrol.

**Ladd, Cheryl**
(Cheryl Stoppelmoor; geb. 1951) Amerikaans actrice. Stoppelmoor was o.a. van 1977 tot 1981 Kris Munroe in de tv-serie *Charlie's Angels*.

**Ladner, Kurt**
(Nelson DeMille; geb. 1943) Amerikaans schrijver. DeMille publiceerde in 1976 de oorlogsroman *Hitler's children*, die hij met Kurt Ladner ondertekende. Hij gebruikte tevens de schuilnamen Ellen Kay en Brad Matthews.

**Lagarde, Alfred**
(Alfred van der Garde; geb. 1948) Nederlands discjockey en radiopresentator. Van der Garde presenteerde van 1975 tot 1981 bij de VARA het radioprogramma *Het betonuur*. Sinds 4 februari 1982 presenteert hij bij Veronica *Countdown café*.

**Lamarr, Hedy**
(Hedwig Eva Maria Kiesler; geb. 1914) Amerikaans actrice van Oostenrijkse afkomst. Kiesler speelde o.a. met James Stewart en Judy Gar-

land in *Ziegfield girl* (1941) en met Spencer Tracy in *Tortilla flat* (1942).

**Lamour, Dorothy**
(Mary Leta Dorothy Kaumeyer; geb. 1914) Amerikaans actrice. Kaumeyer speelde o.a. met Bob Hope en Bing Crosby in *Road to Morocco* (1942) en *Road to Rio* (1947).

**Lamoureux, John**
(René Gysen; 1927-1969) Vlaams schrijver. Gysen was redacteur van de tijdschriften Gard Sivik (1956-64) en Komma (1964-68). Hij publiceerde zijn Engelstalige werk, w.o. *The French way* (1963) en *Processie all stars* (1964), onder het pseudoniem John Lamoureux. Het Nederlandstalig deel van zijn oeuvre verscheen onder zijn eigen naam.

**Lancee, Ferdi**
(Ferdy Dousenbach; geb. 1953) Nederlands popartiest en componist. Dousenbach trad, na lid geweest te zijn van diverse groepen, zoals Lotusland, Dummy en Xandra, op als producent van V.O.F. De Kunst. Hij schreef o.a. mee aan de nummers 'Suzanne' (1983), 'Oude liefde roest niet' (1983), 'Het is beter zo' (1984) en 'Berlijn' (1984), waarmee zijn band V.O.F. De Kunst veel succes had.

**Lanchester, Elsa**
(Elizabeth Sullivan; 1902-1986) Engels actrice. Sullivan speelde o.a. in *David Copperfield* (1935), *The bride of Frankenstein* (1935) en *Witness for the prosecution* (1957).

**Landell, Olaf J. de**
(Jan Bernard Wemmerslager van Sparwoude; 1911-1989) Nederlands schrijver. Wemmerslager van Sparwoude schreef onder het pseudoniem Olaf J. de Landell o.a. *Probleem in Aerdenberg* (1942) en de familietrilogie *Het bloeien van de porseleinboom* (1974), *De kroon van de porseleinboom* (1975) en *De porseleinen spiegel* (1976).

**Landis, Jerry**
(Paul Simon; geb. 1941) Ameri-

kaans zanger, gitarist en componist. Simon hanteerde aan het begin van zijn carrière de schuilnaam Paul Kane. Kort daarop maakte hij samen met zijn schoolkameraad Art Garfunkel (geb. 1941) enkele platen, w.o. 'Hey schoolgirl' (1957). In die tijd noemden zij zichzelf Tom Graph en Jerry Landis, oftewel Tom & Jerry. Art Garfunkel alias Tom Graph hanteerde aansluitend voor enkele soloplaten het pseudoniem Artie Carr. Het heeft echter niet lang geduurd of het duo ging onder eigen naam optreden. Hun album 'Bridge over troubled water' (1970) behoort tot de meest verkochte LP's aller tijden.

**Landon, Michael**
(Eugene Orowitz; 1937-1991) Amerikaans acteur. Orowitz speelde in verschillende tv-series. Zo was hij Little Joe Cartwright in *Bonanza* (1959-73) en vader Charles Ingalls in *Het kleine huis op de prairie* (1974-82).

**Lane, Priscilla**
(Priscilla Mullican; geb. 1917) Amerikaans actrice. Mullican speelde o.a. met Humphrey Bogart in *The roaring twenties* (1939) en met Gary Grant in *Arsenic and the old lace* (1944).

**Langen, Ferdinand**
(Egbertus Pannekoek; geb. 1918) Nederlands schrijver en dichter. In 1945, nog tijdens de Duitse bezetting, richtte Pannekoek samen met Koos Schuur en Jan Elburg het tijdschrift Het Woord op. Pannekoek schreef onder het pseudoniem Ferdinand Langen o.a. de novelle *Achter slot en grendel* (1944) en de verhalenbundel *Mijn oom Peter* (1950).

**Lanser, Ruard**
(Felix Thijssen; geb. 1933) Nederlands schrijver. Thijssen schreef onder het pseudoniem Ruard Lanser verscheidene jeugdromans, zoals de *Rob Staalman*-serie en de *Vince Robbers*-westerns. Midden jaren vijftig schreef Thijssen onder het pseudoniem Felix Sensthy een romantisch feuilleton getiteld *Zomer-*

*morgen* voor een Antwerpse krant. Thijssen gebruikte tevens de schuilnaam Philip van Akooy.

**Latimore, Frank**
(Frank Kline; geb. 1925) Amerikaans acteur. Kline speelde o.a. in Joseph L. Mankiewicz' *The honey pot* (1966) en naast Robert Redford en Dustin Hoffman in *All the president's men* (1976).

**Laughlin, John**
(John Crump McLaughlin; geb. 1956) Amerikaans acteur. McLaughlin debuteerde in 1982 met een bijrol in *An officer and a gentleman* (1982). Sindsdien speelde hij o.a. een hoofdrol in *Crimes of passion* (1984).

**Laurel, Stan**
(Arthur Stanley Jefferson; 1890-1965) Amerikaans komiek en scenarioschrijver van Engelse afkomst. Met een oeuvre van ruim honderd films werden Jefferson en zijn eeuwige metgezel Oliver Hardy het meest succesvolle komische duo uit de filmgeschiedenis.

**Laurie, Piper**
(Rosetta Jacobs; geb. 1932) Amerikaans actrice van Russisch-Poolse afkomst. Jacobs speelde o.a. in *The hustler* (1961), *Carrie* (1976) en *Children of a lesser God* (1986). Zij is tevens Catherine Martell in de cult-serie *Twin Peaks*.

**Lava, Arthur**
(Howard Krol; geb. 1955) Nederlands dichter. Krol stelde de bundel *Maximaal* (1988) samen, waarin behalve poëzie van hemzelf werk van tien andere dichters uit Nederland en Vlaanderen is opgenomen. In 1989 publiceerde Krol onder het pseudoniem Karl Maks in Playboy een erotische kaart van Amsterdam, waarbij Pieter Boskma onder de schuilnaam Donald Droog als co-auteur optrad.

**Lavi, Daliah**
(Daliah Levènbuch; geb. 1940) Israëlisch actrice en zangeres. Levènbuch speelde o.a. met Kirk Douglas in *Two weeks in another town* (1962) en met Peter O'Toole in *Lord Jim* (1965).

**Lawrence, Marc**
(Max Goldsmith; geb. 1910) Amerikaans acteur. Goldsmith speelde o.a. met Humphrey Bogart in *Key Largo* (1948) en in de James Bond-film *The man with the golden gun* (1974). Hij had, net als Marilyn Monroe, een bijrol in de misdaadfilm *The asphalt jungle* (1950).

**Lawson, Wilfrid**
(Wilfrid Worsnop; geb. 1900-1966) Engels acteur. Worsnop speelde o.a. in *Pygmalion* (1935) en in *Fanny by gaslight* (1944).

**Lazlo, Viktor**
(Sonia Dronniez; geb. 1960) Belgisch zangeres. In 1987 maakte Dronniez met medewerking van het Count Basie Orchestra een CD, 'Viktor Lazlo'. Dat jaar behaalde zij met het nummer 'Breathless' een 27e plaats in de Top 40.

**Leadbelly**
(Huddie William Ledbetter; 1885-1949) Amerikaans zanger en gitarist. De blues- en folkzanger Ledbetter, die zichzelf begeleidde op de twaalfsnarige gitaar, maakte talloze platen voor labels als Capitol, Elektra en RCA. Hij was een bron van inspiratie voor vele Amerikaanse musici. In 1988 zongen o.a. Bruce Springsteen, Little Richard en U2 op een speciale CD een aantal nummers van Ledbetter als hommage aan dit grote talent.

**Leandros, Vicky**
(Vassiliky Papathanassiou; geb. 1949) Grieks zangeres. Papathanassiou behaalde met nummers als 'Après toi' (1972), 'Ich hab' die Liebe geseh'n' (1972) en 'Tango d'amor' (1976) hoge noteringen in de Top 40.

**Le Corbusier**
(Charles Edouard Jeanneret; 1887-1965) Frans architect en schilder van Zwitserse afkomst. Jeanneret was een van de meest spraakmakende architecten van zijn tijd. Tot zijn revolutionaire ontwerpen behoren o.a. de Notre-Dame-du-Haut in Ronchamp (1950-54), de stad Chan-

digarh in India (1951-56) en een
museum voor moderne kunst in To-
kio (1957).

**Lee, Anna**
(Joanne Boniface Winnifrith; geb.
1913) Engels actrice. Winnifrith
speelde o.a. in een aantal films van
John Ford, w.o. *How green was my
valley* (1941), *Fort Apache* (1948)
en *The last hurrah* (1958).

**Lee, Brenda**
(Brenda Mae Tarpley; geb. 1944)
Amerikaans zangeres. Tarpley had
begin jaren zestig veel succes met
nummers als 'I'm sorry', 'I want to
be wanted', 'Dum, dum' en 'That's
all you gotta do'.

**Lee, Bruce**
(Lee Yuen Kam (1940-1973) Amerikaans acteur van Chinese afkomst.
Lee speelde in een aantal Hong-
kong-films, waarmee hij ook in het
westen veel succes had, w.o. *Fist of
fury* (1972) en *Enter the dragon*
(1973).

**Lee, Gypsy Rose**
(Rose Louise Hovick; 1914-1970)
Amerikaans actrice en danseres.
Hovick, die op haar vijftiende al een
succesvolle strip-act had, speelde
o.a. in de musicals *You can't have
everything* (1937) en *Doll face*
(1945).

**Lee, Peggy**
(Norma Dolores Egstrom; geb.
1920) Amerikaans zangeres en
componist. Egstrom was van 1941
tot 1943 vocaliste bij de Goodman
band, die o.a. in 1942 met 'Why
don't you do right?' een hit scoorde.
De groep is tevens te zien in de
films *The Powers girl* (1942) en
*Stage door canteen* (1943). Egstrom
schreef samen met Sonny Burke de
score voor Walt Disney's tekenfilm
*Lady and the tramp* (1952). Zes jaar
later componeerde zij de muziek
voor George Pals *Tom Thumb*.

**Lee, William**
(William S. Burroughs; geb. 1914)
Amerikaans schrijver. Burroughs
schreef onder de schuilnaam Wil-
liam Lee de autobiografische roman
*Junkie* (1953).

**Leeman, Cor Ria**
(Corneel Alfons van Kuyck; 1919-
1991) Vlaams schrijver en onderwijzer. Van Kuyck schreef onder
het pseudoniem Cor Ria Leeman
o.a. de jeugdromans *Het goud van
de Farao* (1967), *De pesoduikers
van Acapulco* (1967) en *Planeet Ep-
silon* (1974). Hij gebruikte tevens
de schuilnaam Erico Laerman.

**Leeuwen, Bart van**
(Antonie Arie Egas; geb. 1954) Nederlands discjockey en radio-omroe-
per. Egas presenteerde voor Veronica de radioprogramma's *Het zwarte
gat* (1978-92) en *Ook goeiemorgen*
(1979-92). Sinds 1 mei 1992 presenteert hij bij RTL Radio het och-
tendprogramma *Start met Bart*. In
1976 en 1977 was Egas werkzaam
bij Radio Mi Amigo. Bij dit station
noemde hij zich tot 1 april 1976
Tim Ridder.

**Leigh, Janet**
(Jeanette Helen Morrison; geb.
1926) Amerikaans actrice. Morri-
son, de moeder van de actrice Jamie
Lee Curtis, speelde o.a. in Orson
Welles' *Touch of evil* (1958). In
*Psycho* (1960) is zij Marion Crane,
die in de douche wordt vermoord.

**Leigh, Vivien**
(Vivian Mary Hartley; 1913-1967)
Engels actrice. Hartley speelde o.a.
Scarlett O'Hara in *Gone with the
wind* (1939) en Blanche du Bois in
*A streetcar named Desire* (1951).
Voor beide rollen kreeg zij een Os-
car.

**Leinster, Murray**
(Will F. Jenkins; 1896-1975) Amerikaans schrijver. Jenskins schreef
onder het pseudoniem Murray Leinster een groot aantal SF-romans, zoals *The war with the Gizmos* (1958)
en *Pirates of Zan* (1959).

**Lems, Liesbeth**
(E.P. van Dijk-Verhaagen; geb.
1924) Nederlands schrijfster. Van
Dijk-Verhaagen schreef onder het
pseudoniem Liesbeth Lems een aantal kinderboeken, w.o. de deeltjes
van de *Mieke*-serie en *Joop kraakt
een huis* (1981), en een aantal

streekromans, w.o. *Een nieuwe weg* (1976) en *Een kind van de zon* (1982).

**Len, Lennie**
(Jan Lenferink; geb. 1946) Nederlands journalist en tv-presentator. Lenferink werkte enige tijd onder de schuilnamen Lennie Len en Jan Lentevink voor de VPRO-radio.

**Lenin, Vladimir Iljitsj**
(Vladimir Iljitsj Oeljanov; 1870-1924) Russisch revolutionair-activist en Sovjetleider. Oeljanov, de stichter van de Communistische Partij, was samen met Trotski de grote voorman in de Oktoberrevolutie van 1917. Daarna was Oeljanov tot zijn dood regeringsleider van de Sovjetstaat. Hij gebruikte ook de schuilnamen William Frey, Konstantin Petrovitsj Ivanov, B.V. Kuprianov en K. Tulin.

**Lennart, Clare**
(Clare Helena Klaver; 1899-1972) Nederlands schrijfster. Klaver schreef onder het pseudoniem Clare Lennart o.a. de romans *Tooverlantaarn* (1938), *Serenade uit de verte* (1951) en *De ogen van Roosje* (1957).

**Lennep, Liesbeth van**
(Lies Smits; geb. 1942) Nederlands onderwijzeres en schrijfster van kinderboeken. Smits schreef onder het pseudoniem Liesbeth van Lennep o.a. *Hoe gaat het met jou? Met mij gaat het goed* (1979) en *Ik heet Kim* (1984).

**Lenya, Lotte**
(Karoline Wilhelmine Blamauer; 1898-1981) Oostenrijks actrice en zangeres. Blamauer trouwde in 1926 met de componist Kurt Weill. Zij stond in 1928 te Berlijn in de wereldpremière van *Die Dreigröschenoper* en is tevens te zien in de in 1931 uitgebrachte verfilming van dit stuk. Blamauer speelde eveneens in de James Bond-film *From Russia with love* (1963).

**Leonard, Willem**
(Willem Leonard Brugsma; geb. 1922) Nederlands journalist. Brugsma schreef in 1950 een boek over autosport, *Rallyes en races. Gatsonides' avonturen*, dat hij met Willem Leonard ondertekende. Met dit pseudoniem signeerde hij twee jaar later ook het boek *Haarlem*, dat in hij opdracht van deze Noordhollandse gemeente geschreven had. Begin jaren vijftig publiceerde Brugsma onder de schuilnaam Toontreder artikelen over paardesport in zowel De Hoefslag als Elseviers Weekblad. Als Spinner schreef hij voor een hobbyblad over hengelsport. Samen met David Koning (1920-1971) verzorgde Brugsma eind jaren veertig een wekelijkse rubriek getiteld 'Het hek van de Dam' voor het Haarlems Dagblad, die zij met Boeda ondertekenden.

**Leslie, Joan**
(Joan Agnes Theresa Sadie Brodell; geb. 1925) Amerikaans actrice. Brodell speelde o.a. met Humphrey Bogart in *High sierra* (1941) en naast Gary Cooper in *Sergeant York* (1941).

**Lewis, Huey**
(Hugh Anthony Cregg; geb. 1950) Amerikaans zanger en mondharmonikaspeler. Cregg en zijn rock en roll-band Huey Lewis & The News scoorden hits met nummers als 'The power of love' (1985) en 'Hip to be square' (1986). Clegg is als mondharmonikaspeler o.a. te horen op Nick Lowe's 'Labour of lust' (1979) en op Dave Edmunds 'Repeat when necessary' (1979). In 1986 produceerde hij Bruce Hornsby's succesvolle debuutplaat 'The way it is'.

**Lewis, Jerry**
(Joseph Levitch; geb. 1926) Amerikaans komiek en regisseur. Levitch speelde in zestien films met Dean Martin, w.o. *My friend Irma* (1949) en *Jumping Jacks* (1952). Levitch is o.a. ook te zien in *Boeing Boeing* (1965), *Cookie* (1989) en de door hem zelf geregisseerde *Hardly working* (1980).

**Lewton, Val**
(Vladimir Ivan Leventon; 1904-1951) Amerikaans producent van

Russische afkomst. Leventon produceerde voor RKO vele horrorfilms, zoals *Cat people* (1942), *I walked with a zombie* (1943) en *The body snatcher* (1945).

**Lhin, Erik van**
Lester del Rey; geb. 1915) Amerikaans schrijver. Del Rey was medeuitgever van de tijdschriften Galaxy en If. Hij schreef onder het pseudoniem Erik van Lhin o.a. *Police your planet*, een van de eerste erotische SF-verhalen. Deze novelle verscheen als vervolgserie in *Science Fiction Adventures*. Del Rey gebruikte tevens de schuilnamen Edson McCann, Philip St. John en Kenneth Wright.

**Lincoln, Elmo**
(Otto Elmo Linkenhelter; 1899-1952) Amerikaans acteur. Linkenhelter is o.a. te zien in D.W. Griffiths *The birth of a nation* (1915) en *Intolerance* (1916). In 1918 speelde hij de hoofdrol in de eerste Tarzanfilm *Tarzan of the apes*.

**Lindeboom, drs. G.J.**
(Coen van der Linden; geb. 1938) Nederlands mediaconsultant. Begin jaren zestig verzorgde Van der Linden onder het pseudoniem drs. G.J. Lindeboom een column voor het tijdschrift Candy.

**Linden, Rob van der**
(Martin Ros; geb. 1937) Nederlands uitgever. In 1971 vertaalde Ros onder het pseudoniem Rob van der Linden *L'Anti-Justine, où les délices de l'amour* van Restif de la Bretonne. Ros voorzag dit boek onder eigen naam van een inleiding en een nawoord. Hij gebruikte tevens de schuilnamen Constant P. Cavalry en Jan Zevenster Ros.

**Linder, Max**
(Gabriel-Maximilien Leuvielle; 1883-1925) Frans acteur en regisseur. Leuvielle speelde o.a. een dandy in een groot aantal door hem zelf geregisseerde slapstick-films, zoals *Max et son chien* (1911), *Max et les femmes* (1912), *Max comes across* (1917) en *Max wants a divorce* (1917).

**Linders, Jac**
(J.C.J. Dam; geb. 1933) Nederlands onderwijzer en schrijver van kinder- en jeugdboeken. Dam schreef onder het pseudoniem Jac Linders o.a. *Pien Pompoen in Zonneland* (1978) en *Jac Linders vertelt...* (1982).

**Lindsay, Margaret**
(Margaret Kies; 1910-1981) Amerikaans actrice. Kies speelde o.a. in *Scarlet Street* (1946) en *Please don't eat the daisies* (1960).

**Lingen, Theo**
(Theodor Franz Schmitz; 1903-1978) Duits acteur en regisseur. Schmitz speelde o.a. in *M* (1931) van Fritz Lang.

**Linke Poot**
(Alfred Döblin; 1878-1957) Duits schrijver. Döblin schreef onder eigen naam o.a. *Berlin Alexanderplatz* (1929). Na de Eerste Wereldoorlog uitte hij scherpe kritiek op de reactionaire machten van de Weimarrepubliek onder het pseudoniem Linke Poot.

**Lion, Johnny**
(Johannes van Leeuwarden; geb. 1941) Nederlands acteur en zanger. Van Leeuwarden scoorde een hit met 'Sophietje' (1965) en 'Tjingeling' (1966).

**Lips, Han**
Verscheidene Parool-redacteuren schrijven bij toerbeurt onder het collectieve pseudoniem Han Lips tv-kritieken voor de rubriek 'Kanaalzwemmen': Paul Arnoldussen (geb. 1949), Jos Bloemkolk (geb. 1950), Hans Hoekstra (geb. 1950), Theodor Holman (geb. 1953), Mary Ann Lindo (geb. 1948), Matthijs van Nieuwkerk (geb. 1960), Fred Vermeulen (geb. 1940) en (Peter Vermij (geb. 1962).

**Lisi, Virna**
(Virna Pieralisi; geb. 1937) Italiaans actrice. Pieralisi speelde o.a. naast Jack Lemmon in *How to murder your wife* (1965) en met Marcello Mastroianni in *Casanova* (1965).

**Little Richard**
(Richard Penniman; geb. 1932) Amerikaans zanger en pianist. De

rock en roll-ster Penniman verkocht miljoenen exemplaren van 'Long tall Sally' (1956), 'The girl can't help it' (1956), 'Keep a-knockin'' (1957) en 'Good golly, Miss Molly' (1957). In 1989 scoorde hij samen met Philip Bailey een wereldhit met de titelsong van de film *Twins*.

**Livingstone, Bob**
(Robert Edgar Randall; geb. 1908) Amerikaans acteur. Randall speelde o.a. van 1936 tot 1943 de musketier Stoney Brooke in de westernserie *The three mesquiteers*.

**L.L. Cool J.**
(James Todd Smith; geb. 1968) Amerikaans zanger. De Newyorkse rapper Smith had veel succes met zijn CD's, zoals 'Radio' (1985) en 'Walking with a panter' (1989). Hij behaalde in 1987 met het nummer 'I need love' een derde plaats in de Top 40. Zijn muziek is ook te horen in de film *Less than zero* (1987).

**Llewellyn, Richard**
(Richard Dafydd Vivian Llewellyn Lloyd; 1907-1983) Engels schrijver. Lloyd schreef onder het pseudoniem Richard Llewellyn o.a. de roman *How green was my valley* (1939; Hoe groen was mijn dal), die in 1941 door John Ford werd verfilmd.

**Lochte, J.J. de**
De Nederlandse schrijvers Jos Kleinjans (geb. 1954) en Adrianus Verhagen (geb. 1956) schreven samen een aantal romans rond de privé-detective Martin Rasker, zoals *Het vergiftigde brein* (1983) en *Blauw bloed* (1983), die zij met J.J. de Lochte ondertekenden.

**Lockwood, Margaret**
(Margaret Day; 1916-1990) Engels actrice. Day speelde o.a. een hoofdrol in Alfred Hitchcocks *The lady vanishes* (1938) en in Carol Reeds *The stars look down* (1939).

**Loder, John**
(John Muir Lowe; 1898-1988) Engels acteur. Lowe speelde o.a. in Alfred Hitchcocks *Sabotage* (1936) en in John Fords *How green was my valley* (1941).

**Lom, Herbert**
(Herbert Charles Angelo Kuchacevich Ze Schluderpacheru; geb. 1917) Tsjechisch acteur. Kuchacevich Ze Schluderpacheru speelde o.a. inspecteur Dreyfuss in *The Pink Panther strikes again* (1976) en in *The revenge of the Pink Panther* (1978). Hij was tevens te zien in *The ladykillers* (1955) en in *The phantom of the opera* (1962).

**Lombard, Carole**
(Jane Alice Peters; 1909-1942) Amerikaans actrice. Peters speelde o.a. in Alfred Hitchcocks *Mr. and Mrs. Smith* (1941) en in Ernst Lubitsch' *To be or not to be* (1942).

**London, Jack**
(John Griffith; 1876-1916) Amerikaans schrijver. Griffith schreef onder het pseudoniem Jack London diverse vormen van proza, zoals de verhalenbundel *Lost face* (1910) en de roman *The call of the wild* (1903; De roep van de wildernis). Het laatstgenoemde boek werd vele malen verfilmd, o.a. in 1935 met Clark Gable in een hoofdrol.

**London, Julie**
(Julie Peck; geb. 1926) Amerikaans zangeres en actrice. Nadat Peck enkele jaren aan de Amerikaanse westkust als zangeres had opgetreden, speelde zij in een beperkt aantal Hollywood-films, zoals *The red house* (1947) en *The girl can't help it* (1956). In de laatstgenoemde rock-film brengt zij tevens haar hit 'Cry me a river' ten gehore.

**Long, Robert**
(Jan Gerrit Bob Arend Leverman; geb. 1943) Nederlands zanger. Begin jaren zestig zong Leverman onder het pseudoniem Bob Revvel bij de Utrechtse groep de Yelping Jackals. In 1967 werd hij lid van de band Gloria en veranderde hij zijn artiestennaam in Robert Long. Als solist boekte hij succes met zijn LP's 'Vroeger of later' (1974), 'Levenslang' (1977) en 'Homo Sapiens' (1979).

**Longhair, Professor**
(Henry Roland Byrd; 1918-1980)

Amerikaans pianist en zanger. Byrd
scoorde o.a. in 1950 een hit met het
nummer 'Bald head'.

**Loo, Tessa de**
(J.M. Duyvené de Wit; geb. 1947)
Nederlands schrijfster. Duyvené de
Wit schreef onder het pseudoniem
Tessa de Loo o.a. de verhalenbundel
*De meisjes van de suikerwerkfa-
briek* (1983) en de roman *Meander*
(1986).

**Loren, Sophia**
(Sofia Villani Scicolone; geb. 1934)
Italiaans actrice. Scicolone won in
1961 een Oscar voor haar rol in *La
ciociara* van Vittorio de Sica. Zij
speelde tevens met Frank Sinatra in
*The pride and the passion* (1957),
met Jean Gabin in *Verdict* (1974) en
met Marcello Mastroianni in *Una
giornata particolara* (1977). In
1991 kreeg zij een Oscar voor haar
gehele oeuvre.

**Lorre, Peter**
(Ladislav Löwenstein; 1904-1964)
Amerikaans acteur van Hongaarse
afkomst. Löwenstein speelde in vele
klassieke films, zoals *M* (1931), *The
man who knew too much* (1934),
*The secret agent* (1935), *The Maltese Falcon* (1941) en *Casablanca*
(1942).

**Loti, Pierre**
(Louis Marie Julien Viaud; 1850-
1923) Frans schrijver. Viaud schreef
onder het pseudoniem Pierre Loti
o.a. *Les désenchantées* (1906; Ont-
goochelde vrouwen). Viaud trad in
1891 toe tot de Académie française.

**Love, Bessie**
(Juanita Horton; 1898-1986) Ameri-
kaans actrice. Horton speelde o.a. in
*Sunday, bloody Sunday* (1971) en in
*Reds* (1981).

**Lovelace, Linda**
(Linda Boreman; geb. 1951) Amerikaans actrice. Boreman speelde o.a.
een hoofdrol in de pornoklassieker
*Deep throat* (1972).

**Lovich, Lene**
(Marlene Premilovich; geb. 1949)
Amerikaans zangeres. Premilovich
scoorde in 1979 o.a. een hit met de
nummers 'Lucky number' en 'Say

when'. In datzelfde jaar speelde zij
samen met Nina Hagen en Herman
Brood in de film *Cha cha*.

**Lovsky, Fay**
(Fay Luyendijk; geb. 1955) Nederlands zangeres, toetseniste en componiste. Luyendijk had veel succes
met haar platen, zoals 'Sound on
sound' (1980), 'Confetti' (1981) en
'Cinema' (1985). Samen met o.a.
Henny Vrienten en Jan Pijnenburg
is zij ook te horen op de CD 'Magnificent Seven' (1990). Luyendijk
bediende zich korte tijd van de artiestennaam Lovesick.

**Lowland, Jacob**
(James Stratton Holmes; 1924-
1986) Amerikaans dichter. Holmes
was docent van de vakgroep Algemene Literatuur Wetenschap aan de
Universiteit van Amsterdam. Hij
schreef onder het pseudoniem Jacob
Lowland o.a. de dichtbundel *The
gay stud's guide to Amsterdam and
other sonnets* (1978).

**Loy, Myrna**
(Myrna Williams; geb. 1905) Amerikaans actrice. Williams speelde
o.a. in *The thin man* (1934), *The
best years of your lives* (1946) en
*Airport 1975* (1974).

**Lucas, Victoria**
(Sylvia Plath; 1932-1963) Amerikaans dichteres en schrijfster. Plath
schreef de autobiografische roman
*The bell jar* (1963; De glazen stolp)
onder het pseudoniem Victoria Lucas. Later werd dit boek onder haar
eigen naam herdrukt.

**Lucebert**
(Lubertus Jacobus Swaanswijk; geb.
1924) Nederlands dichter en schilder. Swaanswijk was lid van de
groep Cobra. Hij is een van de belangrijkste Vijftigers en ontving in
1967 de P.C. Hooftprijs. Swaanswijk gebruikte ook het pseudoniem
\*\*\*K\*\*\*.

**Ludwig, Emil**
(Emil Cohn; 1881-1948) Zwitsers
schrijver en journalist van Duitse afkomst. Cohn schreef onder het
pseudoniem Emil Ludwig een groot
aantal geromantiseerde biografieën,

zoals *Bismarck* (1926) en *Cleopatra* (1937).

**Lugosi, Bela**
(Béla Ferenc Deszö Blaskó; 1882-1956) Amerikaans acteur van Hongaarse afkomst. Blaskó speelde de titelrol in *Dracula* (1931) van Tod Browning. Hij is niet alleen te zien in talloze andere horrorfilms, zoals *White zombie* (1932), *The raven* (1935) en *Son of Frankenstein* (1939), maar bijvoorbeeld ook in de komedie *Ninotchka* (1939).

**Lukas, Paul**
(Pál Lukács; 1887-1971) Hongaars acteur. Lukács won in 1943 een Oscar voor zijn rol in *Watch on the Rhine*. Hij speelde verder o.a. in *The lady vanishes* (1938) en *20,000 Leagues under the sea* (1954).

**Lynley, Carol**
(Carol Ann Jones; geb. 1942) Amerikaans actrice. Jones speelde o.a. in *Return to Peyton Place* (1961) en *The Poseidon adventure* (1972).

**Lynn, Diana**
(Dolores Loehr; 1924-1971) Amerikaans actrice. Loehr speelde in talloze komedies, zoals *The major and the minor* (1942), *The bride wore boots* (1946) en *My friend Irma* (1949).

**Lynn, Vera**
(Vera Welsh; geb. 1917) Engels zangeres en actrice. Welsh was tijdens de Tweede Wereldoorlog uitermate populair bij de Britse strijdkrachten, waarvoor zij ook optrad met liedjes als 'We'll we meet again' en 'White cliffs of Dover'. Zij is o.a. te zien in de film *One exciting night* (1944). In 1962 scoorde zij een hit met 'Land of hope and glory'.

**McBain, Ed**
(Salvatore A. Lombino; geb. 1926) Amerikaans schrijver. Lombino schreef onder het pseudoniem Ed McBain ruim dertig detectives over het 87e politiebureau op het denkbeeldige eiland Isola, dat erg veel weg heeft van Manhattan, zoals *Give the boys a great big hand* (1960; Twee afgehouwen handen) en *Jigsaw* (1970; De legpuzzel). Lombino gebruikte tevens de schuilnamen Curt Cannon, Hunt Collins, Ezra Hannon, Evan Hunter, Richard Marsten.

**MacDonald, Anson**
(Robert Heinlein; 1907-1988) Amerikaans schrijver van SF-romans. In de serie *Astounding* publiceerde Heinlein in 1941 het verhaal *Solution unsatisfactory*, dat hij met Anson MacDonald ondertekende. Hierin voorspelde hij dat de VS betrokken zou raken bij de Tweede Wereldoorlog en dat deze wereldmacht de beëindiging van die oorlog zou afdwingen met een nieuw ontwikkeld wapen, gebaseerd op het verspreiden van radio-actieve stof. Heinlein gebruikte tevens de pseudoniemen Lyle Monroe, John Riverside en Caleb Saunders.

**Macdonald, Ross**
(Kenneth Millar; 1915-1983) Amerikaans schrijver. Millar schreef onder het pseudoniem Ross Macdonald o.a. een aantal detectiveverhalen rond de private eye Lew Archer, w.o. *The barbarous coast* (1956) en *The chill* (1964). Hij gebruikte tevens de schuilnamen John MacDonald en John Ross MacDonald.

**McGiver, John**
(George Morris; 1912-1975) Amerikaans acteur. Morris speelde o.a.

met Audrey Hepburn in *Breakfast at Tiffany's* (1961) en met Dustin Hoffman in *Midnight Cowboy* (1969).

**Maclaine, Shirley**
(Shirley Maclean Beaty; geb. 1934) Amerikaans actrice. Shirley Maclean Beaty, de zus van Warren Beat(t)y, maakte haar filmdebuut met een rol in *The trouble with Harry* (1955) van Alfred Hitchcock. Zij speelde vervolgens in o.a. *The apartment* (1960), *Being there* (1979), *Steel magnolias* (1989) en *Postcards from the edge* (1990). In 1983 kreeg zij een Oscar voor de vertolking van de zorgzame moeder in *Terms of endearment*.

**MacNeal, Maggie**
(Sjoukje van 't Spijker; geb. 1950) Nederlands zangeres. Van 't Spijker vormde begin jaren zeventig met Willem Duyn (geb. 1937) het duo Mouth & MacNeal, dat hits scoorde met o.a. 'How do you do' (1971) en 'Ik zie een ster' (1974). Vanaf 1975 ging Van 't Spijker als soliste verder. Met de nummers 'When you're gone' (1975) en 'Terug naar de kust' (1976) stond zij opnieuw hoog in de Top 40.

**M.C. Hammer**
(Stanley Kirk Burrell; geb 1963) Amerikaans rapper. Burrell behaalde in 1990 met het nummer 'U can't touch this' een eerste plaats in de Top 40. Vervolgens scoorde hij een hit met o.a. 'Have you seen her' (1990), 'Pray' (1990) en 'Do not pass me by' (1992).

**Madonna**
(Madonna Louise Veronica Ciccone; geb. 1958) Amerikaans zangeres en actrice. Ciccone speelde o.a. in *Desperately seeking Susan* (1985) en *Dick Tracy* (1990). In 1991 ging de door de mega-ster zelf geproduceerde documentaire over haar dagelijks leven, *Truth or dare: On the road, Behind the scenes & In bed with Madonna*, in première. Enkele van Ciccone's vele hits zijn 'Like a virgin' (1984), 'Borderline' (1986), 'Express yourself' (1989) en

'Vogue' (1990).

**Mahieu, Vincent**
(Jan Johannes Theodorus Boon; 1911-1974) Nederlands schrijver en journalist van Indonesische afkomst. Begin jaren vijftig ondertekende Boon zijn wekelijkse rubriek 'Piekerans van een straatslijper' in het dagblad De Nieuwsgier met Tjalie Robinson. Dit pseudoniem hanteerde hij ook voor zijn columns in Het Parool en voor zijn artikelen in het Nederlandse periodiek Tong-Tong, waarvan hij zelf hoofdredacteur was. De verhalenbundels *Tjies* (1960) en *Tjoek* (1961) signeerde hij met Vincent Mahieu. Boon gebruikte tevens de schuilnamen Andronikos Favre en Erik van Roofsand.

**Mahoney, Jock**
(Jacques O'Mahoney; 1919-1989) Amerikaans acteur. Mahoney speelde o.a. Tarzan in *Tarzan goes to India* (1962) en in *Tarzan's three challenges* (1963).

**Main, Marjorie**
(Mary Tomlinson; 1890-1975) Amerikaans actrice. Tomlinson speelde o.a. naast Humphrey Bogart in *Dead end* (1937). Tussen 1947 en 1957 was zij Ma Kettle in een tiental films rond de familie Kettle, w.o. *The egg and I* (1947), *Ma and Pa Kettle at the fair* (1952) en *Ma and Pa Kettle on vacation* (1953).

**Majors, Lee**
(Harvey Lee Yeary; geb. 1940) Amerikaans acteur. Yeary speelde van 1974 tot 1978 de titelrol in de tv-serie *The Six Million Dollar Man*.

**Malaparte, Curzio**
(Curt Suckert; 1898-1957) Italiaans schrijver en journalist van Duitse afkomst. Suckert schreef onder het pseudoniem Curzio Malaparte *Avventure di un capitano di sventura* (1927) en *La pelle* (1949; De huid). Het laatstgenoemde boek werd in 1981 verfilmd met Marcello Mastroianni, Burt Lancaster en Claudia Cardinale in een hoofdrol.

**Malcolm X**
(Malcolm Little; 1925-1965) Ame-

rikaans politiek leider. Little trad in 1952 toe tot de Black Muslim-beweging, waarvan hij later de voorman werd.

**Malden, Karl**
(Mladen Sekulovich; geb. 1913) Amerikaans acteur en regisseur. Sekulovich won in 1951 Oscar voor zijn bijrol in *A streetcar named Desire*. Van 1972 tot 1977 speelde hij detective Mike Stone in de tv-serie *The streets of San Francisco*.

**Male, Dorothea van**
(Hugo Claus; geb. 1929) Vlaams (toneel)schrijver, dichter, regisseur en schilder. Claus publiceerde onder het pseudoniem Dorothea van Male de roman *Schola nostra* (1971). Hij gebruikte ook de pseudoniemen Jan Hyoens en Thea Streiner.

**Mallet-Joris, Françoise**
(Françoise Lilar; geb. 1930) Waals schrijfster. Lilar schreef onder het pseudoniem Françoise Mallet-Joris o.a. *Les mensonges* (1956; Het huis der leugens), *La maison de papier* (1973; Huis van papier) en *La tristesse du cerf-volant* (1988).

**Malone, Dorothy**
(Dorothy Eloise Maloney; geb. 1925) Amerikaans actrice. Maloney won in 1956 een Oscar voor haar bijrol in Douglas Sirks *Written on the wind*. Van 1964 tot 1968 speelde zij Constance MacKenzie in de soap *Peyton Place*.

**Malraux, André**
(André Berger; 1901-1976) Frans schrijver. Berger schreef onder het pseudoniem André Malraux o.a. de romans *La condition humaine* (1933; Het menselijk tekort) en *L'espoir* (1937; De hoop).

**Man, Herman de**
(Salomon Herman Hamburger; 1898-1946) Nederlands schrijver. Hamburger schreef onder het pseudoniem Herman de Man o.a. de romans *Het wassende water* (1925) en *De kleine wereld* (1932). Eind 1943 liet Hamburger zijn achternaam officieel in De Man veranderen. Hij publiceerde tevens onder het pseudoniem Encleäder.

**Mandeau, Emile**
(Ferdinand Bordewijk; 1884-1965) Nederlands schrijver en jurist. Bordewijk debuteerde in 1916 onder het pseudoniem Ton Ven met de dichtbundel *Paddestoelen*. Onder de schuilnaam Emile Mandeau schreef Bordewijk in 1944 de novelle *Verbrande erven. Een plaatsbeschrijving*.

**Mann, Abby**
(Abraham Goodman; geb. 1927) Amerikaans scenarioschrijver. Goodman schreef o.a. de pilot voor de tv-serie *Kojak* (1973-1990).

**Mann, Anthony**
(Emil Anton Bundmann; 1906-1967) Amerikaans regisseur. Bundmann maakte o.a. een aantal films met James Stewart in de hoofdrol, zoals *Bend of the river* (1952), *The naked spur* (1952), *The Glenn Miller story* (1954) en *The far country* (1955).

**Mann, Manfred**
(Michael Lubowitz; geb. 1940) Engels toetsenist. De in Zuid-Afrika geboren musicus Lubowitz richtte verscheidene bands op, zoals Manfred Mann Earth's Band. Met die groepen scoorde hij o.a. de hits 'Do wah diddy diddy' (1964), 'Pretty flamingo' (1966), 'Ha ha said the clown' (1967) en 'Davy's on the road again' (1978).

**Mansfield, Katherine**
(Kathleen Mansfield Beauchamp; 1888-1923) Nieuwzeelands schrijfster. Mansfield Beauchamp publiceerde onder het pseudoniem Katherine Mansfield o.a. de verhalenbundels *In a German pension* (1911) en *The garden party* (1922). Zij gebruikte ook schuilnaam Mathilda Berry.

**Mantinga, Hector**
(Maurits Mok; 1907-1989) Nederlands dichter, schrijver en criticus. Mok publiceerde onder de schuilnaam Hendrik Mantinga clandestien *De zeven hoofdzonden* (1943), *De vader spreekt* (1944) en *Een naamloos strijder* (1944). Hij gebruikte ook de pseudoniemen Victor Lange-

weg, Jan Luyken jr. en Mozes Mok.

**Marais, Jean**
(Jean Villain-Marais; geb. 1913)
Frans acteur. Villain-Marais speelde
o.a. in een aantal films van Jean
Cocteau, zoals *La belle et la bête*
(1946), *Les parents terribles* (1948)
en *Le testament d'Orphée* (1959).

**Marceau, Sophie**
(Sophie Maupu; geb. 1966) Frans
actrice. Maupu debuteerde in 1980
met de rol van de veertienjarige Vic
in *La Boum* (1980). Vervolgens
speelde zij o.a. naast Gerard Depardieu in *Police* (1985).

**March, Fredric**
(Frederick Ernest McIntyre Bickel;
1897-1975) Amerikaans acteur.
McIntyre Bickel speelde o.a. een
hoofdrol in *A star is born* (1937). In
1932 en in 1946 won hij een Oscar
voor zijn hoofdrol in respectievelijk
*Dr. Jekyll and Mr. Hyde* en *The best
years of our lives*.

**Marcha**
(Marga Groeneveld; geb. 1956) Nederlands zangers. Groeneveld vertegenwoordigde in 1987 Nederland
op het Eurovisie Songfestival met
het liedje 'Rechtop in de wind'. Onder de artiestennaam Marga Bult
trad zij op met achtereenvolgens het
duo Tulip en het damestrio Babe.

**Marchant, Catherine**
(Catherine      Cookson-McMullen;
geb. 1906) Engels schrijfster. Cookson-McMullen schreef onder het
pseudoniem Catherine Marchant
o.a. de romans *Heritage of Folly*
(1962) en *House of men* (1964).

**Maribelle**
(Marietje Kwakman; geb. 1960) Nederlands zangeres. De Volendamse
Kwakman vertegenwoordigde Nederland bij het Eurovisie Songfestival in 1984 met het liedje 'Ik hou
van jou'. Zij eindigde op de dertien-
de plaats.

**Marijnen, Joannes**
(Joannes Michael Matthijssen;
1902-1984) Vlaams dichter. Matthijssen publiceerde onder het pseudoniem Joannes Marijnen o.a. de
dichtbundels *Stemmen* (1963) en

*Kosmisch bewustzijn* (1979).

**Marina, Imca**
(Hendrikje Imca Bijl; geb. 1941)
Nederlands zangeres. Bijl scoorde
vele hits, zoals 'Lass mein Herz
nicht weinen' (1963), 'Viva Espana'
(1972) en 'Vino' (1975).

**Marja, A.**
(Arend Theodoor Mooij; 1917-
1964) Nederlands dichter en schrijver. Mooij schreef onder het pseudoniem A. Marja o.a. de bundel *Van
mens tot mens* (1948) en de roman
*Van de wieg tot het graf* (1963). Hij
publiceerde ook onder de schuilnamen L. Ezer en T. de Ley.

**Markham, Robert**
(Kingsley Amis; geb. 1922) Engels
schrijver en dichter. Amis schreef
onder eigen naam o.a. de roman
*Lucky Jim* (1954) en een studie over
het verschijnsel James Bond. Zijn
pastiche *Colonel Sun: A James
Bond adventure* (1968; James Bond
contra kolonel Soen), ondertekende
hij met Robert Markham. Amis gebruikte tevens de schuilnaam William Tanner.

**Martin, Dean**
(Dino Paul Crocetti; geb. 1917)
Amerikaans acteur en zanger. Crocetti maakte met Jerry Lewis van
1949 tot 1956 zestien films als ko-
misch duo, w.o. *At war with the
army* (1951) en *Jumping jacks*
(1952). Crocetti speelde verder in
o.a. Vincente Minnelli's *Some came
running* (1958), in Howard Hawks'
*Rio Bravo* (1959), in Billy Wilders
*Kiss me, stupid* (1964) en in de rampenfilm *Airport* (1969).

**Marty**
(Marinus Schreyenberg; geb. 1954)
Nederlands trompettist. Op zijn vijftiende behaalde Schreyenberg met
het nummer 'Maanserenade' (1969)
een hoge plaats in de Top 40. In
1974 scoorde hij zijn laatste hit met
'Op de boerderij'.

**Marx, Groucho**
(Julius Henry Marx; 1890-1977)
Amerikaans komiek. Julius Henry
Marx maakte samen met zijn broers
dertien films. Elk lid van The Marx

Brothers speelde steevast hetzelfde typetje. Julius Henry alias Groucho was de welbespraakte geslepen gentleman, Leonhard (1886-1961) alias Chico was de gewiekste gozer met Italiaans accent, Adolph Arthur (1888-1964) alias Harpo was een niet tot spreken in staat zijnde rokkenjager en Herbert (1901-1979) alias Zeppo, die in de latere films ontbreekt, was de nette jongen. Julius Henry Marx trad ook op als cabaretier, schreef verschillende boeken en presenteerde van 1950 tot 1961 de populaire quiz *You bet your life*. In 1973 kreeg hij een Oscar voor zijn gehele oeuvre, waarmee tevens de overige Marx Brothers werden geëerd. Voor hun doorbraak in Hollywood vormden bovengenoemde broers samen met anderen verscheidene gezelschappen, waarmee in vaudeville-theaters werd opgetreden. Onder hen bevond zich ook de vijfde broer, Milton (1892-1977) alias Gummo. Deze artiest is echter in geen van de films te zien.

**Marxveldt, Cissy van**
(Setske de Haan; 1889-1948) Nederlands schrijfster. De Haan schreef onder het pseudoniem Cissy van Marxveldt o.a. de meisjesboeken *De H.B.S.-tijd van Joop ter Heul* (1919) en *Een zomerzotheid* (1927). Zij publiceerde tevens onder de schuilnamen Betty Bieruma, Cissy Marxveldt en Ans Woudt.

**Mast, Thijs**
(Pieter Boskma; geb. 1956) Nederlands dichter. Boskma schreef van eind 1988 tot eind 1990 korte teksten voor Playboy, die hij met Thijs Mast ondertekende. In 1989 publiceerde Boskma onder het pseudoniem Donald Droog in ditzelfde tijdschrift een erotische kaart van Amsterdam, waarbij Howard Krol onder de schuilnaam Karel Maks als co-auteur optrad.

**Mata Hari**
(Margaretha Geertruida Zelle; 1876-1917) Nederlands danseres. Zelle trad vanaf 1905 in Parijs op onder de artiestennaam Mata Hari. Zij werd tijdens de Eerste Wereldoorlog door de Fransen beschuldigd van spionage voor Duitsland en gefusilleerd. Het levensverhaal van Zelle is meermalen verfilmd, o.a. in 1932 en in 1985, met respectievelijk Greta Garbo en Sylvia Kristel in de hoofdrol.

**Maté, Rudolph**
(Rudolf Mathéh; 1898-1964) Pools cameraman en regisseur. Mathéh deed het camerawerk voor Carl Dreyers *La passion de Jeanne d'Arc* (1928) en diens *Vampyr* (1932). Hij werkte tevens voor Alfred Hitchcock en Ernst Lubitsch aan respectievelijk *The foreign correspondent* (1940) en *To be or not to be* (1942). In 1944 tekende Mathéh voor de fotografie van de musical *Cover girl*. Twee jaar later draaide hij de film noir *Gilda* met Rita Hayworth in een hoofdrol. Als regisseur maakte Mathéh o.a. *The prince who was a thief* (1951) met Tony Curtis en de western *Three violent people* (1956).

**Matsier, Nicolaas**
(Tjit Reinsma; geb. 1945) Nederlands schrijver. Reinsma schreef onder het pseudoniem Nicolaas Matsier o.a. de verhalenbundel *Onbepaald vertraagd* (1979) en de novelle *De eeuwige stad* (1982).

**Matthau, Walter**
(Walter Matuschanskayasky; geb. 1920) Amerikaans acteur. Matuschanskayasky speelde op Broadway de rol van Oscar in Neil Simons komedie *The odd couple* (1965). Hij vertolkte deze rol tevens in de gelijknamige film, die drie jaar later gemaakt werd. Matuschanskayasky is o.a. ook te zien in *The front page* (1974), *Buddy, buddy* (1981) en *The fortune cookie* (1966). Met zijn bijrol in laatstgenoemde Billy Wilder-film won hij een Oscar.

**Maurois, André**
(Emile Salomon Wilhelm Herzog; 1885-1967) Frans schrijver. Herzog publiceerde onder het pseudoniem André Maurois o.a. een groot aantal

geromantiseerde biografieën zoals *Ariël ou La vie de Shelley* (1923), *Byron* (1930), *Olympio ou La vie de Victor Hugo* (1954), *Louis XIV à Versailles* (1955) en *Napoléon* (1964).

**Maxwell, Robert**
(Jan Ludvik Hoch; 1923-1991) Engels uitgever van Tsjechische afkomst. Hoch bouwde tijdens zijn leven aan een imposant media-imperium, waartoe in 1991, het jaar van zijn overlijden, o.a. The Daily Mirror, The Sunday Mirror, The European en de New-Yorkse krant Daily News behoorden.

**May, Alice**
(Alie de Vries; geb. 1954) Nederlands zangeres. De Vries alias Alice May vormt samen met haar zus Doetje de Vries (geb. 1953) alias Karen Wood het duo Maywood. Zij oogstten wereldwijd veel succes met nummers als 'Mother how are you today' (1980), 'Late at night' (1980), 'Give me back my love' (1980), 'Distant love' (1981) en 'Rio' (1981).

**May, Elaine**
(Elaine Berlin; geb. 1932) Amerikaans actrice, scenarioschrijfster en regisseur. Berlin regisseerde o.a. de door haar zelf geschreven komedies *A new leaf* (1970) en *Ishtar* (1987). In *A new leaf* speelde zij tevens een hoofdrol. Verder werkte Berlin als scenarioschrijfster aan *Heaven can wait* (1978), *Tootsie* (1982) en *Such good friends* (1971). Het draaiboek voor laatstgenoemde film ondertekende zij met Esther Dale.

**May, Joe**
(Julius Otto Mandel; 1880-1954) Oostenrijks regisseur en producent. Mandel had begin van deze eeuw zijn eigen studio in Duitsland en contracteerde onder meer de toen nog onbekende cineast Fritz Lang. Eind jaren twintig ging Mandl als regisseur voor UFA werken en maakte o.a. het expressionistische melodrama *Asphalt* (1929). Nadat hij naar Amerika was geëmigreerd, continueerde hij zijn regisseurscar-

rière met de realisatie van o.a. *Confession* (1937) en *Johnny doesn't live here anymore* (1944). Tevens bedacht hij het plot voor *The invisible woman* (1941) en *The strange death of Adolf Hitler* (1943). Aan het eind van zijn leven beheerde Mandl een luxueus restaurant in Hollywood.

**Mayo, Virginia**
(Virginia Clara Jones; geb. 1920) Amerikaans actrice. Jones speelde o.a. met Danny Kaye in *The secret life of Walter Mitty* (1947), met James Cagney in *White heat* (1949) en met Kirk Douglas in *Along the great divide* (1950).

**Meat Loaf**
(Marvin Lee Aday; geb. 1947) Amerikaans zanger. Aday scoorde o.a. in 1978 een hit met het nummer 'Paradise by the dashboard light'.

**Mechelen, Floris van**
(Henri Methorst; geb. 1909) Nederlands uitgever en tolk. Methorst schreef onder het pseudoniem Floris van Mechelen in het tijdschrift Vriendschap, waarvan hij van 1953 tot 1956 redacteur was. Hij gebruikte deze schuilnaam ook als bestuurslid van achtereenvolgens de Shakespeare Club (1949-56) en het COC (1962-63).

**Meeker, Ralph**
(Ralph Rathgeber; 1920-1988) Amerikaans acteur. Rathgeber is detective Mike Hammer in *Kiss me deadley* (1955) van Robert Aldrich. Hij speelde o.a. ook in John Sturges' *Jeopardy* (1952), in Samuel Fullers *Run of the arrow* (1956) en in Stanley Kubricks *Paths of glory* (1957).

**Mehboob**
(Ramjankhaan Mehboobkhan; 1907-1964) Indiaas regisseur. Internationale bekendheid verwierf Mehboobkhan met *Aan* (1952).

**Meinkema, Hannes**
(Hannemieke Stamperius; geb. 1943) Nederlands schrijfster. Stamperius schreef onder het pseudoniem Hannes Meinkema o.a. de romans *En dan is er koffie* (1976), *Het*

*binnenste ei* (1978) en *De driehoekige reis* (1981).

**Meir, Golda**
(Goldie Mabovitz; 1898-1978) Israëlisch politica van Russische afkomst. Mabovitz was van 1969 tot 1974 premier van Israël.

**Meistersänger, Jacob der**
(Jacob Ernst Groot; geb. 1947) Nederlands dichter. Groot debuteerde in 1970 onder het pseudoniem Jacob der Meistersänger met de dichtbundel *Net als vroeger*. Zijn overige werk, zoals de bundel *Uit de diepten* (1972) en de roman *De verzoening* (1983), verscheen onder zijn eigen naam.

**Melanie**
(Melanie Safka; geb. 1947) Amerikaans zangeres. Safka scoorde een hit met o.a. de nummers 'Beautiful people' (1969), 'Peace will come' (1970) en 'Brand new key' (1971).

**Melas**
(Carel Steven Adama van Scheltema; 1877-1924) Nederlands dichter. Adama van Scheltema schreef o.a. de dichtbundels *Een weg van verzen* (1900) en *Uit stilte en strijd* (1909). Tijdens zijn gymnasiumtijd publiceerde hij onder het pseudoniem Melas.

**Melville, Anne**
(Margaret Potter; geb. 1926) Engels schrijfster. Potter publiceerde onder de schuilnaam Anne Melville o.a. de romans *The Lorimer line* (1977; *De Lorimer saga*) en *The house of Hardie* (1987). Zij gebruikte tevens de pseudoniemen Anne Betteridge en Margaret Newman.

**Melville, Jean-Pierre**
(Jean-Pierre Grumbach; 1917-1973) Frans regisseur en acteur. Grumbach regisseerde o.a. *Le silence de la mer* (1948) en *Les enfants terribles* (1950). Als acteur is hij o.a. te zien in Jean-Luc Godards *A bout de souffle* (1959).

**Membrecht, Steven**
(Jochem van Beek; geb. 1937) Nederlands schrijver en dichter. Van Beek publiceerde onder het pseudoniem Steven Membrecht o.a. de romans *Het einde komt vanzelf* (1962), *De sprong in het net* (1965) en *Alle homo's vliegen* (1970).

**Mendel**
(Emmanuel de Bom; 1868-1953) Vlaams bibliothecaris, schrijver en journalist. De Bom was medeoprichter van de tijdschriften Van nu en straks (1893) en Vlaanderen (1903). Hij hanteerde meer dan dertig schuilnamen, w.o. Havelingk, Ernest D'Hooghe, H.P., Jan Baptist Janssens, Mane, Massa, P.H., Quilp en Mendel. Onder het laatstgenoemde pseudoniem publiceerde hij o.a. in de periodieken De Vlaamsche School, Nederlandsch Museum, De Volksgazet, De Toekomst, De Dag, De kleine Gazet en De Koophandel.

**Mendes, Joost**
(Emanuel Querido; 1871-1943) Nederlands schrijver en uitgever van Portugese afkomst. Querido schreef onder het pseudoniem Joost Mendes de tiendelige romancyclus *Het geslacht der Santeljano's* (1919-1928), waarin een beeld wordt geschetst van het Amsterdamse volksleven rond 1900 en de opkomende arbeidersbeweging. Zijn broer Israël is de hoofdpersoon in deze reeks.

**Merckens, Marijke**
(Marijke Ouwejan; geb. 1940) Nederlands zangeres en actrice. Ouwejan scoorde in 1965 een hit met 'Modepop'. Zij maakte daarna o.a. een single met de liedjes 'Mammie oh mammie' en 'Hemelbed' (1968). Als actrice is zij o.a. te zien in *Een vrouw als Eva* (1979) en *Een vlucht regenwulpen* (1981).

**Mercury, Freddie**
(Farokh Bulsara; 1946-1991) Engels zanger. Bulsara scoorde met de groep Queen vele hits, w.o. 'Bohemian rhapsody' (1975), 'We are the champions' (1977), en 'I want it all' (1989). Bulsara maakte in 1973 onder de artiestennaam Larry Lurex een solo-LP getiteld 'I can't hear the music'.

**Merlijn, H.J.**
(Herman Jan Friedericy; 1900-1962) Nederlands schrijver. Friede-

ricy debuteerde in 1947 onder het pseudoniem H.J. Merlijn met de roman *Bontorio. De laatste generaal*, die in 1958 onder eigen naam werd herdrukt. Zijn overige werk, w.o. *De raadsman* (1958) en *De eerste etappe* (1961), verscheen onder eigen naam.

**Merman, Ethel**
(Ethel Agnes Zimmerman; 1908-1984) Amerikaans actrice en zangeres. Zimmerman trad op in tientallen musicals, zowel op Broadway als in Hollywood. Zo is zij o.a. te zien in de films *Anything goes* (1936), *Call me Madam* (1953) en *There's no business like show business* (1954).

**Mérode, Willem de**
(Willem Eduard Keuning; 1887-1939) Nederlands dichter en onderwijzer. Keuning ondertekende het grootste deel van zijn werk met het pseudoniem Willem de Mérode. Hij gebruikte tevens de schuilnamen Jan Bos, Beo Grinniker, Guillaume, Henri Hoogland, Joost van Keppel, J. Nooitgedacht en Piet Suf.

**Merwe, A. v.d.**
(Pieter Catharinus Arie Geyl; 1887-1966) Nederlands historicus, dichter en journalist. Geyl was vanaf 1936 hoogleraar in de algemene en vaderlandse geschiedenis te Utrecht. In 1944 publiceerde hij de sonnettenbundel *Het wachtwoord* onder de schuilnaam A. v.d. Merwe. Hij gebruikte ook de pseudoniemen Cassandra en P. van Haren.

**Messel, Saul van**
(Jaap Meijer; geb. 1912) Nederlands historicus en dichter. Meijer publiceerde onder het pseudoniem Saul van Messel een aantal dichtbundels, w.o. *Syndroom* (1971), *Vaderland in den vreemde* (1982) en de in het Groninger dialect geschreven *Vrouger of loater* (1969). Hij gebruikte ook de schuilnaam Gideon van Hasselt.

**Meylander, Johan**
(Paul Gustave van Hecke; 1887-1967) Vlaams dichter, schrijver, journalist, kunstcriticus en toneelregisseur. Van Hecke publiceerde in 1921 de essaybundel *Fashion*, die hij met Johan Meylander ondertekende. Hij gebruikte ook de pseudoniemen Pik en Swing.

**Michael, George**
(Giorgios Kyriacou Panayiotou; geb. 1963) Engels zanger en componist. Panayiotou richtte samen met Andrew Ridgeley de groep Wham! op. Zij behaalden in 1984 een eerste plaats in de Top 40 met het nummer 'Careless whisper'. In 1986 koos Panayiotou voor een solocarrière. Hij continueerde zijn succes met liedjes als 'I want your sex' (1987), 'Faith' (1987) en 'Kissing a fool' (1988).

**Michaels, Barbara**
(Barbara Mertz; geb. 1927) Amerikaans schrijfster en historica. Mertz publiceerde een aantal romans onder de pseudoniemen Barbara Michaels en Elisabeth Peters. De eerste schuilnaam gebruikte zij o.a. voor *The master of the blacktower* (1966; De heer van de zwarte toren) en *The wizard's daughter* (1980). Met Elisabeth Peters signeerde zij boeken als *Crocodile on the sandbank* (1975; Het geheim van de Nijl) en *Summer of the dragon* (1979; Zomer van de draak).

**Michel, K.**
(Michel Kuijpers; geb. 1958) Nederlands dichter en schrijver. Kuijpers schreef onder het pseudoniem K. Michel de dichtbundel *Ja! Naakt als de stenen* (1989) en de verhalenbundel *Tingeling & Totus* (1992).

**Michiels, Ivo**
(Henri Ceuppens; geb. 1923) Vlaams laborant, schrijver, journalist en cineast. Ceuppens schreef onder het pseudoniem Ivo Michiels o.a. de experimentele romans *Ikjes sprokkelen* (1958) en *Het boek van Alfa* (1963).

**Mik**
(Willy Vandersteen; 1913-1990) Vlaams striptekenaar. Vandersteen maakte onder het pseudoniem Mik kort na de bevrijding verhalen over het verzet voor het Franstalige blad

Pleins Feux. Samen met Karel Verschuere (geb. 1924) tekende hij vanaf 1952 de *Bessy*-serie, die zij met Wirel signeerde. Vandersteen gebruikte ook de schuilnaam Wil.

**Miles, Vera**
(Vera May Ralston; geb. 1929) Amerikaans actrice. Ralston speelde in de John Ford-films *The searchers* (1956) en *The man who shot Liberty Valance* (1962). Zij is o.a. ook te zien in *The wrong man* (1957) en *Psycho* (1960), beide van Alfred Hitchcock.

**Milestone, Lewis**
(Lewis Milstein; 1895-1980) Amerikaans regisseur van Russische afkomst. Milstein won in 1930 een Oscar voor de regie van *All quiet on the Western front.* Hij maakte ook *The front page* (1931), *Hallelujah, I'm a bum* (1933) en *Of mice and men* (1939).

**Milian, Tomas**
(Tomás Rodriguez; geb. 1937) Italiaans acteur van Cubaanse afkomst. Rodriquez speelde o.a. in Federico Fellini's *Boccaccio* (1962), in Bernardo Bertolucci's *La luna* (1979) en in Michelangelo Antonioni's *Identificazione di una donna* (1982).

**Milland, Ray**
(Reginald Truscott-Jones; 1905-1986) Engels acteur. Truscott-Jones won in 1945 een Oscar voor zijn hoofdrol in *The lost weekend.* Hij speelde o.a. ook in Alfred Hitchcocks *Dial M for murder* (1954) en in Elia Kazans *The last tycoon* (1976).

**Milo, Sandra**
(Alessandra Marini; geb. 1933) Italiaans actrice. Marini speelde o.a. in *Otto e mezzo* (1963) en *Giulietta degli spiriti* (1965), beide van Federico Fellini.

**Minco, Marga**
(Selma Menco; geb. 1920) Nederlands schrijfster. Menco schreef onder het pseudoniem Marga Minco o.a. *Het bittere kruid* (1957), *Een leeg huis* (1966) en *De val* (1983). Zij gebruikte tevens de schuilnamen Marga van Hoorn, Hus, J. Rebel en

Marga de Wit.

**Miou-Miou**
(Sylvette Hery; geb. 1950) Frans actrice. Hery speelde in *La femme flic* (1979) en *Milou en mai* (1990). Zij vertolkte o.a. ook de titelrol in *La lectrice* (1988).

**Miranda, Carmen**
(Mario do Carmo Miranda da Cunha; 1904-1955) Portugees actrice, danseres en zangeres. Da Cunha acteerde aanvankelijk in Braziliaanse films, maar vertrok eind jaren dertig naar Hollywood, alwaar zij in verschillende musicals speelde, w.o. *That night in Rio* (1941) en *Weekend in Havana* (1941).

**Mishima, Yukio**
(Hiraoka Kimijoshi; 1925-1970) Japans schrijver. Kimijoshi schreef onder het pseudoniem Yukio Mishima o.a. de romans *Kamen no kokuhaku* (1949; Bekentenissen van een gemaskerde) en *Kinkakuji* (1956; Het gouden paviljoen). In 1985 maakte Paul Schrader de film *Mishima* naar het leven van de gelijknamige auteur.

**Mistral, Gabriela**
(Lucila Godoy y Alcayaga; 1889-1957) Chileens dichteres. Godoy y Alacayaga schreef onder het pseudoniem Gabriela Mistral o.a. de bundels *Sonetos de la muerte* (1914) en *Ternura* (1924). In 1945 ontving zij de Nobelprijs voor literatuur.

**Mitchell, Cameron**
(Cameron Mizell; geb. 1918) Amerikaans acteur. Mizell speelde o.a. in *Death of a salesman* (1951) en *How to marry a millionaire* (1953).

**Mitchell, Joni**
(Roberta Joan Anderson; geb. 1943) Canadees zangeres. Anderson scoorde in 1970 een hit met het nummer 'Big yellow taxi'. Zij bleef ook na de scheiding van Chuck Mitchell als Joni Mitchell optreden.

**Mobachus, Vesalius**
(Hendrik de Veer; 1829-1890) Nederlands schrijver, journalist en predikant. De Veer was vanaf 1871 hoofdredacteur van Het Nieuws van den Dag en richtte in 1875 het tijd-

schrift Eigen Haard op. In 1859 debuteerde De Veer onder het pseudoniem Vesalius Mobachus met *Van
gelijke bewegingen als gij.*

**Moebius**
(Jean Giraud; geb. 1938) Frans
striptekenaar. Giraud maakte vanaf
1963 de western-strip *Blueberry*, die
hij met zijn eigen naam signeerde.
Sinds 1973 ondertekent hij zijn
werk, zoals de SF-strip *Major Fatal*,
met het pseudoniem Moebius. Deze
schuilnaam hanteerde hij ook voor
een aantal story-boards voor tekenfilms als *Les Maîtres du Temps*
(1981) en *Little Nemo* (1992).

**Molière**
(Jean-Baptiste Poquelin; 1622-
1673) Frans toneelschrijver, acteur
en toneeldirecteur. Poquelin schreef
onder het pseudoniem Molière talloze blijspelen, zoals *L'avare*
(1668), *Le bourgeois gentilhomme*
(1670) en *Le malade imaginaire*
(1673).

**Molotov, Vjatsjeslav**
(Vjatsjeslav Michajlovitsj Skrjabin;
1890-1986) Russisch staatsman.
Skrjabin was vanaf 1926 lid van het
Politburo en vele jaren minister van
Buitenlandse Zaken. Midden jaren
vijftig viel hij wegens zijn oppositie
tegen Nikita Chroesjtsjov uit de gra-
tie en werd hij benoemd tot ambassadeur in Buiten-Mongolië.

**Monroe, Marilyn**
(Norma Jean Mortenson; 1926-
1962) Amerikaans actrice. Mortenson speelde o.a. in *All about Eve*
(1950), *Monkey business* (1952),
*Gentlemen prefer blondes* (1953),
*The seven year itch* (1955) en *Some
like it hot* (1959).

**Mons, Martin**
De Nederlandse schrijfsters Hildegard Saskia Paauwe-Monsma
(1906-1964) en Margaretha Anna
Wierdels-Monsma (1892-1964), die
zusters van elkaar waren, schreven
zo'n dertig politieromans rond inspecteur Perquin onder het pseudoniem Martin Mons. Enkele titels:
*De carnavalsmoord* (1951) en *Vier
dode visjes* (1959).

**Montag, S.**
(H.J.A. Hofland; geb. 1927) Nederlands journalist. Vanaf 28 juni 1975
schrijft Hofland wekelijks een column in de zaterdagbijlage van NRC
Handelsblad onder het pseudoniem
S. Montag. Hij publiceerde tevens
onder de schuilnamen Nel Borst,
K. van Hippel, Marinus A. Karels,
Kweetal, Ali van Remscheid, Edward States Worcester en H. Wüs-
ter.

**Montagne, Chiel**
(Bert van Rheenen; geb. 1944) Nederlands discjockey en tv-presentator. Van Rheenen presenteerde tussen 1970 en 1990 bij de TROS achtereenvolgens twee op Nederlandstalige liedjes gefocuste tv-programma's, *Op losse groeven* en *Op volle
toeren.*

**Montalte, Louis**
(Blaise Pascal; 1623-1662) Frans
wetenschapper. Pascal schreef *Lettres provinciales* (1656-57), die hij
met Louis Montalte ondertekende.

**Montand, Yves**
(Ivo Livi; 1921-1991) Frans acteur
en zanger van Italiaanse afkomst.
Livi speelde o.a. in Marcel Carnés
*Les portes de la nuit* (1946) en in
Costa-Gravas' *Z* (1969). Met zijn
echtgenote Simone Signoret is hij
o.a. te zien in *Compartiment tueurs*
(1965) en *l'Aveu* (1970).

**Moravia, Alberto**
(Alberto Pincherle; 1907-1990) Italiaans schrijver. Pincherle schreef
onder het pseudoniem Alberto Moravia o.a. de romans *Gli indifferenti*
(1929; De onverschilligen), *La Romana* (1947; Vrouw van Rome) en
*Il confirmista* (1951; De confor-
mist).

**Moreno, Rita**
(Rosa Dolores Alverio; geb. 1931)
Amerikaans actrice en danseres. Alverio won in 1961 een Oscar voor
haar bijrol in *West Side Story.* Zij is
o.a. ook te zien in *Singin' in the rain*
(1952) en *The king and I* (1956).

**Morgan, Claire**
(Patricia Highsmith; geb. 1921)
Amerikaans schrijfster. Highsmith

schreef onder het pseudoniem Claire Morgan o.a. de misdaadromans *Strangers on a train* (1949), *The price of salt* (1952) en *The talented Mr. Ripley* (1955). Deze boeken werden later onder haar eigen naam herdrukt.

**Morgan, Frank**
(Francis Philip Wupperman; 1890-1949) Amerikaans acteur. Wupperman speelde o.a. in *The wizzard of Ozz* (1939) en in *Tortilla flat* (1942).

**Morgan, Harry**
(Henry Bratsburg; geb. 1915) Amerikaans acteur. Bratsburg speelde o.a. in *High noon* (1952), *The Glenn Miller story* (1954), *How the West was won* (1962) en *The shootist* (1976). Hij was van 1975 tot 1983 kolonel Sherman Potter in de tv-serie *M\*A\*S\*H*. Bratsburg gebruikte aan het begin van zijn carrière de artiestennaam Henry Morgan.

**Morgan, Helen**
(Helen Riggins; 1900-1941) Amerikaans actrice en zangeres. Riggins speelde o.a. in twee versies van de muziekfilm *Showboat*, respectievelijk in 1929 en 1936.

**Morgan, Michèle**
(Simone Roussel; geb. 1920) Frans actrice. Roussel speelde o.a. in Marcel Carnés *Quai des brumes* (1938) en in Carol Reeds *The fallen idol* (1948). Zij kreeg in Cannes voor haar rol in *La symphonie pastorale* (1946) de prijs voor de beste actrice.

**Mori, Masayuki**
(Yukimitsu Arishima; geb. 1911-1973) Japans acteur. Arishima speelde o.a. in *Rashomon* (1950) en *Hakuchi* (1951), beide van Akira Kurosawa.

**Morris**
(Maurice de Bevere; geb. 1923) Vlaams striptekenaar. De Bevere tekent onder het pseudoniem Morris sinds 1946 de strip *Lucky Luck*.

**Mountbatten, Louis**
(Louis Francis Albert Victor Nicholas von Battenberg; 1900-1979) Engels militair en staatsman. Von Battenberg was in 1943 opperbevelhebber van de geallieerde strijdkrachten in Zuidoost-Azië en veroverde Birma op Japan. In 1947 was hij onderkoning, later gouverneur-generaal van India. Vanaf 1917 hanteerde de in Engeland wonende tak van de uit Duitsland afkomstige familie Von Battenberg voortaan Mountbatten als achternaam.

**Mountbatten, Patrick**
(René van Batenburg; geb. 1946) Nederlands journalist. Van Batenburg schrijft onder de schuilnaam Patrick Mountbatten bijdragen voor het weekblad Nieuwe, dat voorheen De Nieuwe Amsterdammer heette.

**Mullens, Peter**
(Peter J. Muller; geb. 1946) Nederlands uitgever. Als uitgever van het erotische tijdschrift Candy noemde Muller zich Peter Mullens. Toen hij dezelfde functie bij het muziektijdschrift Hitweek vervulde, bediende hij zich van de schuilnaam Simon Hoekstra. Sinds 1991 is Muller hoofdredacteur van De Nieuwe Amsterdammer, later in Nieuwe omgedoopt.

**Multatuli**
(Eduard Douwes Dekker; 1820-1887) Nederlands schrijver. Douwes Dekker schreef onder het pseudoniem Multatuli o.a. *Max Havelaar, of de koffij-veilingen der Nederlandsche Handel-Maatschappij* (1860). Douwes Dekker schreef ook onder de schuilnaam H.G. Icke jr.

**Muni, Paul**
(Muni Weisenfreund; 1895-1967) Oostenrijks acteur. Weisenfreund won in 1936 een Oscar voor zijn hoofdrol in *The story of Louis Pasteur*. Hij speelde o.a. ook in *Scarface* (1931), *The life of Emile Zola* (1937) en *Stage door canteen* (1943).

**Murnau, F. W.**
(Friedrich Wilhelm Plumpe; 1888-1931) Duits regisseur. Plumpe maakte o.a. *Nosferatu: eine Symphonie des Grauens* (1922), *Der letzte Mann* (1925), *Tartüff* (1925), *Faust* (1926), *Sunrise* (1927) en *Tabu* (1930).

**Musidora**
(Jeanne Roques; 1889-1957) Frans actrice. Roques speelde o.a. Irma Vep in de serial *Les vampires* (1915-16) en Diana Monti in de serial *Judex* (1916), beide onder regie van Louis Feuillade.

**Mus, M.**
(Selma Vrooland; geb. 1950) Nederlands journaliste. Vrooland schreef van eind 1982 tot begin 1985 een wekelijkse column in Vrij Nederland, die zij met M. Mus ondertekende. Zij publiceerde tevens rond 1983 in De Waarheid onder het pseudoniem S. Spreeuw, rond 1984 in de Volkskrant onder het pseudoniem P. Parelhoen, rond 1985 ook in de Volkskrant onder het pseudoniem Anna de Gaai en rond 1986 onder het pseudoniem Lavolière in NRC Handelsblad. De politiek geëngageerde liedjes van D. Duif die medio jaren tachtig bij verschillende protestmanifestaties ten gehore werden gebracht, vloeiden eveneens uit de pen van Vrooland. Twee van deze nummers zijn 'Neeltje Smit Blues' en 'De giftruckers'.

**Muti, Ornella**
(Francesca Romana Rivelli; geb. 1955) Italiaans actrice. Rivelli speelde o.a. in Marco Ferreri's *L'Ultima donna* (La dernière femme; 1976), in Volker Schlöndorffs *Un amour de Swann* (1984) en in Dominique Deruddere's *Wait until spring, Bandini* (1989).

**Mutsaert, J. ten**
(Jan Hendrik de Groot; 1901-1990) Nederlands dichter, schrijver en journalist. De Groot publiceerde in 1945 de dichtbundels *De visvangst* en *Om land en hart*, die hij respectievelijk met Haje Sikkema en J. ten Mutsaert ondertekende.

**Muybridge, Eadweard**
(Edward Muggeridge; 1830-1904) Amerikaans fotograaf van Engelse afkomst. Muggeridge legde zich toe op het vervaardigen van fotoseries waarop de beweging van lopende dieren en mensen gefaseerd werd vastgelegd. In 1879 ontwikkelde hij een machine, de zogenaamde zoöpraxinoscoop, waarmee deze beelden snel achter elkaar op een scherm konden worden geprojecteerd. Zodoende behoort hij tot de pioniers op het gebied van de cinematografie.

**Myles, Symon**
(Ken Follett; geb. 1949) Engels schrijver, journalist en uitgever. Follet schreef onder eigen naam o.a. de spionageromans *Eye of the needle* (1978; Door het oog van de naald) en *The key to Rebecca* (1980; Code Rebecca). Als Symon Myles publiceerde hij *The big needle* (1974), *The big black* (1974) en *The big hit* (1975). Follett gebruikte tevens de schuilnamen Martin Martinsen, Bernard L. Ross en Zachary Stone.

**Nadar**
(Gaspard Félix Tournachon; 1820-1910) Frans fotograaf en karikaturist. Tournachon maakte in 1858 een serie foto's vanuit een ballon en is mede hierom een van de belangrijkste innovatoren op het gebied van de fotografie. Als gerenomeerd fotograaf vereeuwigde hij vele prominenten uit zijn tijd. Ook als karikaturist werd hij zeer gewaardeerd.

**Nadieh**
(Karin Reyhani; geb. 1958) Nederlands zangeres, gitariste en componiste. Reyhani scoorde in 1986 een hit met 'Windforce'.

**Nagai, Kafoe**
(N. Sôkitji; 1879-1959) Japans schrijver. Sôkitji schreef onder het pseudoniem Kafoe Nagai o.a. de roman *Hikage no hana* (1934; Bloemen in de schaduw).

**Ndi We Wale**
(Hilbert Kuik; geb. 1938) Nederlands arts en schrijver. Kuik debuteerde in 1970 onder het pseudoniem Ndi We Wale met *Vreemde Eend. Medicijnman in Afrika*. Van 1978 tot 1979 publiceerde hij een serie korte verhalen in de Volkskrant, die hij met Hans, Helen en Hanna Verweg ondertekende. De prozastukken werden in 1980 gebundeld in *De Verwegs*.

**Neagle, Anna**
(Florence Marjorie Robertson; 1904-1986) Engels actrice. Robertson speelde o.a. de titelrol in *Victoria the Great* (1937) en Florence Nightingale in *The lady with a lamp* (1951).

**Neff, Hildegard**
(Hildegard Knef; geb. 1925) Duits actrice. Begin jaren vijftig speelde Knef korte tijd onder de artiestennaam Hildegard Neff, o.a. in *Diplomatic courier* (1952) en *The man between* (1953). De rest van haar carrière hanteerde zij haar eigen naam.

**Negri, Pola**
(Barbara Apolonia Chalupec; geb. 1897-1987) Poolse actrice. Chalupec speelde o.a. in de Ernst Lubitsch-films *Die Augen der Mummie* (1918), *Madame Dubarry* (1919) en *Forbidden paradise* (1924).

**Neptuin**
(Lode Zielens; 1901-1944) Vlaams schrijver en journalist. Zielens was redacteur van de Volksgazet. Hij publiceerde in 1929 in het tijdschrift De Stad Antwerpen het verhaal *Hymne van ijzeren schoonheid*, dat hij met de schuilnaam Neptuin ondertekende. Zielens gebruikte tevens de pseudoniemen Brabo, Carolus, Fernand van Rooy en Scaldis.

**Nero, Franco**
(Franco Spartanero; geb. 1941) Italiaans acteur. Spartanero speelde o.a. een hoofdrol in Luis Buñuels *Tristana* (1969) en in Rainer Werner Fassbinders *Querelle* (1982).

**Neruda, Pablo**
(Neftalí Ricardo Reyes Basoalto; 1904-1973) Chileens diplomaat en dichter. Basoalto schreef onder het pseudoniem Pablo Neruda o.a. *Veinte poemas de amor y una canción desesperada* (1924; Twintig liefdesgedichten en een wanhoopsgezang) en *Canto General* (1950; Dat de houthakker ontwake). In 1971 ontving hij de Nobelprijs voor literatuur.

**Nerval, Gérard de**
(Gérard de Labrunie; 1808-1855) Frans schrijver en dichter. De Labrunie schreef onder het pseudoniem Gérard de Nerval o.a. de verhalenbundel *Les filles du feu* (1854) en de dichtbundel *Les chimères* (1855).

**Nescio**
(Jan Hendrik Frederik Grönloh; 1882-1961) Nederlands zakenman en schrijver. Grönloh schreef onder het pseudoniem Nescio o.a. de no-

vellen *Titaantjes* (1915) en *Dichtertje* (1918).

**Neuville, Louis**
(Albert Camus; 1913-1960) Frans schrijver. Camus schreef gewoonlijk onder eigen naam. Tot zijn bekendste romans behoren *L'étranger* (1942; De vreemdeling), *La peste* (1947; De pest) en *La chute* (1956; De val). Tijdens de Tweede Wereldoorlog publiceerde hij onder de schuilnaam Louis Neuville.

**Neve, Fiore della**
(Martinus Gesinus Lambert van Loghem; 1849-1934) Nederlands dichter en schrijver. Van Loghem richtte in 1877 het weekblad De Amsterdammer op. Hij publiceerde onder het pseudoniem Fiore della Neve o.a. de dichtbundels *Eene liefde in het zuiden* (1882) en *Van eene sultane en andere gedichten* (1884). In 1894 schreef hij de roman *Sascha*, die hij met Prosper van Haamstede ondertekende. Van Loghem gebruikte tevens de schuilnamen E...e..., Ghulonne, G.L., S. van G.R., Robert de Hooghe, L.v.d.R.v.B., F. de N., Scaramouche, Sirius en Taddeo.

**Niblo, Fred**
(Federico Nobile; 1874-1948) Amerikaans regisseur. Nobile maakte *The three musketeers* (1921) en *Ben Hur* (1925). Hij regisseerde o.a. ook *The temptress* (1926) en *The mysterious lady* (1928), beide met Greta Garbo in een hoofdrol.

**Nichols, Mike**
(Michael Igor Peschkowsky; geb. 1931) Duits regisseur. Peschkowsky debuteerde in 1966 met *Who's afraid of Virginia Woolf*, waarin Elizabeth Taylor en Richard Burton de hoofdrollen vertolken. Voor de regie van zijn tweede film *The graduate* kreeg hij in 1967 een Oscar. Vervolgens maakte hij o.a. *Catch-22* (1970), *Silkwood* (1983) en *Postcards from the edge* (1990).

**Nico**
(Christa Päffgen; geb. 1939-1988) Duits zangeres, actrice en fotomodel. Päffgen speelde o.a. in Federico Fellini's *La dolce vita* (1960) en in Andy Warhols *The Chelsea girls* (1966). Zij was korte tijd lid van The Velvet Underground en maakte met deze band in 1967 de LP 'The Velvet Underground & Nico', waarop onder meer de nummers 'I'll be your mirror' en 'All tomorrow's parties' te horen zijn.

**Nicole**
(Nicole Hohloch; geb. 1964) Duits zangeres. Hochloch behaalde in 1982 een eerste plaats in de Top 40 met het liedje 'Ein bisschen Frieden/Een beetje vrede'.

**Nierop, Pieter**
(Frederik Pieter Groot; 1902-1974) Nederlands schrijver. Groot publiceerde vele streekromans, die zich meestal afspelen in West-Friesland, en een groot aantal kinder- en meisjesboeken. Groot schreef dit werk onder de pseudoniemen Pieter Nierop, Marijke de Jongh, Ewout Speelman, Annelies de Greeve en Fred van Ouddorp.

**Nil admirari**
(Adriaan Walraven Engelen; 1804-1890) Nederlands dichter en schrijver. Engelen publiceerde bijdragen in het periodiek de Navorscher die hij met Nil admirari ondertekende. Hij schreef onder het pseudoniem Herman van Apeltern de romans *Eduard Dalhorst. Een Nederlandsch verhaal uit het laatst der zeventiende eeuw* (1829) en *De grot van Fosto* (1840-41). In 1882 signeerde Engelen zijn memoires getiteld *Uit de gedenkschriften van een voornaam Nederlandsch beambte* met Mr. H. van A..

**Nolde, Emil Hansen**
(Emil Hansen; 1867-1956) Duits schilder en graficus. Hansen trad in 1906 toe tot de groep Brucke, die een jaar eerder door o.m. Ernst Ludwig Kirchner was opgericht.

**Noordhout, W.S.**
(Jan Willem Schulte Nordholt; geb. 1920) Nederlands historicus en dichter. Schulte Noordholt publiceerde in 1943 de clandestiene dichtbundel *Het bloeiende steen*, die

hij met de schuilnaam W.S. Noordhout ondertekende.

**Noordstar, J.C.**
(Arnold J.P. Tammes; 1907-1987)
Nederlands dichter en jurist. Tammes was hoogleraar volkenrecht te
Amsterdam en redacteur van NRC
Handelsblad. Tijdens zijn Gronin-
se studententijd schreef hij poëzie
onder het pseudoniem J.C. Noordstar, w.o. de in eigen beheer uitge-
geven bundel *De zwanen en andere
gedichten* (1930). Samen met Herman Jan Scheltema alias N.E.M. Pareau publiceerde Tammes in 1935
*Argos en Arcadia.*

**Noort, Niek van**
(Teunis Johannes Kerpel; geb.
1930) Nederlands schrijver en journalist. Kerpel publiceerde onder het
pseudoniem Niek van Noort een
aantal jongensboeken, zoals *De
wraak van de blauwe wolf* (1956) en
*Muziek in het oerwoud* (1976).

**North, Sheree**
(Dawn Bethel; geb. 1933) Amerikaans actrice. Bethel speelde o.a. in
*Madigan* (1968) en in *The shootist*
(1976).

**Novak, Kim**
(Marilyn Novak; geb. 1933) Amerikaans actrice. Novak speelde de
dubbelrol van Madeleine en Judy in
*Vertigo* (1958) van Alfred Hitchcock. Zij is o.a. ook te zien in *Strangers when we meet* (1960) en *Kiss
me, stupid* (1964).

**Novak, Joseph**
(Jerzy Kosinski; 1933-1991) Amerikaans schrijver en essayist van
Poolse afkomst. Kosinski publiceerde zijn romans, zoals *The painted
bird* (1965; De geverfde vogel) en
*Being there* (1970), onder eigen
naam. Twee van zijn non-fiction
boeken, *The future is ours, comra-
de: conversations with the Russians*
(1960) en *No third path: a study of
collective behavior* (1962), verschenen echter onder de schuilnaam Joseph Novak.

**Novalis**
(Friedrich Leopold Freiherr von
Hardenberg; 1772-1801) Duits dichter en schrijver. Freiherr von Hardenberg schreef onder het pseudoniem Novalis o.a. *Hymnen an die
Nacht* (1797) en *Heinrich von Of-
terdingen* (1799-1800).

**Novarro, Ramon**
(Ramon Samaniegos; 1899-1968)
Mexicaans acteur. Samaniegos vertolkte in 1925 de titelrol in *Ben Hur*
en speelde in 1932 naast Greta Garbo in *Mata Hari.* Hij is o.a. ook te
zien in Ernst Lubitsch' *The student
prince* (1927).

**Nylessa**
(Thomas Asselijn; 1620-1701)
Noordnederlands blijspeldichter en
boekbinder. Asselijn publiceerde in
1645 *Klaghte over 't onbehoorlyck
oordeel ter doodt, gheveldt teghens
den Eertzbisschop van Cantelbergh,*
dat hij met Nylessa ondertekende.

**O'Brien, Flann**
(Brian O'Nolan; 1911-1966) Iers schrijver. O'Nolan schreef onder het pseudoniem Flann O'Brien o.a. de romans *At swim-two-bird* (1939; Tegengif) en *The hard life* (1961; Whiskywezen). Hij gebruikte tevens de schuilnaam Myles na Gopaleen.

**O'Conner, Frank**
(Michael Francis O'Donovan; 1903-1966) Iers schrijver. O'Donovan schreef onder het pseudoniem Frank O'Conner o.a. de verhalenbundels *Guest of the nation* (1931) en *Traveller's samples* (1950).

**O'Connor, Una**
(Agnes Teresa McGlade; 1880-1959) Iers actrice. McGlade speelde o.a. in *David Copperfield* (1935), *The bride of Frankenstein* (1935) en *The adventures of Robin Hood* (1938).

**O'Donnell, Cathy**
(Ann Steely; 1923-1970) Amerikaans actrice. Steely speelde een hoofdrol in *They live by night* (1948) van Nicholas Ray. Zij is o.a. ook te zien in *The best years of our lives* (1946) en in *Detective story* (1951), beide van William Wyler.

**O'Duys, Willem**
(Willem Duys; geb. 1928) Nederlands sportverslaggever, radio- en tv- presentator. Duys bediende zich als presentator van zijn vermaarde talkshow *Voor de vuist weg* enige tijd van het pseudoniem Willem O'Duys.

**O'Hara, Maureen**
(Maureen Fitzsimmons; geb. 1920) Iers actrice. Fitzsimmons speelde o.a. met John Wayne in de films *Rio Grande* (1950), *The quiet man* (1952) en *Big Jake* (1971).

**O'Mill, John**
(Johan van der Meulen; geb. 1915) Nederlands dichter. Van der Meulen schreef onder het pseudoniem John O'Mill nonsenspoëzie, zoals de bundels *Lyrical laria in Dutch and double Dutch* (1956) en *Literary larycook* (1977). Van der Meulen schreef ook onder de schuilnaam Johan Mühlemans.

**O'the Flannel, Dick**
(Frans Gittens; 1842-1911) Vlaams toneelschrijver en bibliothecaris. In 1870 publiceerde Gittens *Les premiers pas, suivi de finette, deux romans de la vie réelle*, die hij met Dick O'the Flannel ondertekende.

**Oakie, Jack**
(Lewis Delaney Offield; 1903-1978) Amerikaans komiek. Offield speelde naast W.C. Fields in *Million dollar legs* (1932). Hij vertolkte o.a. ook de rol van Tweedledum in *Alice in Wonderland* (1933) en die van Napaloni, een karikatuur van Mussolini, in *The great dictator* (1940) van Charles Chaplin.

**Oberon, Merle**
(Estelle Merle O'Brien Thompson; 1911-1979) Engels actrice. O'Brien Thompson speelde o.a. Anna Boleyn in *The private life of Henry VIII* (1933), Lady Blakeney in *The Scarlet Pimpernel* (1935), Cathy in *Wuthering heights* (1939) en een can-can danseres in *The lodger* (1944).

**Observator**
(John Jansen van Galen; geb. 1940) Nederlands journalist. Midden jaren zestig berichtte Jansen van Galen als Observator in het Algemeen Handelsblad over het Nederlandse studentenleven. Hij schreef in die tijd tevens met Rogier Proper voor het weekblad Propria Cures enkele artikelen over studentenpolitiek, die met Jan Nagel werden ondertekend.

**Ocean, Billy**
(Leslie Charles; geb. 1950) Engels zanger. Charles scoorde hits met nummers als 'Love really hurts without you' (1976), 'Loverboy' (1984), 'When the going gets tough,

the tough get going' (1985) en 'Get
outta my dreams, get into my car'
(1988).

**Oever, Fenand van den**
(Jaap Kolkman; geb. 1912) Nederlands schrijver. Kolkman schreef
onder het pseudoniem Fenand van
den Oever o.a. de romans *Brood uit
het water* (1946), *Walvis aan stuur-
boord* (1948) en *De zee is ons land*
(1957).

**Offenbach, Jacques**
(Jakob Levy Eberst; 1819-1880)
Frans componist van Duitse afkomst. Eberst componeerde zo'n
honderd operettes, w.o. *Orphée aux
enfers* (1858), *La belle Hélène*
(1864) en *La vie Parisienne* (1866).
Hij schreef tevens de opera *Les contes d'Hoffmann* (1881).

**Olaf, Erwin**
(Erwin Olaf Springveld; geb. 1960)
Nederlands fotograaf. Springveld
maakte onder de titel *Chessmen* een
reeks zwart-witfoto's waarop met
name uitzonderlijk geproportioneer-
de mensen de stukken van het
schaakspel uitbeelden. De serie
werd in 1988 te boek gesteld.

**Olierook, Hidde**
(Guus Luijters; geb. 1943) Nederlands journalist, scenarioschrijver
en dichter. Luijters was van 1969 tot
1971 verbonden aan het recalcitran-
te studentenblad Propria Cures en
gebruikte in die hoedanigheid meermalen een pseudoniem. Zo schreef
hij samen met Gerard Stigter alias
K. Schippers een venijnig portret
van Jaco Groot, dat zij met G.W.
Dekker signeerde. Als PC-redacteu-
ren berichtten Luijters en Koen
Koch (geb. 1944) over hun wandel-
tocht naar Amsterdam-Noord en ondertekenden de verhandeling, 'Be-
devaart naar een afgebrand café',
met Krijn Schotel. Samen met Henk
Spaan (geb. 1948) schreef Luijters
een serie versjes die voortborduur-
den op het korte gedicht 'T. van
Deel pikt veel van Geel', geschreven door de levenspartner van Luijters, Ruth Visser (geb. 1948); deze
versjes namen zij in PC op onder

het pseudoniem Ria Spluijters. De
jeugdromans die Luijters samen met
Henk Spaan schreef, verschenen onder het pseudoniem Guus L. Spaan.
Rond 1970 signeerde Luijters zijn
bijdragen voor de achterpagina van
het weekblad De Nieuwe Linie met
Hidde Olierook. Verschillende auteurs ondertekenden hun stukjes
voor deze rubriek met dezelfde achternaam. Op die manier ontstond de
familie Olierook. Zo was Thomas
Rap Guus Olierook, de broer van
Hidde. Luijters bediende zich ook
van de leennaam Rob du Mée.

**Oliver, Edna May**
(Edna May Nutter; 1883-1942)
Amerikaans actrice. Nutter speelde
o.a. in *Little women* (1933), *David
Copperfield* (1935) en *Romeo and
Juliet* (1936), alle onder regie van
George Cukor.

**Olof, Theo**
(Theodor Olof Wolfsberg-Schmu-
ckler; geb. 1924) Nederlands violist
van Duitse afkomst. Wolfsberg-
Schmuckler was van 1950 tot 1970
eerste concertmeester van het Resi-
dentie Orkest in Den Haag. Van
1974 tot 1985 bekleedde hij dezelfde functie bij het Concertgebouw
Orkest in Amsterdam.

**Ombre, L.**
(H.C. ten Berge; geb. 1938) Nederlands dichter en schrijver. Ten Berge was in 1967 oprichter van het
tijdschrift Raster. Hij schreef onder
eigen naam o.a. de bundel *Texaanse
elegieën* (1983) en de roman *Het
geheim van een opgewekt humeur*
(1986). Eind jaren zestig publiceerde hij enkele verhalen in het tijdschrift Raster onder het pseudoniem
L. Ombre. Hij gebruikte tevens de
schuilnaam Hanna Bijns.

**Onderdijk, Frits**
(Simon Vinkenoog; geb. 1928) Nederlands dichter, schrijver en journalist. Vinkenoog vormde samen
met Harry Mulisch, Hugo Claus en
Ivo Michiels de redactie van het
tijdschrift Randstad (1961-66),
waarvoor hij onder het pseudoniem
Frits Onderdijk verscheidene tek-

sten vertaalde. Van 1955 tot 1956 was Vinkenoog de Parijse correspondent van het New-Yorkse tijdschrift Intro Bulletin. Als King Moonvines schreef hij voor dit blad beschouwende artikelen over de Europese cultuur. Hij gebruikte tevens de schuilnamen I.N. Monsanto en Victor Simonsz.

**Ondra, Anny**
(Anna Sophie Ondráková; 1903-1987) Duits actrice van Tsjechische afkomst. Ondráková werkte eind jaren twintig als actrice in Engeland, waar zij o.a. speelde in de Alfred Hitchcock-films *The Manxman* (1929) en *Blackmail* (1929).

**Onselen, R. van**
(Rob van Gennep; geb. 1937) Nederlands uitgever, boekverkoper en dichter. In de jaren vijftig schreef Van Gennep onder het pseudoniem R. van Onselen enkele boekjes met toeristische informatie over o.a. Sicilië en Zwitserland voor een reisorganisatie in Breda. Hij gebruikte ook het pseudoniem W. en H. van de Gast-Potsz.

**Oordt, Jan van**
(Conrad Busken Huet; 1826-1886) Nederlands theoloog en schrijver. Busken Huet publiceerde tijdens zijn studententijd onder de schuilnaam Jan van Oordt in de *Studentenalmanak*. In 1856 en 1857 publiceerde hij *Brieven van een kleinstedeling* in De Nederlandsche Spectator, die hij met Lodewijk van Montalte ondertekende. Busken Huet gebruikte ook de pseudoniemen Ernst & Co., Fantasio, De schim van Braga en Trasybulus.

**Opheffer**
(G.L. Gonggrijp; 1859-1939) Nederlands koloniaal bestuurder. Gonggrijp had van 1911 tot 1914 een vaste rubriek in het Bataviaasch Handelsblad, die hij met Opheffer ondertekende.

**Opheffer**
(Theodor Holman; geb. 1953) Nederlands journalist. Sinds 1985 schrijft Holman een column voor de De Groene Amsterdammer die hij ondertekent met Opheffer. Als redacteur van Propria Cures (1979-82) signeerde Holman zijn bijdragen onder meer met de volgende namen: Jeroen Brouwers, Tom van Deel, Wam de Moor, A. Duycrant, Kavandros en Mr. Joris van Bezooijen. De schuilnaam Mr. Joris van Bezooijen werd in Propria Cures ook gebruikt door o.a. Jeroen Koolbergen (geb. 1950) en Vic van de Reijt (geb. 1950). In 1979 ondertekende Holman ook zijn roddelrubriek 'Stookolie' in Het Parool met Mr. Joris van Bezooijen. In 1985 verzorgde Holman voor De Groene Amsterdammer een serie artikelen, die in 1986 is gebundeld onder de titel *Vadermoord*: een reeks pastiches van de columns van Piet Grijs, Gerrit Komrij, Herman Zeevaarder, Tamar, Jan Blokker en andere vooraanstaande Nederlandse scribenten. De teksten werden met de naam c.q. het pseudoniem van de nagebootste auteur ondertekend. Holman en de journalist Bert Steinmetz (geb. 1943) maakten voor Het Parool eind jaren tachtig als Schnitzel een serie portretten van personen uit de actualiteit. Holman behoort tevens tot de groep journalisten die onder het collectieve pseudoniem Han Lips tv-kritieken voor voornoemde krant schrijft.

**Ophüls, Marcel**
(Marcel Oppenheimer; geb. 1927) Duits regisseur. Marcel Oppenheimer, de zoon van Max Oppenheimer alias Max Ophüls, won in 1988 een Oscar voor zijn documentaire *Hotel Terminus: Klaus Barbie, his life and times*.

**Ophüls, Max**
(Maximilian Oppenheimer; 1902-1957) Duits regisseur. Oppenheimer maakte o.a. *Komedie om geld* (1936), *Letter from an unknown woman* (1948), *La ronde* (1950), *Le plaisir* (1951), *Madame de...* (1953) en *Lola Montès* (1955).

**Opland**
(Rob Wout; geb. 1928) Nederlands cartoonist. Wout tekent sinds de ja-

ren veertig spotprenten voor De
Groene Amsterdammer en de
Volkskrant.

**Opmerker**
(Henriëtte G.A. Roland Holst-Van
der Schalk; 1869-1952) Nederlands
dichteres en schrijfster. Roland
Holst-Van der Schalk publiceerde
onder de schuilnaam Opmerker in
het periodiek De Nieuwe Tijd. Zij
gebruikte tevens het pseudoniem In
liefde bloeiende.

**Oradi, Jan**
(Johannes Jacobus Cornelis van
Raay; geb. 1913) Nederlands imitator. Van Raay ontleende zijn pseudoniem aan het medium waarvoor
hij in de jaren veertig en vijftig optrad.

**Oristorio di Frama, Stella**
(Mina Kruseman; 1839-1922) Nederlands schrijfster, zangeres en actrice. Kruseman schreef in 1873 *De
moderne Judith*, dat zij met Stella
Oristorio di Frama ondertekende.

**Orwell, George**
(Eric Arthur Blair; 1903-1950) Engels schrijver. Blair schreef onder
het pseudoniem George Orwell o.a.
de romans *Down and out in Paris
and London* (1933; Aan de grond in
Londen en Parijs), *Animal farm*
(1945; Boerderij der dieren) en
*1984* (1949).

**Osbourne, Ozzy**
(John Osbourne; geb. 1948) Engels
zanger. Osbourne, de voormalig
zanger van de hardrockband Black
Sabbath maakte o.a. de LP's 'Bliz-
zard of Ozz' (1980), 'Diary of a
madman' (1981) en 'Bark at the
moon' (1983).

**Oudshoorn, J. van**
(Jan Koos Feylbrief; 1876-1951)
Nederlands schrijver. Feylbrief
schreef onder het pseudoniem J. van
Oudshoorn o.a. *Louteringen* (1916)
en *Tobias en de dood* (1925).

**Owen, Seena**
(Signe Auen; 1894-1966) Ameri-
kaans actrice van Deense afkomst.
Auen speelde o.a. in *Intolerance*
(1916) van D.W. Griffith en in
*Queen Kelly* (1928) van Erich von
Stroheim.

**Ozon, Diana**
(Diana Groenveld; geb. 1959) Nederlands dichteres. Groenveld
schreef onder het pseudoniem Diana
Ozon o.a. de bundels *Hup de zee*
(1986) en *Kraker Jack* (1991).

**Drs. P**
(Heinz Herman Polzer; geb. 1919) Nederlands dichter en kleinkunstenaar van Zwitserse afkomst. Polzer schreef onder het pseudoniem Drs. P o.a. *Gewoon maar geniaal* (1981) en *Tuindersliedboek* (1983). Hij gebruikte tevens de schuilnamen Geo Staad, Drs. S, Kirsten Wiedeman, Wilson Hode, Lars Brahe, M. de Gans, Henny van Kol, Cyriel P. Licentiaat, Coos Neetebeem, Ludwig Otto Stadtherr en Henry Smith.

**Paaltjens, Piet**
(François Haverschmidt; 1835-1894) Nederlands dichter en schrijver. In 1867 publiceerde de predikant Haverschmidt de bundel humoristische gedichten *Snikken en grimlachjes. Academische poëzie van Piet Paaltjens* (1867).

**Paget, Debra**
(Debralee Griffin; geb. 1933) Amerikaans actrice. Griffin speelde in 1952 in *Les misérables*, naar de gelijknamige roman van Victor Hugo. Zij is o.a. ook te zien in de Fritz Lang-films *Der tiger von Eschnapur* (1959) en *Das Indische Grabmal* (1959).

**Palance, Jack**
(Vladimir Palanuik; geb. 1918) Amerikaans acteur van Russische afkomst. Palanuik speelde o.a. in Elia Kazans *Panic in the streets* (1950), in George Stevens' *Shane* (1953) en in Jean-Luc Godards *Le mépris* (1963).

**Palmer, Lilli**
(Lillie Marie Peiser; 1914-1986) Duits actrice van Poolse afkomst. Peiser speelde o.a. in *The secret agent* (1936) van Alfred Hitchcock, in *Cloak and dagger* (1946) van Fritz Lang en in *The boys from Bra-*

*zil* (1978), naar het gelijknamige boek van Ira Levin.

**Panter, Peter**
(Kurt Tucholsky; 1890-1935) Duits schrijver en journalist. De pacifist Tucholsky was een verwoed tegenstander van iedere vorm van nationalisme. Van dit standpunt gaf hij blijk in met name korte prozastukken, cabaretscènes en chansons. In 1932 schreef hij samen met Walter Hasenclever onder het pseudoniem Peter Panter een toneelstuk getiteld *Christoph Kolumbus oder die Entdeckung Amerikas*. Tucholsky hanteerde de schuilnaam Peter Panter ook voor een aantal van zijn artikelen. Hij gebruikte tevens de schuilnamen Kasper Hauser, Theobald Tiger en Ignaz Wrobel.

**Papas, Irene**
(Irene Lelekou; geb. 1926) Grieks actrice. Lelekou is o.a. te zien in *The guns of Navarone* (1961), *Zorba the Greek* (1964) en *High season* (1987). Zij speelde tevens in de politieke thriller *Z* (1969) van Costa-Gravas. Lelekou bleef zich ook na de scheiding van haar eerste man, Alkis Papas, Irene Papas noemen.

**Paradijs, Cornelis**
(Frederik van Eeden; 1860-1932) Nederlands arts, dichter, (toneel)schrijver en essayist. Van Eeden publiceerde onder het pseudoniem Cornelis Paradijs de dichtbundel *Grassprietjes* (1885). Hij gebruikte ook de schuilnamen Guido, Lieven Nijland, Sebastiaan Slaap en Varius.

**Pareau, N.E.M.**
(Herman Jan Scheltema; 1906-1981) Nederlands dichter, uitgever en jurist. Scheltema schreef onder het pseudoniem N.E.M. Pareau ironische gedichten, zoals de bundel *Mengelingen* (1933).

**Parker, Cecil**
(Cecil Schwabe; 1897-1971) Engels acteur. Schwabe speelde o.a. in *The lady vanishes* (1938) en in *The ladykillers* (1955).

**Parker, Dorothy**
(Dorothy Rothschild; 1893-1967)

Amerikaans journaliste, (scenario)schrijfster en dichteres. Rothschild was toneelrecensente van The New Yorker, Vanity Fair en Esquire. Zij schreef o.a. mee aan de filmscenario's van *A star is born* (1937) en *Saboteur* (1942). In 1983 verscheen een Nederlandse bloemlezing van haar verhalen onder de titel *Je was geweldig.*

**Parlevink**
(Godfried Bomans; 1913-1971) Nederlands schrijver. Bomans schreef van 1954 tot 1956 onder het pseudoniem Parlevink in de Volkskrant. Hij gebruikte tevens de schuilnamen G. Brugmans, Cas van Damme, Haes, Dr. P.J. Hornstra, Joderick, J.N. Kammeyer, Bernard Majorick, F. Nolleman sr., Ir. B.J. Stappers en J.H. van Term.

**Parlo, Dita**
(Gerthe Gerda Kornstädt; 1907-1971) Duits actrice. Kornstädt speelde o.a. in *L'Atalanta* (1934) van Jean Vigo en in *La grande illusion* (1937) van Jean Renoir.

**Paró, Juan**
(Paul Rodenko; 1920-1976) Nederlands dichter en schrijver. Rodenko schreef als Juan Paró o.a. in 1944 voor het tijdschrift Maecenas een verhaal, getiteld *De fout.* Hij gebruikte tevens de schuilnaam Raoul Donek.

**Pascoaes, Teixeira de**
(Joaquim Pereira Teixeira de Vasconcelos; 1877-1952) Portugees dichter, schrijver en advocaat. De Vasconcelos schreef onder het pseudoniem Teixeira de Pascoaes o.a. de dichtbundel *Terra proibida* (1899) en de biografie *Napoleao* (1940; Napoleon). In 1910 was hij medeoprichter van het literaire tijdschrift A Aguia.

**Paxinou, Katina**
(Katina Konstantopoulous; 1900-1973) Grieks actrice. Konstantopoulous won in 1943 een Oscar voor haar bijrol in *For whom the bell tolls.* Zij speelde o.a. ook de moeder in Luchino Visconti's *Rocco e i suoi fratelli* (1960).

**Peanstra, Tsjits**
(T. Jonkman-Nauta; geb. 1924) Nederlands dichteres. Jonkma-Nauta publiceerde onder het pseudoniem Tsjits Peanstra o.a. de dichtbundels *Underweis* (1955) en *Neisimmer* (1981).

**Pele**
(Edson Arantes do Nascimento; geb. 1940) Braziliaans voetballer. Do Nascimento werd met de Braziliaanse voetbalploeg Santos tot drie keer toe wereldkampioen, en wel in 1958, 1962 en 1970. Tijdens zijn loopbaan bij deze club scoorde hij meer dan duizend doelpunten. Hij eindigde bij New York Cosmos.

**Pelgrom, Els**
(Else Koch; geb. 1934) Nederlands kinderboekenschrijfster. Koch publiceerde onder het pseudoniem Els Pelgrom o.a. *Het geheimzinnige bos* (1962), *De kinderen van het Achtste Woud* (1977) en *Kleine Sofie en Lange Wapper* (1984).

**Peller, P.R.O.**
(Edmond Maria Constant Bernard Franquinet; 1896-1974) Nederlands rechter. Fraquinet was vice-president van de rechtbank Roermond en daarnaast vaste luchtvaartmedewerker van de KRO. Zowel voor als na de Tweede Wereldoorlog verzorgde hij vele radiopraatjes over vliegtuigtechniek en ruimtevaart, zich immer presenterend als de heer P.R.O. Peller. Hij gebruikte dit pseudoniem tevens voor zijn jeugdboek *Vlucht over de Sahara* (1958). Franquinet publiceerde ook onder de schuilnaam Stabilo.

**Mr. Pennewip**
(Gerrit Komrij; geb. 1944) Nederlands dichter en publicist. In 1980 publiceerde Komrij in zijn NRC-rubriek 'Een en ander' een pastiche op Hendrik Marsmans *Herinnering aan Holland* (1937). Elf jaar later schreef hij weer een nieuwe versie van vernoemd gedicht, ditmaal onder het pseudoniem Mr. Pennewip. Komrij gebruikte ook de schuilnaam Gerrit Andriesse en Griet Rijmrok.

**Pepa**
(Sandy Danton; geb. 1969) Amerikaans zangeres. Sandy Danton, Cheryl James (geb. 1969) alias Salt en Dee Dee Roper scoorden als hiphop-trio Salt 'n Pepa hits met o.a. 'Push it' (1988) en 'Twist and shout' (1988).

**Peper, Rascha**
(Jenny Strijland; geb. 1949) Nederlands schrijfster. Strijland schreef onder het pseudoniem Rascha Peper o.a. *De waterdame* (1990) en *Oefeningen in manhaftigheid* (1992).

**Peperkamp, René**
(Henk Krol; geb. 1950) Nederlands journalist. Krol was van 1977 tot 1982 voorlichter van de VVD Tweede Kamer-fractie. In 1980 richtte hij De GAY-krant op, waarvan hij tot op heden hoofdredacteur is. Tot 1985 stond Krol in het colofon vermeld als René Peperkamp. Hij gebruikte ook de schuilnaam Dick de Groot.

**Pergolesi, Giovanni Battista**
(Giovanni Battista Draghi; 1710-1736) Italiaans componist. In 1733 ging in Napels Draghi's opera 'Le prigioniero superbo' in première. Tussen de aktes van deze opera had de componist het komische intermezzo 'La serva padrona' ingelast. Deze entr'acte werd bijzonder goed ontvangen en is nadien ook in andere context nog vele malen opgevoerd. Vlak voor zijn dood schreef Draghi het beroemde 'Stabat Mater' (1736).

**Périer, François**
(François Gabriel Pilu; geb. 1919) Frans acteur. Pilu speelde o.a. in Marcel Carnés *Hotel du Nord* (1938), in Jean Cocteaus *Orphée* (1949) en in Jean-Pierre Melville's *Le samourai* (1967).

**Perkens, Duco**
(Charles Edgar du Perron; 1899-1940) Nederlands dichter, schrijver en criticus. Du Perron publiceerde in 1920 de novellen *Het spook van den Arabier* en *Een sparring-partner* in De Revue, die hij ondertekende met Joseph Joséphin. Onder de schuilnaam Duco Perkens schreef hij o.a. *Het roerend bezit* (1923). Du Perron gebruikte tevens de pseudoniemen Angèle Baedens, Bodor Guilu, Cesar Bombay, W.C. Kloot van Neukema, A.L. van Kuyck, R. Queselius, Kristiaan Watteyn, W.C.K.V.N. en Wodor Genka.

**Permys, Martin**
(Martin Jacob Premsela; 1896-1960) Nederlands dichter. Premsela publiceerde in 1915 het toneelstuk *Helia*, dat hij met Martin Permys ondertekende. Met dit pseudoniem signeerde hij o.a. ook de dichtbundels *Zwaluwen om den toren* (1921), *Zomerland* (1923) en *De sparren* (1925). Hij gebruikte tevens de schuilnaam Léon Trestine.

**Pernath, Hugues C.**
(Hugo Wouters; 1931-1975) Vlaams dichter en boekhandelaar. Wouters was lid van het Antwerpse genootschap Pink Poets en redacteur van de periodieken Gard Sivik en het Nieuw Vlaams Tijdschrift. Hij schreef onder het pseudoniem Hugues C. Pernath o.a. de dichtbundels *Het uur Marat* (1958) en *Het masker man* (1960).

**Perrin, Jacques**
(Jacques Simonet; geb. 1941) Frans acteur en producent. Simonet speelde o.a. met Catherine Deneuve en Gene Kelly in de musical *Les demoiselles de Rochefort* (1966) en met Yves Montand in de politieke thriller *Z* (1968). Laatstgenoemde film heeft Simonet tevens geproduceerd.

**Peskens, R.J.**
(Geert A. van Oorschot; 1909-1987) Nederlands uitgever, dichter en schrijver. Van Oorschot publiceerde onder het pseudoniem R.J. Peskens o.a. de autobiografische romans *Twee vorstinnen en een vorst* (1975) en *Mijn tante Coleta* (1976). Deze twee boeken werden in 1981 door Otto Jongerius verfilmd met Kitty Courbois en Linda van Dijck in een hoofdrol. De film is genoemd naar het eerste boek. Van Oorschot gebruikte tevens de schuilnamen Karel

Blomkwist, Mozes Cohen, Kees Milot en Gerrit Smallegange.

**Peters, Arja**
(Jechinna Vanerven; geb. 1927) Nederlands schrijfster. Vanerven publiceerde onder het pseudoniem Arja Peters een aantal meisjesboeken, zoals de *Olijke tweeling*-serie. Zij gebruikte tevens de schuilnamen Chinny Erling en Chinny van Erven.

**Peters, Bernadette**
(Bernadette Lazzara; geb. 1944) Amerikaans actrice en zangeres. Lazzara speelde o.a. in *Pennies from heaven* (1981) en *Annie* (1982).

**Peters, Ellis**
(Edith Pargeter; geb. 1913) Engels schrijfster en vertaalster. Pargeter schreef onder het pseudoniem Ellis Peters o.a. een aantal detectiveromans rond Broeder Cadfael, een benedictijn uit de twaalfde eeuw, w.o. *A morbid taste for bones* (1977; Het heilig vuur) en *The confession of Brother Haluin* (1988; De laatste eer).

**Philalethes**
(Ferdinand Domela Nieuwenhuis; 1846-1919) Nederlands politicus. Domela Nieuwenhuis schreef in 1880 onder de pseudoniemen Philalethes en Criticus twee artikelen in het periodiek De Dageraad. Hij gebruikte tevens de schuilnamen Germanus en Dr. Sagittarius.

**Philemon**
(Betsy Perk; 1833-1906) Nederlands schrijfster. Perk schreef onder het pseudoniem Philemon *Twee voor een* (1881) en *Tense en haar huisgezin. Oorspronkelijke familieroman uit Spa* (1882). Zij gebruikte tevens de schuilnamen Liesbeth van Altena, C.E.P. van Delft en Elisabeth van Valkenburg.

**Phocius**
(Herman Robbers; 1868-1937) Nederlands schrijver. Robbers schreef in 1895 onder het pseudoniem Phocius de verhalen *Een kalverliefde*, *De vreemde plant* en *De verloren zoon.* Zijn latere romans, w.o. *De*

*bruidstijd van Annie de Boogh* (1901) en *Een mannenleven* (1919-27), verschenen onder eigen naam.

**Piaf, Edith**
(Edith Giovanna Gassion; 1915-1963) Frans zangers. Gassion verkocht miljoenen platen van liedjes als 'La vie en rose' (1946), 'Milord' (1960) en 'Non, je ne regrette rien' (1961).

**Pickford, Mary**
(Gladys Mary Smith; 1892-1979) Amerikaans actrice en producente van Canadese afkomst. Smith won in 1929 een Oscar voor haar hoofdrol in *Coquette.* Zij speelde o.a. ook in zo'n tachtig korte films van D.W. Griffith, w.o. *The New York hat* (1912). In 1975 kreeg zij een Oscar voor haar gehele oeuvre.

**Piekos, Peter**
(Pieter Koster; geb. 1918) Nederlands imitator. Koster was eind jaren veertig, begin jaren vijftig een van de belangrijkste medewerkers van het KRO-radioprogramma *Negen heit de klok.* Hierin voerde hij onder meer amusante gesprekken met Alexander Pola, waarbij de heren zich als kleine kinderen voordeden.

**Pierken**
(Richard Minne; 1891-1965) Vlaams dichter en schrijver. Minne was medeoprichter van het literair tijdschrift 't Fonteintje. Hij schreef onder het pseudoniem Pierken een populair humoristische kroniek 'De brieven van Pierken' in het satirische weekblad Koekoek. Deze kroniek werd later voortgezet in het periodiek Vooruit.

**Pieter Jelles**
(Pieter Jelles Troelstra; 1860-1930) Nederlands politicus, advocaat, schrijver en dichter. Troelstra was in 1894 de medeoprichter van de SDAP en was tot 1925 Tweede Kamerlid voor deze partij. Onder het pseudoniem Pieter Jelles publiceerde hij o.a. het pamflet *Fy, Lutsen. Iepen brief oan Dr. L.H. Wagenaar* (1885) en de dichtbundel *Fen liet en libben* (1910).

**Pike, Robert L.**
(Robert L. Fish; 1912-1981) Amerikaans schrijver. Fish schreef onder het pseudoniem Robert L. Pike politieromans rond luitenant Jim Rearde, zoals *Reardon* (1970; Een juweel van een ongeluk) en *Deadline 2 A.M.* (1976; Ontvoerd). Fish gebruikte tevens de schuilnaam A.C. Lamprey.

**Plafond, Jacques**
(Wim Theodoor Schippers; geb. 1942) Nederlands acteur, tv-maker en beeldend kunstenaar. Schippers presenteerde als Jacques Plafond van oktober 1984 tot januari 1991 wekelijks voor de VPRO het legendarische radioprogramma *Ronflonflon met Jacques Plafond*. Voor grafisch werk bediende Schippers zich van de schuilnaam K. Zedden jr. Hij gebruikte ook het pseudoniem Harko Wind.

**Plas, Michel van der**
(Bernardus Gerhardus Franciscus Brinkel; geb. 1927) Nederlands dichter en journalist. Brinkel schreef onder het pseudoniem Michel van der Plas o.a. de dichtbundels *Going my way* (1949) en *Korte metten* (1980).

**Platonov, Andrej Platonovitsj**
(Andrej P. Klimentov; 1899-1951) Russisch schrijver. Klimentov schreef onder het pseudoniem Andrej Platonovitsj Platonov o.a. de novellen *Sokrownnyi tsjelowjek* (1928; De verborgen mens) en *Semja Iwanowa* (1946; De thuiskomst).

**Poe, Edgar Allan**
(Edgar Poe; 1809-1849) Amerikaans schrijver en dichter. Poe werd geadopteerd door John Allan, wiens achternaam hij gebruikte voor zijn pseudoniem. Hij schreef ook onder de schuilnamen Gordon Pym en Julius Rodman.

**Pola, Alexander**
(Abraham Polak; 1914-1992) Nederlands schrijver en scenarioschrijver. Polak schreef onder het pseudoniem Alexander Pola o.a. met Chiem van Houweninge het scenario voor de tv-serie *Zeg 'ns AAA*.

Hij gebruikte ook de schuilnaam Ben Elders.

**Polet, Sybren**
(Sijbe Minnema; geb. 1924) Nederlands dichter en schrijver. Minnema behoort tot de Vijftigers. Hij schreef onder het pseudoniem Sybren Polet o.a. de romans *Breekwater* (1961), *Verboden tijd* (1964) en *Mannekino* (1968). Minnema gebruikte ook de schuilnaam Lokien Perdok.

**Pollard, Michael J.**
(Michael J. Pollack; geb. 1939) Amerikaans acteur. Pollack speelde o.a. in *Bonny and Clyde* (1967) en *Dick Tracy* (1990).

**Pontiac, Peter**
(Peter Pollmann; geb. 1951) Nederlands striptekenaar. Pollmann publiceerde o.a. in de jaren zeventig in het tijdschrift Tante Leny Presenteert de strips *What's life*, *Sincity showdown* en *The magic Messiah vs the Rafprince*.

**Pop, Iggy**
(James Osterburg; geb. 1947) Amerikaans zanger. Osterburg, de voormalig zanger van de punkgroep The Stooges scoorde in 1977 een met het nummer 'Lust for life'.

**Powers, Stefanie**
(Stefania Zofja Paul; geb. 1942) Amerikaans actrice. Paul speelde o.a. van 1979 tot 1984 Jennifer Hart in de tv-serie *Hart to Hart*. Paul gebruikt in haar privé-leven veelal de achternaam van een van haar Poolse voorouders, Federkiewicz.

**Praetvaer**
(Eduard M. Elias; 1900-1967) Nederlands journalist en jurist. Elias verzorgde van 1945 tot 1967 in Elseviers Weekblad als Praetvaer een column getiteld Praetvaria. Hij gebruikte ook de schuilnamen Edouard Bouquin, Bernard Buitenhof, Canteclaer, Doesji, Floris Flaneur, Hendrik Hagenaar, Peter Pienter, Rotoris en Tartarin.

**Praunheim, Rosa von**
(Holger Bernhard Mischwitzky; geb. 1942) Duits regisseur. Mischwitzky maakte o.a. *Ein Virus kennt keine Moral* (1986) en *Uberleben in*

*New York* (1990).

**Prevost, Marie**
(Mary Bickford Dunn; 1899-1937)
Canadees actrice. Dunn speelde o.a.
in de Ernst Lubitsch-films *The mar-
riage circle* (1924), *Three women*
(1924) en *Kiss me again* (1925).

**Price, Dennis**
(Dennistoun John Franklin Rose-
Price; 1915-1973) Engels acteur.
Rose-Price speelde met Alec Gui-
ness in *Kind hearts in coronets*
(1949). Hij is o.a. ook te zien in *A
Canterbury tale* (1944) van Michael
Powell and Emeric Pressburger.

**Priktol**
(Menno ter Braak; 1902-1940) Nederlands schrijver en essayist. In
1925 publiceerde Ter Braak in Propria Cures een gedicht getiteld
*Tweeërlei promotie*, dat hij met
Priktol ondertekende. Hij gebruikte
ook de schuilnamen Kurt Brennema, Murena, Thea Poortman, Sagittarius, Scissor en Baron zur Wüste.

**Prince**
(Prince Rogers Nelson; geb. 1958)
Amerikaans zanger en componist.
Nelson scoorde o.a. hits met 'Purple
rain' (1984), 'Alphabet street'
(1988), 'Batdance' (1989) en 'Thie-
ves in the temple' (1990).

**Principal, Victoria**
(Concettina Principale; geb. 1948)
Amerikaans actrice. Principale
speelde o.a. van 1978 tot 1987 Pa-
mela Ewing in de soap *Dallas*.

**Prins, Jan**
(Christiaan Louis Schepp; 1876-
1948) Nederlands dichter. Schepp
schreef onder het pseudoniem Jan
Prins o.a. de dichtbundels *Tochten*
(1911), *Getijden* (1917) en *Indische
gedichten* (1932). Onder de schuilnaam J.P. Born publiceerde hij verscheidene gedichten in het literair
tijdschrift De Beweging.

**Prins, Piet**
(Pieter Jongeling; 1909-1985) Nederlands politicus, schrijver en journalist. Jongeling was van 1963 tot
1977 Tweede Kamerlid voor de
GPV. Hij schreef onder het pseudoniem Piet Prins vele jeugdboeken,

zoals *Snuf de Hond* (1954), dat eerst
als feuilleton in het Gereformeerd
Gezinsblad was verschenen. Jongeling gebruikte ook de schuilnaam
A. Mos.

**Pro Pius**
(Kamiel van Baelen; 1915-1945)
Vlaams leraar en schrijver. Van
Baelen schreef onder het pseudo-
niem Pro Pius een Vlaams Filmke,
*Brammetje knapt het op*. Een
Vlaams Filmke was een wekelijks
verschijnend boekje voor de jeugd,
waarin één compleet verhaal stond
afgedrukt.

**Pronkheer, Serke**
(René Kurpershoek; geb. 1951) Nederlands vertaler. Kurpershoek vertaalde als Serke Pronkheer in 1990
het originele Engelse manuscript
van het polemische pamflet *De ondergang van Nederland* van Fatah
Zoka alias Mohamed Rasoel naar
het Nederlands.

**Proost, Mien**
(Hans M. Klomp; 1902-1987) Nederlands dichter. Klomp debuteerde
in 1929 met de bundel *Het middel-
baar onderwijs en andere gedichten*, die hij met Mien Proost ondertekende. Deze schuilnaam gebruikte
hij ook voor zijn tweede bundel, *Tot
slot* (1935). Plomp publiceerde tevens onder de pseudoniemen M.
Opstro en Kameraad Pijl-en-Boog.

**Prunier, Joseph**
(Guy de Maupassant; 1850-1893)
Frans schrijver. De Maupassant
schreef in 1875 onder het pseudoniem Joseph Prunier het verhaal *La
main d'écorché*.

**Quintana, Anton**
(Anton Adolf Kuyten; geb. 1937)
Nederlands schrijver. Kuyten
schreef onder het pseudoniem Anton Quintana o.a. de thriller *Het kil-
le ontwaken* (1969) en de jeugdro-
man *De bavianenkoning* (1983).

**Q.N.**
(Willem Johannes Theodorus
Kloos; 1859-1928) Nederlands
dichter. Kloos signeerde zijn kritieken in het weekblad De Nederlandsche Spectator (1879-81) met Q.N.
Hij gebruikte tevens de schuilnamen
G.G., G.S., N.Q., Sebastiaan Schaap
en Sebastiaan Senior. In 1885
schreef Kloos samen met Albert
Verwey het lyrisch epos *Julia, een
verhaal van Sicilië,* dat zij met het
pseudoniem Guido ondertekenden.

**Queen, Ellery**
De neven Frederic Dannay (1905-
1982) en Manfred Bennington Lee
(1905-1971) schreven ruim dertig
romans rond de detective Ellery
Queen, die zij ook met Ellery Queen
ondertekenden. Het Amerikaanse
schrijversduo publiceerde tevens
vier detectives over de dove speurder Drury Lane onder de schuilnaam Barnaby Ross.

**Quevedo Redivivus**
(George Gordon Byron; 1788-1824)
Engels dichter. Lord Byron schreef
onder eigen naam o.a. *Childe Harold's pilgrimage* (1812-1818) en
*Manfred* (1817). In 1822 publiceerde hij het gedicht *The vision of jud-
gement,* dat hij met Quevedo Redivivus ondertekende.

**Quinn, Freddy**
(Franz Eugen Helmut Manfred
Nidl-Petz; geb. 1931) Oostenrijks
zanger en acteur. Nidl-Petz verkocht
miljoenen platen van zijn schlagers.
In 1957 maakte hij zijn filmdebuut
met een rol in *Die grosse Chance.*
Hij speelde vervolgens in o.a. *Freddy – die Gitarre und das Meer*
(1959), *Freddy – und der Melodie
der Nacht* (1960) en *Freddy – und
das Lied der Prärie* (1964).

# R

**R.I.K.**
(Richard N. Roland Holst; 1868-1938) Nederlands schilder en schrijver. Roland Holst publiceerde onder het pseudoniem R.I.K. in De Nieuwe Groene Amsterdammer. Hij gebruikte tevens de schuilnaam Willem du Tour.

**Rabbé**
(Tim Krabbé; geb. 1943) Nederlands schrijver. Krabbé schreef onder het pseudoniem Rabbé een gedicht over flipperen in het studentenweekblad Propria Cures. Hij gebruikte tevens de schuilnamen Peter Brunel, Max Laadvermogen en Robert Rijs. C. Buddingh' schreef rond 1970 een column voor het tijdschrift Sport Expres, die hij met Zwik ondertekende. De rubriek werd na het vertrek van Buddingh' door Krabbé en Dick Ariese onder hetzelfde pseudoniem voortgezet. Een artikel dat Krabbé voor de achterpagina van De Nieuwe Linie had ingeleverd, werd tot zijn verbazing in de krant met Teun Urias ondertekend. De redactie had Krabbés moeilijk leesbare initialen onder de tekst ontcijferd als T.U. Zodoende kon men de oorsprong van deze bijdrage niet herleiden en bedachten de samenstellers van dit weekblad zelf maar een naam.

**Radek, Karl**
(Karl Sobelsohn; 1885-1937?) Russisch revolutionair. Sobelsohn verbleef tijdens de Eerste Wereldoorlog samen met Lenin in Zwitserland en begeleidde hem in 1917 op zijn tocht door Duitsland naar Rusland. Onder Stalin werd Sobelsohn naar Siberië verbannen.

**Raedt-de Canter, Eva**
(Anna Elizabeth de Vries-Mooy; 1900-1975) Nederlands schrijfster. De Vries-Mooy schreef onder het pseudoniem Eva Raedt-de Canter o.a. de romans Internaat (1930) en Vrouwengevangenis (1935).

**Raile, Arthur Lyon**
(Edward Perry Warren; 1860-1928) Amerikaans dichter. Warren publiceerde o.a. in 1903 de dichtbundel Itamos: volume of poems onder het pseudoniem Arthur Lyon Raile.

**Raimu**
(Jules Muraire; 1883-1946) Frans acteur. Muraire speelde o.a. de café-eigenaar César in de door Marcel Pagnol geregisseerde trilogie Marius (1931), Fanny (1932) en César (1936).

**Ramal, Walter**
(Walter John de la Mare; 1873-1956) Engels dichter en schrijver. De la Mare debuteerde in 1902 onder het pseudoniem Walter Ramal met de dichtbundel Songs of childhood. Zijn overige werk, w.o. de roman Henry Brockden (1904) en de dichtbundel Poems for children (1930), ondertekende hij met zijn eigen naam.

**Ramien, Dr. Med. Th.**
(Magnus Hirschfeld; 1868-1934) Duits seksuoloog. Hirschfeld publiceerde in 1896 onder het pseudoniem Dr. Med. Th. Ramien Sappho und Sokrates oder Wie wirklärt sich die Liebe der Männer und Frauen zu Personen des eigenen Geschlechts?

**Ramone, Joey**
(Jeffrey Hyman; geb. 1951) Amerikaans zanger. Jeffrey Hyman alias Joey Ramone richtte samen met Douglas Colvin (geb. 1951) alias Dee Dee Ramone, John Cummings (geb. 1948) alias Johnny Ramone en Tom Erdelyi (geb. 1952) alias Tommy Ramone de punkgroep The Ramones op. In 1978 werd drummer Tom Erdelyi vervangen door Marc Bell, die zich vervolgens Marky Ramone ging noemen. De band scoorde in 1980 een hit met 'Rock 'n'

roll high school'.

**Randall, Tony**
(Leonard Rosenberg; geb. 1920)
Amerikaans acteur. Rosenberg
speelde o.a. in verscheidene films
met Doris Day en Rock Hudson,
w.o. *Pillow talk* (1959), *Lover come
back* (1961) en *Send me no flowers*
(1964). Rosenberg was van 1970 tot
1975 Felix Unger in de tv-serie *The
odd couple*.

**Rasoel, Mohamed**
(Fatah Zoka; geb. 1951) Nederlands
entertainer van Pakistaanse afkomst.
In 1990 publiceerde Zoka onder de
schuilnaam Mohamed Rasoel het
polemisch pamflet *De ondergang
van Nederland*.

**Ravenswood, John**
(Jan Jacob Slauerhoff; 1898-1936)
Nederlands dichter en schrijver.
Slauerhoff signeerde een deel van
zijn oeuvre met E., J.E., Oidipus,
John Ravenswood, Sf., Van een va-
renden medewerker en X.Y.Z. On-
der het pseudoniem John Ravens-
wood publiceerde hij de dichtbundel
*Oost-Azië* (1928).

**Ravestein, Koen**
(Raf Verhulst; 1866-1941) Vlaams
schrijver en journalist. Verhulst was
hoofdredacteur van Het Vlaamsche
Nieuws. Hij schreef in 1892 onder
de schuilnaam Koen Ravestein in
Het Laatste Nieuws. In 1924 richtte
hij als Jan Terzake het blad De Kla-
re Daad op en in 1929 signeerde hij
met ditzelfde pseudoniem zijn brochure *Zijn de Belgische franc-ti-
reurs te Leuven en elders een legende?* Verhulst ondertekende zijn bijdragen aan de periodieken De Noor-
derklok (1926-32), Het Vlaamsche
Volk (1932-35) en Het Vlaamsche
Land (1935-37) met Antorf, Lukas,
Peerken en S.T. Rijder.

**Rawie, Jean Paul**
(Johannes van Dam; geb. 1946) Nederlands cultureel journalist. Medio
1990 publiceerde Van Dam in zijn
tweelijkse column 'De tafel van 1'
in het tijdschrift Elsevier een door
hem zelf geschreven sonnet in de
stijl van Jean Pierre Rawie getiteld

*De poëet eet*. Dit culinair gedicht
ondertekende Van Dam met het
pseudoniem Jean Paul Rawie.

**Ray, Man**
(Emmanuel Rudnitsky; 1890-1976)
Amerikaans beeldend kunstenaar.
Rudnitsky vestigde zich in 1921 in
Parijs, waar hij tot zijn dood zou
blijven wonen met uitzondering van
de periode 1940-51, die hij in zijn
geboorteland, de Verenigde Staten,
doorbracht. Rudnitsky bediende
zich van de meest uiteenlopende
technieken. Zo maakte hij o.a. schilderijen, tekeningen, collages, as-
semblages, ready mades, foto's en
films. Hij exposeerde in het voor-
oorlogse Parijs met de surrealisten
en is tevens samen met Marcel Du-
champ een der pioniers van het da-
daïsme.

**Ray, Nicholas**
(Raymond Nicholas Kienzle; 1911-
1979) Amerikaans regisseur.
Kienzle regisseerde o.a. *In a lonely
place* (1950) met Humphrey Bogart,
*Johnny Guitar* (1954) met Joan
Crawford en *Rebel without a cause*
(1955) met James Dean. Kienzle
maakte samen met Wim Wenders
een documentaire over zijn laatste
levensdagen onder de titel *Lightning
over water* (1980).

**Raye, Martha**
(Margaret Theresa Yvonne Reed;
geb. 1908) Amerikaans actrice en
zangeres. Reed speelde o.a. met
Charles Chaplin in *Monsieur Ver-
doux* (1947) en met Alain Delon en
Sylvia Kristel in *The Concorde:
Airport '79* (1979).

**Réage, Pauline**
(Dominique Aury; geb. 1907) Frans
schrijfster en journalist. Aury
schreef onder het pseudoniem Pauline Réage o.a. de sado-masochisti-
sche roman *Histoire d'O* (1954; Het
verhaal van O).

**Reed, Donna**
(Donna Belle Mullenger; 1921-
1986) Amerikaans actrice. Mullenger won in 1953 een Oscar voor
haar bijrol in *From here to eternity*.
Zij speelde, toen Barbara Geddes

van 1984 tot 1985 tijdelijk door ziekte geveld was, de rol van Miss Ellie Ewing in de soap *Dallas*.

**Reed, Lou**
(Louis Firbank; geb. 1942) Amerikaans zanger, gitarist en componist. Firbank, een voormalig lid van de groep The Velvet Underground, scoorde in 1973 een hit met 'Walk on the walk side'. Samen met John Cale werkte Firbank aan een requiem voor Andy Warhol, dat in 1989 onder de titel *Song for 'Drella* in Brooklyn, New York werd opgevoerd.

**Reeder, Théo**
(Israël Querido; 1872-1932) Nederlands schrijver, dichter en criticus. Querido publiceerde onder het pseudoniem Théo Reeder de bundels *Verzen* (1893) en *Gedichten* (1894). Hij gebruikte ook de schuilnaam Joost Verbrugge.

**Reil, E.**
(P.J. Vinken; geb. 1927) Nederlands uitgever. Vinken publiceerde tijdens zijn Utrechtse studententijd tijdschriftartikelen onder het pseudoniem E. Reil.

**Reinhardt, Max**
(Max Goldmann; 1873-1943) Oostenrijks acteur, regisseur en toneelleider. Goldmann is een van de belangrijkste vernieuwers van het theater van de twintigste eeuw. Tussen 1910 en 1914 organiseerde hij spectaculaire voorstellingen van stukken als *Oedipus Rex* en *Orestes* in Berlijnse en Weense circusgebouwen. Van 1915 tot 1918 leidde hij in Berlijn de Volksbühne en in 1920 richtte hij samen met Hugo von Hofmannsthal de Salzburger Festspiele op. Vanaf 1938 woonde hij in de Verenigde Staten, waar hij bleef regisseren, nog enkele films maakte en zijn zoveelste toneelschool leidde.

**Remarque, Erich Maria**
(Erich Paul Remark; 1897-1970) Amerikaans schrijver van Duitse afkomst. Remark schreef onder het pseudoniem Erich Maria Remarque o.a. *Im Westen nichts neues* (1929; Van het westelijk front geen nieuws).

**Renault, Mary**
(Mary Challans; 1905-1983) Engels schrijfster. Challans schreef onder het pseudoniem Mary Renault o.a. de romans *The king must die* (1958; De koning moet sterven) en *The bull from the sea* (1962). Zij publiceerde onder deze schuilnaam tevens een biografie over Alexander de Grote, *Fire from heaven* (1970; Vuur uit de hemel).

**Rengertsz, Jan**
(Jan Gommert Elburg; 1919-1992) Nederlands dichter. Elburg behoorde tot de Vijftigers. In 1944 publiceerde hij onder de schuilnaam Jan Rengertsz de dichtbundel *De distelbloem*.

**Renn, Ludwig**
(Arnold Friedrich Vieth von Golssenau; 1889-1979) Duits schrijver. Von Golssenau publiceerde onder het pseudoniem Ludwig Renn o.a. *Krieg* (1928) en *Nachkrieg* (1930).

**Resteau, Christophe**
(Andrew de Graaf; 1867-1945) Nederlands advocaat. De Graaf schreef in 1890 twee bijdragen voor het weekblad Propria Cures, die hij met M. Horniay en Christophe Resteau ondertekende.

**Reuter, Paul Julius Freiherr von**
(Israel Beer Josaphat; 1816-1899) Duits ondernemer. Josaphat stichtte in 1949 het vermaarde nieuwsagentschap Reuter.

**Reve, Gerard**
(Gerard Kornelis van het Reve; geb. 1923) Nederlands schrijver en dichter. Van het Reve publiceerde het grootste deel van zijn oeuvre onder de namen Gerard Reve en Gerard Kornelis van het Reve. Hij gebruikte ook de schuilnamen R.J. Gorré Mooses, Simon van het Reve, Darger Tavehernen en Herman Zeevaarder. Zo verschenen de eerste edities van *De avonden* (1947) en *Werther Nieland* (1949) onder het pseudoniem Simon van het Reve. In 1973 veranderde Van het Reve zijn achternaam officieel in Reve.

**Revis, M.**
(Willem Visser; 1904-1973) Nederlands schrijver en journalist. Visser schreef onder het pseudoniem M. Revis o.a. de romans *Gelakte hersens* (1934) en *Lampen langs de weg* (1967). Hij gebruikte tevens de schuilnaam Willem Terbunt.

**Rey, Fernando**
(Fernando Casado Arambillet Veiga; geb. 1915) Spaans acteur. Veiga speelde een hoofdrol in de Luis Buñuel-films *Tristana* (1970), *Le charme discret de la bourgeoisie* (1972) en *Cet obscur objet du désir* (1977). Hij is o.a. ook te zien in *The French Connection* (1971) en *The hit* (1984).

**Reynolds, Debbie**
(Mary Frances Reynolds; geb. 1932) Amerikaans actrice. Reynolds speelde in de musicals *Singin' in the rain* (1952), *I love Melvin* (1953) en *The singing nun* (1966). Zij is o.a. ook te zien in de cowboyfilm *How the West was won* (1962).

**Rhodes, Irene**
(Olga Rodenko; geb. 1924) Nederlands schrijfster. Rodenko publiceerde in 1944 in het tijdschrift Maecenas het verhaal *De joker en zijn spiegelbeeld*, dat zij met Irene Rhodes ondertekende.

**Rice, Elmer**
(Elmer Reizenstein; 1892-1967) Amerikaans toneelschrijver. Reizenstein schreef o.a. de toneelstukken *On trial* (1913), *The adding machine* (1923) en *Street scene* (1929), die hij met Elmer Rice ondertekende. In 1914 veranderde Reizenstein zijn naam officieel in Rice.

**Richard, Cliff**
(Harry Roger Webb; geb. 1940) Engels zanger en acteur. Webb scoorde tientallen hits, zoals 'Living doll' (1959), 'The young ones' (1962), 'Do you want to dance' (1962), 'Lucky lips' (1963), 'On the beach' (1964), 'Power to all our friends' (1973) en 'Some people' (1987). Als acteur is hij o.a. te zien in *The young ones* (1961), *Summer holiday* (1963) en *Wonderful life* (1964). In

1968 vertegenwoordigde Webb Groot-Brittannië op het Eurovisie Songfestival met het liedje 'Congratulations'.

**Richenel**
(Hubertus Richenel Baars; geb. 1957) Nederlands zanger. Baars scoorde o.a. in 1987 een hit met de nummers 'Dance around the world' en 'Temptation'.

**Riels, Steven**
(Paul de Vree; 1909-1982) Vlaams schrijver en dichter. De Vree schreef meestal onder eigen naam, maar gebruikte af en toe de pseudoniemen Hufe Macle, Frits Olivier, Oscar Rosa, Henrik Storm en Steven Riels. Onder laatstgenoemde schuilnaam publiceerde hij kort na de Tweede Wereldoorlog in het periodiek Golfslag.

**Rigter, Wim**
(Wim Boerrigter; geb. 1967) Nederlands discjockey. Boerrigter presenteerde van 1988 tot 1990 *VARA's Ochtendhumeur*. Hij is sinds januari 1991 programmaleider en discjockey bij Power FM.

**Rijsdijk, Mink van**
(Miep Wielenga-Quelle; geb. 1922) Nederlands schrijfster. Wielenga-Quelle schreef onder het pseudoniem Mink van Rijsdijk o.a. de romans *Liever geen bezoek. Geen bloemen... Maar daarna?* (1977) en *Moeder, je dochter aan de lijn, zegt vader* (1983).

**Ringelnatz, Joachim**
(Hans Bötticher; 1883-1934) Duits dichter en schrijver. Bötticher schreef onder het pseudoniem Joachim Ringelnatz o.a. de dichtbundels *Schnupftabaksdose* (1912) en *Kuttel Daddeldu* (1920).

**Rio, Dolores del**
(Maria Dolores Asunsolo Lopez; 1904-1983) Mexicaans actrice. Lopez, de weduwe van Jaime del Rio die twee keer hertrouwde met respectievelijk Cedric Gibbons en Lewis Riley, is zich tijdens haar filmcarrière immer Dolores del Rio blijven noemen. Zij is o.a. te zien in de westerns *The fugitive* (1947) en

*Cheyenne autumn* (1964), beide van John Ford.

**RIP**

(August Monet; 1875-1958) Vlaams journalist. Monet was vanaf 1897 hoofdredacteur van het dagblad De Nieuwe Gazet, waarin hij dagelijks zijn hoofdartikel signeerde met het pseudoniem RIP. Monet publiceerde tevens onder de schuilnaam Hapken.

**Ripley, Jack**

(John Wainwright; geb. 1921) Engels politieman en schrijver van misdaadromans. Wainwright, die het grootste deel van zijn oeuvre met zijn eigen naam signeerde, publiceerde *David doesn't live here any more* (1971), *The pig got up and slowly walked away* (1971), *My word you should have seen us* (1972) en *My God how the money rolls in* (1972) onder het pseudoniem Jack Ripley.

**Ritzerfeld, J.**

(Oscar Timmers; geb. 1931) Nederlands schrijver. Timmers schreef onder het pseudoniem J. Ritzerfeld o.a. de romans *Anima 'Je reinste film'* (1974), *De paardendief* (1979) en *De Poolse vlecht* (1982).

**Rixt**

(Hendrika Akke van Dorssen; geb. 1887-1979) Nederlands dichteres. Van Dorssen publiceerde onder het pseudoniem Rixt o.a. de dichtbundel *De gouden ridder* (1952).

**Robazki, Boris**

(Maurits Rudolph Joël Dekker; 1896-1962) Nederlands (toneel)schrijver. Dekker publiceerde in 1929 de roman *Waarom ik niet krankzinnig ben*, die hij met Boris Robazki ondertekende. Hij gebruikte tevens de pseudoniemen A. Bakels en Martin Redeke.

**Roberts, Robert**

(Jacob Israël de Haan; 1881-1924) Nederlands dichter en schrijver. De Haan publiceerde in 1901 poëzie in het tijdschrift De Gids, die hij met Robert Roberts ondertekende. Hij gebruikte tevens de schuilnaam Jitsgok ben Jangakauf.

**Robbins, Harold**

(Harold Rubin; geb. 1916) Amerikaans schrijver. Harold Rubin heette voordat hij door de familie Rubin geadopteerd werd Francis Kane. Hij schreef onder het pseudoniem Harold Robbins o.a. de romans *The dream merchants* (1948; De droomfabrikanten) en *The inheritors* (1969; De erfgenamen).

**Robbins, Marty**

(Martin Robinson; 1925-1982) Amerikaans countryzanger, gitarist en componist. Robinson scoorde een hit met o.a. 'Singin' the blues' (1953) en 'Devil woman' (1962).

**Roberts, Chris**

(Christian Klusacek; geb. 1945) Duits zanger. Klusaseck scoorde hits met schlagers als 'Ich bin verliebt in die Liebe' (1971) en 'Mein Schatz du bist'ne Wucht' (1973).

**Robertino**

(Robertino Loreti; geb. 1948) Italiaans zanger. Loreti oogstte veel succes met liedjes als 'Mama' (1961) en 'O sole mio' (1961).

**Robinson, Edward G.**

(Emmanuel Goldenberg; 1893-1973) Amerikaans acteur. Goldenberg vertolkte de titelrol in de gangsterfilm *Little Caesar* (1930). Nadat hij in de Fritz Lang-films *The woman in the window* (1944) en *Scarlet Street* (1945) gespeeld had, acteerde hij onder regie van Orson Welles in *The stranger* (1946). Goldenberg is tevens te zien met Humphrey Bogart in *Key Largo* (1948), met Shirley Maclaine in *My geisha* (1962) en met Steve McQueen in *The Cincinnati Kid* (1965).

**Robson, May**

(Mary Jeanette Robison; 1858-1942) Amerikaans actrice van Australische afkomst. De in Engeland, België en Frankrijk opgeleide actrice Robison legde zich toe op het vertolken van karakterrollen. Zij is o.a. te zien in Frank Capra's *Lady for a day* (1933), in George Cukors *Dinner at eight* (1933) en in Howard Hawks' *Bringing up baby*

(1938). In *Anna Karenina* (1935) en *A star is born* (1937) speelde zij respectievelijk met Greta Garbo en Janet Gaynor.

**Rogers, Ginger**
(Virginia Katherine McMath; geb. 1911) Amerikaans actrice en danseres. McMath won in 1940 een Oscar voor haar rol in *Kitty Foyle*. Zij speelde o.a. in een tiental musicals met danspartner Fred Astaire, w.o. *Top hat* (1935), *Swing time* (1936) en *Shall we dance* (1937).

**Rogers, Roy**
(Leonard Slye; geb. 1912) Amerikaans acteur. Slye speelde in vele westerns terwijl hij regelmatig een lied ten gehore bracht. Zo is hij te zien in o.a. *The Arizona kid* (1939), *King of the Cowboys* (1943) en *My pal Trigger* (1946).

**Roggen, André**
(Jos Ghijsen; geb. 1926) Vlaams schrijver. Ghijsen schreef onder het pseudoniem André Roggen een aantal jeugdromans, w.o. *Elk hart heeft gouden vleugels* (1953).

**Rohmer, Eric**
(Jean-Maurice Scherer; geb. 1920) Frans regisseur. Scherer maakte tussen 1962 en 1972 een serie liefdesdrama's getiteld *Six contes moraux*. Vervolgens regisseerde hij o.a. *Le beau mariage* (1982), *Les nuits de la pleine lune* (1984) en *Conte de printemps* (1990).

**Rohmer, Sax**
(Arthur Sarsfield Ward; 1883-1959) Engels schrijver. Ward schreef onder het pseudoniem Sax Rohmer een aantal misdaadverhalen rond Dr. Fu Manchu, zoals *The insidious Dr. Fu Manchu* (1913), *The trail of Fu Manchu* (1934) en *The shadow of Fu Manchu* (1948). Hij gebruikte ook de schuilnaam Michael Furey.

**Romains, Jules**
(Louis-Henri-Jean Farigoule; 1885-1972) Frans (toneel)schrijver en dichter. Farigoule schreef onder het pseudoniem Jules Romains o.a. de romancyclus *Les hommes de bonne volonté* (1932-47). In 1946 trad hij toe tot de Académie française. Hij

was tevens voorzitter van de internationale PEN-club.

**Romance, Viviane**
(Pauline Ronacher Ortmanns; geb. 1909) Frans actrice en producente. Ortmanns, die naast Jean Gabin in *La belle équipe* (1936) speelde, vertolkte in 1942 de titelrol in *Carmen*. Zij is o.a. ook te zien in *Nada* (1973) van Claude Chabrol.

**Romijn Meijer, Henk**
(Henk Meijer; geb. 1929) Nederlands schrijver. Meijer schreef onder het pseudoniem Henk Romijn Meijer o.a. *Lieve zuster Ursula* (1969) en *Stampende mussen* (1980).

**Ronns, Edward**
(Edward S. Aarons; 1916-1975) Amerikaans schrijver en journalist. Aarons schreef onder het pseudoniem Edward Ronns o.a. de misdaadromans *The corpse hangs high* (1939), en *Death is my shadow* (1957). Hij gebruikte tevens de schuilnaam Paul Ayres.

**Roobjee**
(Dirk Jozef de Vilder; geb. 1945) Vlaams schrijver en schilder. De Vilder schreef onder het pseudoniem Roobjee o.a. de romans *De nachtschrijver* (1966) en *Vincent en Astrid van Gogh verdwijnen in een korenveld* (1977).

**Rooney, Micky**
(Joe Yule; geb. 1920) Amerikaans acteur. Yule maakte op zesjarige leeftijd zijn filmdebuut als lilliputter in *Not to be trusted* (1927). Hij speelde vervolgens in tientallen films, meestal een wees of een schoffie. Tot 1932 noemde de kinderster zich Mickey McGuire. Daarna trad hij op onder de artiestennaam Micky Rooney. Hij is o.a. te zien in *A family affair* (1936), *Huckleberry Finn* (1939), *The bold and the brave* (1956), *The black Stallion* (1979) en *My heroes have always been cowboys* (1991). In 1960 regisseerde Yule samen met Albert Zugsmith *The private lives of Adam and Eve*, waarin hij tevens als acteur te zien is.

**Rosicrux**
(William Butler Yeats; 1865-1939)
Iers dichter en schrijver. Yeats publiceerde in 1899 het artikel 'High crosses of Ireland' in de Dublin Daily Express, dat hij met Rosicrux ondertekende. Onder eigen naam schreef hij o.a. de dichtbundel *The wind among the reeds* (1899) en het versdrama *Deirdre* (1907). In 1923 kreeg Yeats de Nobelprijs voor literatuur. Hij gebruikte tevens de schuilnaam Ganconagh.

**Rossen, Robert**
(Robert Rosen; 1908-1966) Amerikaans regisseur, scenarioschrijver en producent. Rosen won in 1949 een Oscar voor de produktie van de tevens door hem geregisseerde *All the king's men*. De film werd voor zes Oscars genomineerd. Tijdens het bewuste gala konden ook de hoofd- en bijrolspelers Broderick Crawford en Mercedes McCambridge een Oscar in ontvangst nemen. Rosen maakte verder o.a. *Body and soul* (1947), een film die zich afspeelt in en rond de boksring, en *The hustler* (1961), welke de kijker meevoert naar rokerige biljartlokalen.

**Ross, Tomas**
(Willem Hogendoorn; geb. 1944) Nederlands schrijver. Hogendoorn schreef onder het pseudoniem Tomas Ross o.a. de thrillers *De honden van verraad* (1980), *Van koninklijken bloede* (1982), *De moordmagnaten* (1982) en *De ingewijden* (1992).

**Rothko, Mark**
(Marcus Rothkovitsj; 1903-1970) Amerikaans schilder van Russische afkomst. Vanaf 1947 maakte Rothkovitsj met name volumineuze schilderijen met horizontaal geplaatste en niet scherp afgebakende kleurvlakken. Hij was een van de meest invloedrijke abstracte kunstenaars in het naoorlogse Amerika.

**Rotten, Johnny**
(John Joseph Lydon; geb. 1956) Engels zanger. Lydon bediende zich in de periode dat hij optrad als lead-zanger van The Sex Pistols van de artiestennaam Johnny Rotten. Deze punkband viel in 1978 uiteen. Als lid van de nog datzelfde jaar opgerichte groep Public Image Limited, oftewel PiL, zag Lydon af van het gebruik van een schuilnaam.

**Rouveroy, Dorna de**
(Dorne Xandre van Rouveroy van Nieuwaal; geb. 1951) Nederlands regisseuse. Van Rouveroy van Nieuwaal maakte in 1991 onder de schuilnaam Dorna de Rouveroy de horrorfilm *Intensive care* (1991) met George Kennedy, Koen Wauters en Nada van Nie. Zij regisseerde o.a. ook de clips van de popgroep Normaal. Van Rouveroy van Nieuwaal gebruikte in de loop van haar carrière tevens de pseudoniemen Dorna X. van Rouveroy en D. van Nieuwaal.

**Rouveroy, Robert**
(Emile Leonardus van Rouveroy van Nieuwaal; geb. 1927) Canadees cameraman van Nederlandse afkomst. Van Rouveroy van Nieuwaal werkte als cameraman o.a. voor Polygoon, Pathé, BBC en CBS. Voor deze laatste organisatie werkte hij o.m. in Korea, Biafra, Bangladesh, Vietnam en Nicaragua. Hij verzorgde tevens de special video effects voor o.a. *Videodrome* (1981) van David Cronenberg.

**Ruen Delfra Sui**
(Jacques Perk; 1859-1881) Nederlands dichter. Perk publiceerde in de *Amsterdamse studentenalmanak 1879* onder het pseudoniem Ruen Delfra Sui een gedicht getiteld *Koekkoek één zang*.

**Ruman, Sig**
(Siegfried Albon Rumann; 1884-1967) Duits acteur. Rumann speelde o.a. met The Marx Brothers in *A night at the opera* (1935), met Greta Garbo in *Ninotchka* (1939), met Gary Grant in *Only angels have wings* (1939) en met Bing Crosby in *White Christmas* (1954). Hij is tevens te zien in Ernst Lubitsch' *To be or not to be* (1942) en in Billy Wilders *Stalag 17* (1953).

**Ruysbeek, Erik van**
(Raymond van Eyck; geb. 1915)
Vlaams dichter en essayist. Van
Eyck publiceerde onder het pseudoniem Erik van Ruysbeek o.a. de
dichtbundels *Weerklank* (1948),
*Van de aarde die ook hemel is*
(1963) en *Tussen bron en monding*
(1970).

**Ruyslinck, Ward**
(Raymond Karel Maria de Belser;
geb. 1929) Vlaams dichter en schrijver. De Belser schreef onder het
pseudoniem Ward Ruyslinck o.a. de
romans *Wierook en tranen* (1958),
*Het reservaat* (1964) en *De sloper
in het slakkenhuis* (1977) en de verhalenbundel *De madonna met de
buil* (1959). Hij gebruikte tevens de
schuilnamen Kroksteen en Barnt
Rouislink.

**Ryder, Jonathan**
(Robert Ludlum; geb. 1927) Amerikaans thrillerschrijver. Ludlum
schreef onder het pseudoniem Jonathan Ryder *Cry of the Halidon*
(1975; Het Halidon komplot). Hij
gebruikte ook de schuilnaam Michael Shepherd.

**Saaije C. Jzn., A.**
(C.J. Aarts; geb. 1947) Nederlands
uitgever. Aarts schreef onder het
pseudoniem A. Saaije C. Jzn. 'Open
brief aan den lezer' in *Aarts' Letterkundige Almanak voor het De Nieuwe Gidsjaar 1885/1985*.

**Sabu**
(Sabu Dastagir; 1924-1963) Indiaas
acteur. Dastagir speelde o.a. een
hoofdrol in *Elephant boy* (1937),
*The thief of Bagdad* (1940) en *The
jungle book* (1942).

**Sade**
(Helen Folsade Adu; geb. 1960) Engels zangeres van Nigeriaanse afkomst. Adu verkocht van haar debuut-LP 'Diamond life' (1984) acht
miljoen exemplaren en had ook veel
succes met de nummers 'When I'm
going to make a living' (1984),
'Smooth operator' (1984), 'Hang on
to your love' (1984) en 'The swee-
test taboo' (1985).

**Sadeleer, C.N. de**
(Thomas Rap; geb. 1933) Nederlands uitgever en schrijver. Rap
schreef onder het pseudoniem C.N.
de Sadeleer *En in de verte bast een
hofhond...* (1973) en *De koningsrei-
ger* (1975). Hij gebruikte tevens de
schuilnamen Helen d'Ablaing van
Bergen, Molly Mof, Tante Odile en
Guus Olierook.

**Sagan, Françoise**
(Françoise Quoirez; geb. 1935)
Frans schrijfster. Quoirez schreef
onder het pseudoniem Françoise Sagan o.a. de romans *Bonjour tristesse*
(1954), *Un certain sourire* (1956;
Een verre glimlach) en *Des yeux de
soie* (1976; Ogen van zijde).

**Sagitta**
(John Henry Mackay; 1864-1933)

Duits dichter en schrijver. Mackay publiceerde zijn gehele oeuvre onder de schuilnaam Sagitta, latijn voor pijl. Hij schreef o.a. de romans *Die Anarchisten* (1891) en *Der Schwimmer* (1901; Sport en liefde). In 1905 begon Mackay aan een serie boeken, waarin de liefde tussen mannen en opgroeiende knapen beschreven werd: *Sagitta's Bücher der namenlosen Liebe*. Drie jaar later nam de Duitse staat de inmiddels verschenen delen één en twee in beslag. De uitgever, Bernhard Zack, die echter standvastig weigerde om de ware naam van zijn auteur te noemen, werd veroordeeld tot het betalen van een boete voor het verspreiden van ontuchtige geschriften.

**Saint-John Perse**

(Marie René Auguste Alexis Saint-Léger Léger; 1887-1975) Frans dichter en diplomaat. Saint-Léger Léger schreef onder het pseudoniem Saint-John Perse o.a. de poëziebundels *Anabase* (1924), *Exil* (1942) en *Vents* (1946). In 1960 kreeg hij de Nobelprijs voor literatuur.

**Sakall, S.Z.**

(Jenö Gerö; 1882-1955) Hongaars acteur. Gerö is te zien in *Yankee Doodle Dandy* (1942) van Michael Curtiz. Hij speelde o.a. ook met Humphrey Bogart in zowel *Casablanca* (1942) als *Thank your lucky stars* (1943).

**Saki**

(Hector Hugh Munro; 1870-1916) Engels schrijver. Munro schreef onder het pseudoniem Saki o.a. de verhalenbundels *Reginald in Russia* (1904), *The chronicles of Clovis* (1912) en *Beasts and superbeasts* (1914).

**Salten, Felix**

(Siegmund Salzmann; 1869-1945) Oostenrijks schrijver, journalist en toneelcriticus. Salzmann schreef onder het pseudoniem Felix Salten o.a. *Bambi* (1923) en *Bambis Kinder* (1940). Het hertje Bambi uit voornoemde boeken staat centraal in de naar dit karakter genoemde Walt Disney-film uit 1942.

**Sand, George**

(Amandine Lucile Aurore Dupin; 1804-1876) Frans schrijfster. Dupin schreef onder het pseudoniem George Sand o.a. *Le meunier d'Angibault* (1845; De molenaar van Angibault) en *La mare au diable* (1846; De duivelspoel).

**Sanda, Dominique**

(Dominique Varaigne; geb. 1948) Frans actrice. Varaigne speelde in *Une femme douce* (1969) van Robert Bresson. Zij is o.a. ook te zien in *Il conformista* (1970) en in *Novecento* (1976), beide van Bernardo Bertolucci.

**Sanders, Frank**

(Franklin Fonseca Balinge; geb. 1946) Nederlands kleinkunstenaar, choreograaf en danser. Balinge werkte tot 1971 met Jasperina de Jong aan verscheidene shows, zoals *Sweet Charity*. In die tijd richtte hij een eigen cabaretgezelschap op, Tekstpiërement, waarbij later ook zijn levenspartner Jos Brink kwam werken. Samen maakten zij o.a. de musical *Revue, Revue* (1991).

**Santhorst, Arent van**

(Jaap van Leeuwen; 1892-1978) Nederlands ambtenaar. Van Leeuwen schreef onder het pseudoniem Arent van Santhorst in de tijdschriften Levensrecht (1940, 1946-48) en Vriendschap (1949-64). Hij hanteerde deze schuilnaam ook als bestuurslid van de Shakespeare Club (1948). De Shakespeare Club is de voorloper van het COC.

**Saskia**

(Trudy van den Berg; geb. 1947) Nederlands zangeres. Van den Berg scoorde met haar levenspartner Ruud Schaap (geb. 1946) alias Serge vanaf het begin van de jaren zeventig vele hits. Zo behaalde het duo Saskia & Serge in december 1980 een zesde plaats in de Top 40 met het door hen zelf gecomponeerde liedje 'Mama he's a soldier now'.

**Sauwer, Monika**

(Yolande Nusselder; geb. 1946) Nederlands schrijfster. Nusselder schreef onder het pseudoniem Monika Sauwer o.a. de verhalenbundel *Mooie boel* (1978) en de roman *De nabestaanden* (1988).

**Savage, John**
(John Youngs; geb. 1949) Amerikaans acteur. Youngs speelde o.a. in *The deer hunter* (1978), *Hair* (1979), *Do the right thing* (1989) en *The godfather part III* (1990).

**Saxon, John**
(Carmen Orrico; geb. 1935) Amerikaans acteur. Orrico speelde met Robert Redford zowel in *War hunt* (1962) als in *The Electric Horseman* (1979). Hij is o.a. ook te zien in de western *Death of a gunfighter* (1969) en in de horrorfilm *A nightmare on Elmstreet* (1984).

**Sayer, Leo**
(Gerard Hugh Sayer; geb. 1948) Engels zanger. Sayer scoorde een hit met o.a. 'Long tall glasses' (1974), 'You make me feel like dancing' (1976), 'When I need you' (1976), 'More than I can say' (1980) en 'Orchard Road' (1983).

**Scala, Gia**
(Giovanna Scoglio; 1935-1972) Engels actrice van Iers-Italiaanse afkomst. Scoglio speelde o.a. in Douglas Sirks *All that heaven allows* (1955) en in de oorlogsfilm *The guns of Navarone* (1961).

**Schaus, Itzik**
(Igor Cornelissen; geb. 1935) Nederlands journalist. Cornelissen, vanaf 1962 redacteur bij Vrij Nederland, schrijft artikelen over jazz in VN onder het pseudoniem Itzik Schaus. Dezelfde schuilnaam hanteerde Cornelissen in 1988 voor zijn stuk over Billy Holiday in het feministische maandblad Opzij. Rond 1958 publiceerde Cornelissen revolutionaire poëzie in het periodiek Politeia van de gelijknamige socialistische studentenvereniging. Hij signeerde deze gedichten met Fuzzy Farrar. Begin jaren zestig schreef Cornelissen onder de schuilnamen Vincente Fuentes, Willem Varekamp, G.B.L., G. van der Sluis en Leen Kempers maandelijks in het trotskistische tijdschrift De Internationale. In dezelfde periode schreef Cornelissen als J. Kleyn een verhandeling over Suriname voor het communistische periodiek De Brug en als W. v.d. Steen, een jong vakbondskaderlid met een kritische instelling, een beschouwing over loon- en prijsontwikkeling voor het blad De Nieuwe Geboort.

**Scheherazade**
(Wilhelmina Racké-Noordijk; geb. 1914) Nederlands schrijfster. Racké-Noordijk schrijft wekelijks een rubriek getiteld 'Cocktail' voor het damesblad Libelle, die zij met Scheherazade ondertekent. Haar romans, w.o. *Bidden in een theedoek* (1972) en *Mijn ei en ik* (1976), signeerde zij met Maria Oomkes.

**Schieland, Willem van**
(Willem Adriaan Wagener; 1901-1968) Nederlands schrijver en journalist. Wagener publiceerde in 1944 de dichtbundel *Verkort front*, die hij met Willem van Schieland ondertekende.

**Schippers, K.**
(Gerard Stigter; geb. 1936) Nederlands dichter en schrijver. Stigter publiceerde onder het pseudoniem K. Schippers o.a. de romans *Beweegredenen* (1982) en *Een liefde in 1947* (1985). In 1970 schreef hij samen met Guus Luijters voor Propria Cures een venijnig portret van Jaco Groot, de naaste medewerker van Thomas Rap. Dit met G.W. Dekker gesigneerde stuk verscheen als deel één van de nooit verder uitgebouwde serie 'In de marge van de roem'. Geruime tijd later interviewde Theun de Winter Dekker voor Playboy. Het artikel werpt enig licht op de carrière van deze aan het brein van Luijters en Stigter ontsproten figuur. 'Na de kweekschool voor onderwijzers, -essen belandde Zaankanter G.W. (Gerard) Dekker, via de journalistiek, in de reclame en verdient aldaar thans zijn sporen.' In het vraaggesprek staat Dekkers valiumverslaving centraal. Stigter gebruikte tevens de schuilna-

men J. Kameroen en Cas de Vries.

## Schneider, Romy

(Rosemarie Magdalene Albach-Retty; 1938-1982) Oostenrijks actrice. Albach-Retty speelde de titelrol in *Sissi* (1955), in *Sissi, die junge Kaiserin* (1956) en in *Sissi – Schicksalsjahre einer Kaiserin* (1957). Zij is ook te zien in Orson Welles' *The trial* (1962), in Luchino Visconti's *Ludwig* (1972) en in Joseph Loseys *L'Assassinat de Trotsky* (1972).

## Schön, Wilhelm

De Nederlandse dichter/publicist Willem Jan Otten (geb. 1951) schreef samen met de musicoloog Elmer Schönberger (geb. 1950) onder het pseudoniem Wilhelm Schön van 1977 tot en met 1982 operakritieken voor Vrij Nederland, die werden verzameld in de bundel *Ik lach bij het zien* (1982). In 1973 componeerde Schönberger een sonate voor piano, die hij met Balthasar Beaumont signeerde. Otten schreef tevens onder de schuilnaam Victor Blaauw.

## Schoolmeester, de

(Gerrit van der Linde; 1808-1858) Nederlands dichter. Van der Linde, die zijn dagen sleet als hoofd van een Engels internaat, schreef vele humoristische verzen onder het pseudoniem de Schoolmeester. Een deel van zijn oeuvre werd kort na zijn dood gepubliceerd in een door Jacob van Lennep samengestelde bundel getiteld *Gedichten van den Schoolmeester* (1859).

## Schröder, J.Ph.

(Ischa Meijer; geb. 1943) Nederlands journalist en schrijver. In NRC Handelsblad van 2 november 1984 verscheen een interview met Ischa Meijer, dat hij echter zelf geschreven had onder het pseudoniem J.Ph. Schröder. Hij gebruikte ook de schuilnaam Bavinck.

## Schuit, Okko

(Jan Andries Blokker; geb. 1927) Nederlands journalist en publicist. Blokker schreef in 1955 het jongensboek *Handschrift gevonden. Een vreemd avontuur van twee*

*H.B.S.-ers,* dat hij met Okko Schuit ondertekende. Als student Nederlands schreef Blokker samen met zijn studiegenoot Bob de Graaf Bierbrauwer (geb. 1927) onder het pseudoniem Ardo Flakkeberg de jeugdromans *De verdwenen treiler* (1951) en *Jongens helpen in de nood* (1953). Blokker gebruikte tevens de schuilnaam Drs. E.J. Diepgrondt.

## Schuringa, Ir. H.A.

(Martin van Amerongen; geb. 1941) Nederlands journalist en publicist. Van Amerongen publiceerde onder het pseudoniem Ir. H.A. Schuringa *De brieven van Ir. H.A. Schuringa* (1981) en *De mens centraal: vraaggesprekken* (1984). Begin jaren zestig schreef Van Amerongen als J.H. van Renswoude enkele stukjes in Rood Nieuws, het maandblad van de PvdA- afdeling Transvaal-Oosterpark in Amsterdam. Hij recenseerde onder deze schuilnaam met name eigen werk.

## Scott, Gordon

(Gordon Michael Werschkul; geb. 1927) Amerikaans acteur. Werschkul speelde o.a. in de jaren vijftig de hoofdrol in een aantal Tarzan-films, w.o. *Tarzan's hidden jungle* (1955), *Tarzan's fight for life* (1958) en *Tarzan's greatest adventure* (1959).

## Scott, Raymond

(Harry Warnow; geb. 1910) Amerikaans pianist, dirigent en componist. De jazzmusicus Warnow had o.a. veel succes met zijn liedjes 'Toy trumpet' (1937) en 'Tired little teddy bear' (1944).

## Scott, Tony

(Peter van den Bosch; geb. 1971) Nederlanse zanger. De uit Suriname afkomstige Amsterdamse rapper had niet alleen in Holland maar ook in de Verenigde Staten veel succes met o.a. zijn debuut-CD 'The chief' (1989), die in Amerika onder de titel 'That's how I'm living' werd uitgebracht.

## Sedges, John

(Pearl Sydenstricker Buck; 1892-1973) Amerikaans schrijfster. Buck schreef onder het pseudoniem John Sedges o.a. *The townsman* (1952).

**Seele, Herr**
(Peter van Heirseele; geb. 1959) Vlaams pianostemmer, kunstenaar, striptekenaar en komiek. Van Heirseele maakte o.a. in 1989 en 1991 met Luc Zeebroek alias Kamagurka een serie absurd komische tv-programma's onder de titel *Lava*.

**Seféris, Yórgos**
(Yórgos Seferiádes; 1900-1971) Grieks dichter en diplomaat. Seferiádes schreef onder het pseudoniem Yórgos Seféris o.a. de dichtbundels *Strophe* (1931) en *I kichli* (1947). Een deel van zijn poëzie werd in het Nederlands vertaald en gebundeld in *Gedichten* (1965) en *Houd op de zee te zoeken* (1973). In 1963 kreeg Seferiádes de Nobelprijs voor literatuur.

**Seghers, Anna**
(Netty Radványi-Reiling; 1900-1983) Duits schrijfster. Radvanyi-Reiling schreef onder het pseudoniem Anna Seghers o.a. de roman *Das siebte Kreuz* (1942; Het zevende kruis) en de verhalenbundel *Das licht auf dem Galgen* (1961).

**Selfkicker, Johnny the**
(Johan van Doorn; 1944-1991) Nederlands schrijver en dichter. De voordrachtskunstenaar Van Doorn bediende zich voor zijn optredens o.a. van de pseudoniemen Electric Goebbels, Electric Jesus, Meester van de Chaos en Johnny the Selfkicker.

**Seymour, Jane**
(Joyce Frankenberg; geb. 1951) Engels actrice. Frankenberg speelde o.a. in de James Bond-film *Live and let die* (1973).

**Shakin' Stevens**
(Michael Barratt; geb. 1948) Engels zanger. De rocker Barratt had succes met nummers als 'This ole house' (1981), 'Green door' (1982) en 'Oh Julie' (1983).

**Sharif, Omar**
(Michel Shalhoub; geb. 1932) Egyptisch acteur en schrijver. Shalhoub speelde o.a. in *Lawrence of Arabia* (1962) en in *Doctor Zhivago* (1965), beide van David Lean.

**Shaw, Brian**
(Edwin Charles Tubb; geb. 1919) Engels schrijver van SF-romans. Tubb was medeoprichter van de Britse Science Fiction Association en redacteur van Authentic Science Fiction. Hij schreef zijn eerste boeken onder pseudoniem en zijn latere werk voornamelijk onder eigen naam. Zo publiceerde hij de romans *Saturn patrol* (1951), *Argentis* (1952) en *Alien universe* (1952) respectievelijk onder de schuilnamen King Lang, Brian Shaw en Volsted Gridban. De serie verhalen over geheim agent Cap Kennedy, zoals *Galaxy of the lost* (1973), signeerde hij met Gregory Kern. Tubb gebruikt o.a. ook de pseudoniemen Chuck Adams, Jud Cary, James S. Farrow, Charles Grey, Gill Hunt, Paul Schofield, Roy Sheldon, Edward Thomson, Douglas West en Eric Wilding.

**Shaw, Sandie**
(Sandra Goodrich; geb. 1947) Engels zangeres. In 1967 vertegenwoordigde Goodrich Groot-Brittannië op het Eurovisie Songfestival met het liedje 'Puppet on a string'.

**Shearer, Moira**
(Moira King; geb. 1926) Engels actrice en danseres. King speelde o.a. een hoofdrol in *The red shoes* (1948) en *Tales of Hoffman* (1951) van het regisseursduo Michael Powell en Emeric Pressburger.

**Sheen, Charlie**
(Carlos Estevez; geb. 1965) Amerikaans acteur. Estevez speelde o.a. in Oliver Stone's *Platoon* (1987), in de actiefilm *Navy seals* (1990) en in Clint Eastwoods *The Rookie* (1990). Verder is hij met zijn vader Martin Estevez alias Martin Sheen te zien in *Wall Street* (1987) en *Beverly Hills brats* (1989).

**Sheen, Martin**
(Ramon Estevez; geb. 1940) Amerikaans acteur. Estevez speelde o.a. in *Apocalypse now* (1979), *Gandhi* (1982), *The believers* (1987) en *Wall Street* (1987).

**Sherry**
(Omer Karel de Laey; 1876-1909)
Vlaams dichter en schrijver. De
Laey schreef onder eigen naam o.a.
de dichtbundels *Flandria illustrata*
(1905) en *Bespiechelingen* (1907).
Tijdens zijn studententijd publiceerde hij stukjes onder de pseudoniemen Sherry en Alta Leda in o.a. het
tijdschrift Ons Leven.

**Shirley, Anne**
(Dawn Evelyeen Paris; geb. 1916)
Amerikaans actrice. Paris speelde
aanvankelijk onder het pseudoniem
Dawn O'Day. Zo staat zij ook op de
titels van bijvoorbeeld *City girl*
(1930) van F.W. Murnau. Vanaf
1934 noemde zij zich Anne Shirley.
Zij is o.a. te zien in *Anne of Green
Gables* (1934), *Steamboat round the
bend* (1935) en *Stella Dallas*
(1937).

**Shrinivasi**
(Martinus H. Lutchman; geb. 1926)
Surinaams dichter en onderwijzer.
Lutchman publiceerde onder het
pseudoniem Shrinivasi o.a. de dichtbundels *Dilikar. Teken van het hart*
(1970) en *Oog in oog. Frente a
frente* (1974).

**Shuman, René**
(René Schumans; geb. 1967) Nederlands zanger. Schumans verwierf
landelijke bekendheid doordat hij
met het imiteren van Elvis Presley
in de finale van de Soundmixshow
belandde. In 1986 scoorde hij zijn
eerste twee hits met 'But where my
love' en 'Lonely girl'.

**Shute, Nevil**
(Nevil Shute Norway; 1899-1960)
Engels schrijver en vliegtuigbouw-
kundige. Norway schreef onder het
pseudoniem Neville Shute o.a. de
romans *Pied piper* (1942), *A town
like Alice* (1950) en *The rainbow
and the rose* (1958).

**Sick Sack**
(Bertus Aafjes; geb. 1914) Nederlands dichter en journalist. Aafjes
schreef in 1946 onder het pseudoniem Sick Sack *Warenhuis wankelt*.
Hij gebruikte ook de schuilnaam Jan
Oranje.

**Sid, Nathan**
(Adriaan van Dis; geb. 1946) Nederlands publicist en tv-presentator.
Op 14 april 1978 publiceerde Van
Dis in NRC Handelsblad onder het
pseudoniem Nathan Sid een gedicht
getiteld *Drie disticha*. Nathan Sid is
de naam van de eerste novelle van
Van Dis uit 1983.

**Sidney, Sylvia**
(Sophia Kosow; geb. 1908) Ameri-
kaans actrice. Kosow speelde o.a. in
Fritz Langs *Fury* (1936), in Alfred
Hitchcocks *Sabotage* (1936), in
William Wylers *Dead end* (1937) en
in Wim Wenders' *Hammett* (1982).

**Signoret, Simone**
(Simone Henriette Charlotte Kamin-
ker; 1921-1985) Frans actrice. Ka-
minker won in 1958 een Oscar voor
haar hoofdrol in *Room at the top*.
Zij speelde o.a. ook in *La ronde*
(1950), *Casque d'or* (1952), *Les
diaboliques* (1955) en *La vie devant
soi* (1977).

**Sikkema, Marten**
(G.A. Gezelle Meerburg; geb. 1918)
Nederlands dichter. Gezelle Meerburg schreef onder het pseudoniem
Marten Sikkema o.a. de dichtbundels *Stjerrerein* (1946) en *Seinen*
(1959). Gezelle Meerburg gebruikte
tevens de schuilnamen Allard Lansdorp en A.G. de Meester Lansdorp.

**Silentio, Johannes de**
(Søren Kierkegaard; 1813-1855)
Deens filosoof en theoloog. Kierkegaard publiceerde onder het pseudoniem Johannes de Silentio *Furcht
und Zittern* (1843; Vrees en beven).
Hij gebruikte tevens de schuilnamen
Anti-Climacus, Hilarius Buchbinder, Johannes Climacus, Constantin
Constantius, Viktor Eremita, Vigilius Hafniensis en Nicolaus Notabene.

**Silone, Ignazio**
(Secondo Tranquilli; 1900-1978)
Italiaans schrijver. Tranquilli
schreef onder het pseudoniem Ignazio Silone o.a. de romans *Pane e
vino* (1937; Brood en wijn) en *Il
seme sotto la neve* (1941; Het zaad
onder de sneeuw).

**Silverheels, Jay**
(Harold J. Smith; 1912-1980) Canadees acteur. Smith speelde o.a. in *Key Largo* (1948) en *Broken arrow* (1950). Van 1949 tot 1957 was hij Tonto in de tv-serie *The lone ranger*. In 1971 veranderde Smith zijn naam officieel in Jay Silverheels. Silverheels werd in 1979 als eerste Indiaanse acteur met een ster opgenomen in de Walk of Fame te Hollywood.

**Silvers, Phil**
(Philip Silversmith; 1912-1985) Amerikaans acteur en komiek. Silversmith speelde o.a. van 1969 tot 1971 Shifty Shafer in de tv-serie *The Beverly Hillbillies*.

**Sim, Georges**
(Georges Simenon; 1903-1989) Waals schrijver. Simenon schreef tussen 1923 en 1933 ruim tweehonderd verhalen onder zo'n vijftien verschillende pseudoniemen, w.o. Christian Brulles, Jean du Perry en Jacques Rome. De schuilnaam Georges Sim gebruikte hij in die periode het meest.

**Simone, Nina**
(Eunice Kathleen Waymon; geb. 1933) Amerikaans zangeres en componiste. Waymon scoorde hits met nummers als 'Ain't got no I got life' (1968), 'To love somebody' (1969) en 'My baby just cares for me' (1987).

**Sinclair, Emil**
(Hermann Hesse; 1877-1962) Zwitsers schrijver van Duitse afkomst. Hesse publiceerde in 1919 een in de ik-vorm geschreven roman, getiteld *Demian, Geschichte einer Jugend*, onder het pseudoniem Emil Sinclair, zoals ook de ik uit het boek heet.

**Sinjohn, John**
(John Galsworthy; 1867-1933) Engels (toneel)schrijver. Galsworthy publiceerde zijn eerste werken, w.o. *From the four winds* (1897) en *Jocelyn* (1898), onder het pseudoniem John Sinjohn. Onder eigen naam schreef hij o.a. de romantrilogie *The Forsyte saga* (1906-1921). In 1932 kreeg Galsworthy de Nobelprijs voor literatuur.

**Sioux, Siouxsie**
(Susan Ballion; geb. 1957) Engels zangeres. Ballion richtte in 1976 met Steven Severin de punkband Siouxsie and the Banshees op. De groep had succes met nummers als 'Hong Kong garden' (1978), 'Happy house' (1980), 'Christine' (1980) en 'Songs from the edge of the world' (1987).

**Sirin**
(Vladimir Nabokov; 1899-1977) Amerikaans schrijver van Russische afkomst. De auteur van o.a. *Lolita* (1957) woonde tot 1940 in de Sovjetunie. De werken die hij in die periode schreef, zoals *Dar* (1937-38; De gave), ondertekende hij met het pseudoniem Sirin.

**Sirk, Douglas**
(Hans Detlef Sierck; 1900-1987) Amerikaans regisseur en producent van Deense afkomst. Sierck maakte o.a. de melodrama's *Magnificent obsessions* (1954), *All I desire* (1953), *All that heavens allows* (1955), *Written on the wind* (1956) en *Imitation of life* (1959).

**Slaap, Stoffel**
(Dick Welsink; geb. 1953) Nederlands bibliograaf. Welsink schreef onder het pseudoniem Stoffel Slaap de 'Voorrede' van *Aarts' Letterkundige Almanak voor het De Nieuwe Gidsjaar 1885/1985*.

**Slater, Helen**
(Helen Schlachter; geb. 1963) Amerikaans actrice. Schlachter maakte in 1984 haar filmdebuut met de titelrol in *Supergirl*.
Zij speelde vervolgens o.a. met Danny DeVito en Bette Midler in *Ruthless people* (1986) en met Michael J. Fox in *The secret of my success* (1987).

**Sleen, Marc**
(Marc Neels; geb. 1920) Vlaams tekenaar. Neels tekende onder het pseudoniem Marc Sleen o.a. de stripverhalen *De avonturen van Neus* en *De avonturen van Nero & Co*. Neels signeerde een deel van zijn oeuvre met Marc en met M.

**Slick, Grace**
(Grace Wing; geb. 1939) Amerikaans zangeres en componiste. Wing scoorde met de acid-rockband Jefferson Airplane hits met o.a. 'Somebody to love' (1967) en 'White rabbit' (1967). Wing en Paul Kantner richtten in 1974 de groep Jefferson Starship op. Met nummers als 'Miracles' (1975), 'Runaway' (1978), 'Count on me' (1978) en 'Jane' (1979) continueerden zij hun succes.

**Sluis, Jacob van der**
(Jaap Zijlstra; geb. 1933) Nederlands predikant en dichter. Zijlstra schreef onder het pseudoniem Jacob van der Sluis de dichtbundel *Jan kocht zijn vlag een modderschuit* (1980).

**Sluyters, José**
(Wim Hazeu; geb. 1940) Nederlands uitgever, schrijver en dichter. Hazeu publiceerde onder het pseudoniem José Sluyters beschouwende artikelen over o.a. de erotische literatuur van Henry Miller in het tijdschrift Prick (1965-67). Vanaf zijn zeventiende schreef Hazeu literaire kritieken voor de Delftsche Courant, die hij met Wh. ondertekende. Hij gebruikte tevens de schuilnaam Guillaume du Lieu.

**Smith, Cordwainer**
(Paul Linebarger; 1913-1966) Amerikaans schrijver. Linebarger was van 1946 tot 1966 hoogleraar in Aziatische politiek te Washington. Hij publiceerde onder de schuilnaam Cordwainer Smith o.a. de SF-romans *You will never be the same* (1963), *The planet buyer* (1964) en *Quest of the three worlds* (1966). Linebarger gebruikte tevens de pseudoniemen Felix C. Forrest en Carmichael Smith.

**Smits, Hendrik**
(Joan Bohl; 1836-1908) Nederlands dichter en schrijver. Bohl schreef in 1866 onder de schuilnaam Hendrik Smits *Het handschrift, schetsen der VIe eeuw* en *Oom Adriaan*. Als Quos Ego publiceerde hij *Waarom?* (1861-64) en *Ontgroening van een*

modern *oud-student* (1869). Hij gebruikte tevens de pseudoniemen Constantijn Ager, Diodorus B. en Conrad van Bolanden.

**Snoek, Paul**
(Edmond Schietekat; 1933-1981) Vlaams dichter, schrijver en schilder. Schietekat was redacteur van de tijdschriften Gard Sivik (1955-57 en 1959-61) en het Nieuw Vlaams tijdschrift (1965-74). Hij schreef onder het pseudoniem Paul Snoek o.a. de dichtbundels *De zwarte muze* (1967) en *Schildersverdriet* (1982).

**Sommer, Elke**
(Elke Schletz; geb. 1940) Duits actrice. Schletz speelde o.a. met Paul Newman in *The prize* (1963), met Peter Sellers in *A shot in the dark* (1964) en met Rita Hayworth in *The money trap* (1966).

**Somers, Jane**
(Doris May Lessing; geb. 1919) Engels schrijfster. Lessing schreef het grootste deel van haar oeuvre onder eigen naam, w.o. *The grass is singing* (1950; Het zingende gras) en *The golden notebook* (1962; Het gouden boek). De romans *The diary of a good neighbour* (1983) en *If the old could...*, (1984) ondertekende zij echter met het pseudoniem Jane Somers.

**Sorel, Jean**
(Jean de Combault-Roquebrune; geb. 1934) Frans acteur. De Combault-Roquebrune speelde o.a. in *A view from the brigde* (1961) van Sidney Lumet en in *Belle de Jour* (1967) van Luis Buñuel.

**Soul, David**
(David Solberg; geb. 1943) Amerikaans zanger en acteur. Solberg was van 1975 tot 1979 detective 'Hutch' in de tv-serie *Starsky & Hutch*. Hij scoorde in 1977 een hit met o.a. 'Don't give up on us' en 'Going in with my eyes open'.

**Spanninga, Sjoerd**
(Jan Dijkstra; 1906-1985) Nederlands dichter en journalist. Dijkstra schreef onder het pseudoniem Sjoerd Spanninga o.a. de dichtbundels *Spegelskrift* (1949) en *Finzen*

*en frij* (1957).

**Spencer, Bud**
(Carlo Pedersoli; geb. 1929) Italiaans acteur. De voormalig zwem-
kampioen Pedersoli speelde met
Mario Girotti (geb. 1939) alias Terence Hill in een aantal kolderieke
knokfilms, w.o. *Piu forte, ragazzi!*
(1972; De vier vuisten in de lucht)
en *Io sto con gli ippopotami* (1979;
De vier vuisten op safari).

**Spier, Jacq.**
(Jan Bruylants; 1871-1928) Vlaams
schrijver. Bruylants schreef als Auctor een aantal populaire volksro-
mans, w.o. *De boeren van Olen*
(1909), *Robert en Bertrand* (1909)
en *Tijl Uylenspiegel aan het front
en onder de Duitschers* (1921). Hij
publiceerde onder de schuilnaam
Jacq. Spier een parodie op het toneelstuk *Ik dien* (1924) van Herman
Teirlinck, getiteld *Zij dient*. Bruylants gebruikte tevens het pseudoniem Terle.

**Spiridio**
(Camille Huysmans; 1871-1968)
Vlaams letterkundige en politicus.
Huysmans was o.a. burgemeester
van Antwerpen, eerste minister, minister van Onderwijs, secretaris en
voorzitter van de Tweede Internationale. Rond de eeuwwisseling ondertekende Huysmans zijn bijdragen
in Le Peuple en Le Soir respectievelijk met Spiridio en Erasme. Hij gebruikte tevens de schuilnaam Piet.

**Spits, Frits**
(Frits Ritmeester; geb. 1948) Nederlands radiopresentator. Ritmeester
presenteert sinds 29 mei 1978 bij de
NOS het radioprogramma *De
avondspits*, met een korte onderbreking van 1988 tot 1990, toen hij o.a.
bij dezelfde omroep het tv-programma *Nieuwsspits* presenteerde.

**Spooky**
(Ivan Gerardo Groeneveld; geb.
1943) Nederlands zanger. Groeneveld vormde samen met Sue Chaloner (geb. 1953) het duo Spooky &
Sue. Zij scoorden tussen 1974 en
1976 enkele hits zoals 'Swinging on
a star', 'You talk too much' en 'Do

you dig it'.

**Spoor, Victor**
(Hans Hermans; geb. 1921) Nederlands schrijver en journalist. Hermans publiceerde onder het pseudoniem Victor Spoor o.a. de romans
*Rood is de hemel* (1955) en *Spijkers
zonder koppen* (1966).

**Springer, F.**
(Carel Jan Schneider; geb. 1932)
Nederlands diplomaat en schrijver.
Schneider schreef onder het pseudoniem F. Springer o.a. de verhalenbundel *Zaken overzee* (1977) en de
roman *Bougainville* (1981).

**Springfield, Dusty**
(Mary Isobel Catherina O'Brien;
geb. 1939) Engels zangers. O'Brien
scoorde hits met nummers als 'I just
don't know what to do with myself'
(1964), 'You don't have to say you
love me' (1966), Son of a preacher
man' (1968) en 'In private' (1989).

**Springfield, Rick**
(Richard Springthorpe; geb. 1949)
Australisch zanger en acteur. Met
het nummer 'Speak to the sky' van
de LP 'Beginnings' (1972) oogstte
Springthorpe veel succes. Als lid
van de band Rockhouse trad hij op
voor de in Vietnam gelegerde Amerikaanse soldaten. Eind jaren zeventig speelde hij in de populaire tv-series *The six million dollar man* en
*The incredible hulk*.

**Spui, Rob**
De Nederlandse uitgever Johan
B.W. Polak (1928-1992) schreef samen met de publicist Frans Goddijn
(geb. 1956) van 1990 tot 1992 een
column in Het Parool, die zij met
Rob Spui ondertekenden.

**Spy**
(Leslie Ward; 1851-1922) Engels
karikaturist. In 1873 stuurde Ward
enkele van zijn tekeningen naar de
redactie van Vanity Fair. Zijn werk
viel zozeer in de smaak dat het periodiek vervolgens in veertig jaar
tijd meer dan duizend karikaturen
van hem plaatste.

**St. Claire, Bonnie**
(Cornelia Swart; geb. 1949) Nederlands zangeres. Swart maakte in

1967 haar eerste single van het door
Peter Koelewijn geschreven lied
'Tame me tiger' (1967). In de jaren
die daarop volgden scoorde zij vele
hits, w.o. 'I won't stand between
them' (1970), 'Pierrot' (1980) en
'Sla je arm om me heen' (1983).

**St. John, Jill**
(Jill Oppenheim; geb. 1940) Amerikaans actrice. Oppenheim speelde
naast Sean Connery in de James
Bond-film *Diamonds are forever*
(1971). Zij vertolkte o.a. ook een
gastrol in de tv-serie *The Love Boat*.

**Stalin, Josif Vissarionovitsj**
(Josif Vissarionovitsj Dzjoegasjvili;
1879-1953) Sovjetleider, leider van
de communistische partij en dictator. Na de dood van Lenin in 1924
trok hij alle macht naar zich toe en
ging hij ertoe over om de Sovjetunie
op brute wijze te hervormen. De
landbouw werd gecollectiviseerd en
Dzjoegasjvili meende zijn land zo
snel mogelijk te moeten industriali-
seren. Miljoenen stierven in de
grootscheepse partijzuiveringen die
Stalin in de jaren dertig doorvoerde.
Na zijn dood in 1953 werd zijn beleid openlijk gehekeld door Sovjetleider Nikita Chroesjtsjov, waarmee
de zgn. destalinisatie begon. Vanaf
1905 gebruikte Dzjoegasjvili het
pseudoniem Koba, Turks voor on-
bevreesd. Begin jaren tien schreef
hij als K. Salin en K.S. in het periodiek *Zvezda*. Pas in 1913 verscheen
in *Sotsial demokrat* de naam Stalin
voor het eerst in druk. Stal is Russisch voor staal.

**Stanislavski, Konstantin**
(Konstantin Sergevitsj Aleksejev;
1863-1938) Russisch acteur, regisseur en toneelleider. Aleksejev
maakte school met de wijze waarop
hij aan het begin van deze eeuw in
Moskou stukken van schrijvers als
Tsjechov regisseerde. Hij streefde
aanvankelijk naar een realistischer
spel dan voordien gebruikelijk in
het Russische toneel. Later in zijn
carrière kwam in zijn regie de na-
druk te liggen op het uitdiepen van
de psychologische eigenschappen

van de te spelen karakters. De do-
centen van de Amerikaanse Actors
Studio, waar sterren als Marlon
Brando hun opleiding genoten, ba-
seerden hun lesmethode op de leer-
stellingen van Aleksejev.

**Stanwyck, Barbara**
(Ruby Stevens; 1907-1990) Amerikaans actrice. Stevens speelde o.a.
in Frank Capra's *The miracle woman* (1931), in John Sturges' *Jeopardy* (1952), in King Vidors *Stella
Dallas* (1937) en in Billy Wilders
*Double Indemnity* (1944). Vanaf de
jaren vijftig werkte zij mee aan verscheidene tv-programma's. Zo vertolkte zij een gastrol in *The untouchables*, presenteerde zij *The Barbara Stanwyck show* (1960-61) en
was zij moeder Victoria Barkley in
*The big valley* (1965-69). In 1982
kreeg zij een Oscar voor haar gehele
oeuvre.

**Stapleton, Jean**
(Jean Murray; geb. 1923) Amerikaans actrice. Murray speelde o.a.
van 1971 tot 1980 Edith Bunker in
de tv-serie *All in the family*.

**Starewood, Fred**
(Frits van Turenhout; geb. 1913)
Nederlands zanger. Van Turenhout
was tot 1978 chef studiodienst bij
de KRO. Daarnaast trad hij tussen
1948 en 1960 op als entertainer onder de artiestennaam Fred Starewood.

**Starik, Frank**
(Frank von der Möhlen; geb. 1958)
Nederlands dichter. Von der
Möhlen hanteerde voor zijn bijdragen aan de bundel *Maximaal* (1988)
de nom de plume Frank Starik. Een
schuilnaam die hij datzelfde jaar
ook voor zijn dichtbundel *Nepvuur*
gebruikte. In 1993 verschijnt van
deze poëet *Het leven van de kunstenaar als warenhuis*, dat tevens met
Frank Starik ondertekend zal worden. Rond 1980 was Von der
Möhlen lid van de naar een Amsterdamse meubelzaak genoemde groep
H.J. van de BijL. In die hoedanigheid signeerde hij zijn werk steevast
met von stroheim imp.

**Starr, Ringo**
(Richard Starkey; geb. 1940) Engels zanger, drummer en componist. Starkey was de drummer van de Beatles (1962-70). Na het uiteenvallen van deze legendarische popgroep maakte Starkey verscheidene platen met eigen composities, zoals 'It don't come easy' (1971) en 'Goodnight Vienna' (1974). In 1973 speelde hij naast David Essex in de film *That'll be the day*.

**Steele, Bob**
(Robert North Bradbury jr.; 1906-1988) Amerikaans acteur. Bradbury jr. speelde in meer dan 400 films, waaronder ruim 150 westerns als *Young blood* (1933), *Rio Bravo* (1959) en *Hang 'em high* (1967).

**Steen, Peter van**
(Peter Mourits; 1904-1972) Nederlands schrijver en dichter. Mourits publiceerde onder het pseudoniem Peter van Steen o.a. de roman *Meneer Bandjes kantoorbediende* (1939) en de dichtbundel *De rug tegen de muur* (1961).

**Steen, Eric van der**
(Dirk Zijlstra; 1907-1985) Nederlands dichter en schrijver. Zijlstra publiceerde het grootste deel van zijn oeuvre onder het pseudoniem Eric van der Steen, zoals de verhalenbundel *Zeepbellen en handgranaten* (1947) en de dichtbundel *Het leven in vakken* (1958). Als Eric Esurio schreef hij in 1973 en 1974 gidsjes over restaurants in Amsterdam.

**Steenkamp, Achim**
(Joachim Steinkamp; geb. 1965) Duits journalist. Steinkamp schrijft onder het pseudoniem Achim Steenkamp in het cult-magazine Der Neue Spezial. Hij noemde zich Ronald Sternenburg toen hij voor het radiostation RTL Luxemburg over deze kunst geïnterviewd werd.

**Steinway, Henry Engelhard**
(Heinrich Engelhard Steinweg; 1797-1871) Duits klavierbouwer. In 1850 emigreerde Heinrich Engelhard Steinweg samen met zijn zonen naar de Verenigde Staten, waar zij hun naam in Steinway veranderden. In 1853 richtte zij in New York de inmiddels wereldberoemde pianofabriek Steinway & Sons op.

**Stemming, G.H.C.**
(Jan Pieter Veth; 1864-1925) Nederlands dichter, schilder en graficus. Veth schreef als kunstcriticus o.a. in De Amsterdammer en De Nieuwe Gids. Van 1918 tot 1924 doceerde hij aan de Rijksacademie voor Beeldende Kunsten in Amsterdam. Veth publiceerde onder de schuilnamen G.H.C. Stemming, J. Staphorst, S. en Samuel in De Gids. Hij gebruikte tevens het pseudoniem Henric van Gooyen.

**Stenders, Rob**
(Rob Zieltjens; geb. 1965) Nederlands discjockey. Zieltjens presenteerde o.a. van 1989 tot 1991 het tv-programma *Countdown* bij Veronica.

**Sterling, Ford**
(George Ford Stitch; 1883-1939) Amerikaans komiek. Stitch speelde o.a. in *Gentlemen prefer blondes* (1928) en in *Alice in Wonderland* (1933).

**Sternberg, Josef von**
(Josef Stern; 1894-1969) Oostenrijks regisseur. Stern maakte o.a. een zevental films met Marlene Dietrich, w.o. *Der blaue Engel* (1930), *Dishonored* (1931), *Shanghai Express* (1932) en *The devil is a woman* (1935).

**Stevens, Cat**
(Steven Demetri Georgiou; geb. 1948) Engels gitarist, zanger en componist van Grieks-Zweedse afkomst. Georgiou scoorde in de jaren zestig en zeventig talloze hits, w.o. 'I love my dog' (1966), 'I'm gonna get me a gun' (1967), 'Morning has broken' (1972) en 'Another Saturday night' (1974). Eind jaren zeventig bekeerde Georgiou zich tot de islam en veranderde hij zijn naam in Yusef Islam.

**Stevens, Connie**
(Concetta Rosalie Ann Ingolia; geb. 1938) Amerikaans actrice en zangeres. Ingolia is o.a. te zien in *Ser-*

*geant Pepper's Lonely Hearts Club Band* (1978) en in *Grease 2* (1982). Zij speelde tevens een gastrol in de tv-serie *The Love Boat.*

**Stevens, Craig**

(Gail Shekles jr.; geb. 1918) Amerikaans acteur. Shekles speelde o.a. met Julie Andrews en William Holden in *S.O.B.* (1981). Hij was tevens Craig Stewart in de soap *Dallas* (1981).

**Stevens, Inger**

(Inger Stensland; 1931-1970) Zweeds actrice. Stensland speelde o.a. met Clint Eastwood in *Hang 'em high* (1968) en met Orson Welles in *House of cards* (1968). Zij is tevens te zien in een aflevering van de tv-serie *The Twilight Zone* getiteld 'The hitch-hiker'.

**Stevens, Stella**

(Estelle Egglestone; geb. 1936) Amerikaans actrice. Egglestone speelde in John Cassavetes' *Too late blues* (1961) en in Sam Peckinpah's *The ballad of Cable Hogue* (1970). Zij is ook te zien in de rampenfilm *The Poseidon adventure* (1972).

**Sting**

(Gordon Matthew Sumner; geb. 1951) Engels zanger. Sumner was in 1977 medeoprichter van de band Police. Hij speelde in verscheidene films, zoals het SF-spektakel *Dune* (1984) van regisseur David Lynch. Als solist scoorde Summer hits, w.o. 'Russians' (1985), 'They dance alone' (1988) en 'All this time' (1991).

**Stone, Irving**

(Irving Tennenbaum; geb. 1903-1989) Amerikaans schrijver. Tennenbaum schreef onder het pseudoniem Irving Stone o.a. een geromantiseerde biografie over Vincent van Gogh, *Lust for life* (1934).

**Stone, Sly**

(Sylvester Stewart; geb. 1944) Amerikaans zanger, toetsenist en gitarist. Stewart trad met zijn funkband Sly & The Family Stone in 1969 op tijdens het legendarische Woodstock-festival. In die tijd had

de groep veel succes met nummers als 'Dance to the music' (1968), 'Stand!, Everyday people' (1969) en 'I want to take you higher' (1969).

**Storm, Gale**

(Josephine Owaissa Cottle; geb. 1922) Amerikaans actrice en zangeres. Cottle speelde met Roy Rogers in enkele westerns, zoals *Jesse James at Bay* (1941) en *Red River Valley* (1941). Zij is o.a. ook te zien in *Revenge of the zombies* (1943). In 1979 vertolkte zij een gastrol in de tv-serie *The Love Boat.*

**Stradevarus, Winnetou**

(Walter A.P. Soethoudt; geb. 1939) Vlaams uitgever en schrijver. Soethoudt schreef in 1969 de erotische trilogie *Foediraladitoe*, die hij met Winnetou Stradevarus ondertekende. Hij gebruikte tevens de schuilnamen Mickey Martin, Emelio Tulli, Walter Steffer en Winchester Starkin.

**Streepjes, Igor**

(Peter Verstegen; geb. 1938) Nederlands schrijver, dichter en vertaler. Verstegen was van 1974 tot 1977 redacteur van het tijdschrift Revisor. Hij publiceerde onder het pseudoniem Igor Streepjes een aantal dichtbundels, w.o. *Weer een gezicht dat met de billen vloekt* (1974) en *Alpenland. Menig vers tegen de wintersport* (1977). Onder de schuilnaam Ton Vervoort schreef Verstegen enkele detectiveromans rond inspecteur Floris Jansen, zoals *Moord onder studenten* (1962) en *Moord onder astrologen* (1963).

**Streuvels, Stijn**

(Frank Lateur; 1871-1969) Vlaams schrijver. Lateur schreef gewoonlijk onder het pseudoniem Stijn Streuvels. Tot zijn bekendste werk behoren de romans *De oogst* (1900), *De vlaschaard* (1907) en *De teleurgang van den Waterhoek* (1927). In 1895 publiceerde hij echter onder de schuilnaam Pijm in het periodiek De Jonge Vlaming.

**Stroheim, Erich von**

(Erich Oswald Stroheim; 1885-1957) Oostenrijks regisseur, scenarioschrijver en acteur. Stroheim regisseerde o.a. *The devil's passkey* (1920), *Greed* (1923), *The merry widow* (1925) en *The wedding march* (1928). In laatstgenoemde film is hij ook als acteur te zien. Andere films waarin hij speelde zijn *La grande illusion* (1937) en *Sunset Boulevard* (1950).

**Strummer, Joe**
(John Mellor; geb. 1952) Engels zanger en gitarist. Mellor en zijn punkgroep The Clash hadden o.a. veel succes met hun LP's 'The Clash' (1977), 'London calling' (1979) en 'Sanista!' (1980).

**Stuart, Conny**
(Cornelia van Meygaard; geb. 1913) Nederlands cabaretière. Van Meygaard werkte tot 1958 vele jaren met Wim Sonneveld en speelde daarna o.a. in de door Annie M.G. Schmidt geschreven musicals *Heerlijk duurt het langst* (1965-67) en *Met man en muis* (1968-69).

**Stuart, Ian**
(Alistair MacLean; 1922-1987) Engels schrijver. MacLean schreef het grootste deel van zijn oeuvre onder eigen naam, w.o. *The guns of Navarone* (1957). Hij publiceerde de romans *The snow on the ben* (1961), *The black shrike* (1961), *The dark crusader* (1961) en *The satan bug* (1962; Het satanskruid) echter onder het pseudoniem Ian Stuart.

**Styne, Jule**
(Julius Kerwin Stein; geb. 1905) Engels componist, producent en uitgever. Stein won in 1954 samen met Samuel Cohen alias Sammy Cahn een Oscar voor het liedje 'Three coins in the fountain' dat zij voor de gelijknamige film hadden geschreven. Dit duo schreef o.a. ook de liedjes 'Anywhere' voor *Tonight and every night* (1945) en 'It's magic' voor *Romance on the high seas* (1948). Stein componeerde tevens de score voor de musicals *Bells are ringing* (1960), *Funny girl* (1968) en *Gypsy* (1962).

**Sullivan, Barry**
(Patrick Barry; geb. 1912) Ameri-

kaans acteur. Barry speelde in *The Great Gatsby* (1949) en in *The bad and the beautiful* (1952). Hij vertolkte o.a. ook een gastrol in de tv-series *Bonanza* en *The streets of San Francisco*.

**Summer, Donna**
(LaDonna Andrea Gaines; geb. 1948) Amerikaans zangeres. Gaines maakte vanaf 1975 verschillende hits, w.o. 'Love to love you baby' (1975), 'I feel love' (1977), 'Hot stuff' (1979) en 'Bad girls' (1979).

**Svevo, Italo**
(Ettore Schmitz; 1861-1928) Italiaans schrijver. Schmitz schreef onder het pseudoniem Italo Svevo o.a. *La coscienza di Zeno* (1923; Bekentenissen van Zeno).

**Swaertreger, M.**
(Theun de Vries; geb. 1907) Nederlands schrijver en dichter. De Vries publiceerde in 1944 clandestien de novelle *WA-man* onder de schuilnaam M. Swaertreger. Hij gebruikte ook de pseudoniemen Ibn-Askari, Dr. J. van Dornbusch Koppens, J.M. van Nimwegen en A.Th. Nieulant.

**Swit, Loretta**
(Loretta Switiankowski; geb. 1937) Amerikaans actrice. Switiankowski speelde o.a. van 1972 tot 1983 Margaret 'Hotlips' Houlihan in de tv-serie *M\*A\*S\*H*.

**Sylvian, David**
(David Batt; geb. 1958) Engels zanger. Batt scoorde met de band Japan in 1979 een hit met het nummer 'Adolescent sex'.

## Mr. T
(Lawrence Tureaud; geb. 1952) Amerikaans worstelaar, lijfwacht en acteur. Tureaud speelde o.a. van 1983 tot 1987 Bosco 'B.A.' Baracus in de tv-serie *The A-Team*. In *Rocky III* (1982) is Tureaud een bokser die het zwaar te verduren krijgt wanneer hij tegenover de door Sylvester Stallone gespeelde prijsvechter Rocky in de ring staat. Voordien werkte Tureaud als lijfwacht van Michael Jackson, Diana Ross en Cassius Clay alias Mohammed Ali. Tureaud heeft net als Cassius Clay op een bepaald moment op religieuze gronden zijn naam veranderde en heet nu Lawrence Tero.

## Tamar
(Renate Rubinstein; 1929-1990) Nederlands publiciste en journaliste. Rubinstein schreef van 1961 tot 1990 onder het pseudoniem Tamar een column in Vrij Nederland.

## Tante Leen
(Helena Polder; 1912-1992) Nederlands zangeres. Polder verkocht honderdduizenden platen met Amsterdamse liedjes, waarvan 'Oh, Johnny' het meest bekende is. Dit repertoire bracht ze ook veelvuldig in haar eigen café ten gehore.

## Tascorli, S.
(Simon Vestdijk; 1898-1971) Nederlands schrijver en dichter. Vestdijk schreef in 1922 een kort verhaal getiteld *Droom*, dat hij met Petit Moune ondertekende. In 1924 en 1925 publiceerde hij onder het pseudoniem S. Tascorli een veertiental artikelen in het periodiek Urania. Vestdijk gebruikte ook de schuilnamen Octavius en P.S.E. Udo.

## Tati, Jacques
(Jacques Tatischeff; 1908-1982) Frans regisseur en acteur. Tatischeff speelde o.a. Monsieur Hulot in de door hemzelf geregisseerde films *Les vacances de Monsieur Hulot* (1953), *Playtime* (1967) en *Mon oncle* (1958). Met deze laatste film won Tatischeff een Oscar.

## Tauber, Richard
(Ernst Seiffert; 1892-1948) Oostenrijks zanger, componist en dirigent. Seiffert verwierf internationale faam met zijn optredens in operettes als 'Paganini' (1925), 'Das Land des Lächelns' (1929) en 'Frederika' (1929). Hij speelde tevens in vele muziekfilms. In 1938 emigreerde Seifert naar Engeland.

## Taylor, Robert
(Spangler Arlington Brugh; 1911-1969) Amerikaans acteur. Brugh speelde in tientallen kostuum- en actiefilms, zoals *Camille* (1936), *Waterloo Bridge* (1940), *Quo vadis* (1951) en *Ivanhoe* (1952).

## Teister, Alain
(Jacques Martinus Boersma; 1932-1979) Nederlands dichter, schrijver, journalist en schilder. Boersma schreef onder het pseudoniem Alain Teister o.a. de dichtbundel *De huisgod spreekt* (1964) en de romans *De kosmonaut was een bisschop* (1970) en *Mijn pappie is enkel een foto* (1976).

## Telkamp, Mieke
(Maria Berendina Johanna Telgenkamp; geb. 1934) Nederlands zangeres en radiopresentatrice. Telgenkamp had o.a. succes met liedjes als 'Nooit op zondag' (1960), 'Waarheen waarvoor' (1971) en 'De nieuwe dag' (1971).

## Tellegen, Lou
(Isidor Louis Bernard Edmon van Dommelen; 1883-1934) Amerikaans acteur van Nederlandse afkomst. Van Dommelen speelde met Sarah Bernardt in vele toneelstukken en films, zoals *La dame aux camélias* (1911) en *La reine Elizabeth* (1912).

## Temple, Paul
De Engels (scenario)schrijver Francis Durbridge (geb. 1912) schreef

samen met zijn Ierse collega James Douglas Rutherford McConnell (1915-1988) de detectiveromans *The Tyler mystery* (1957) en *East of Algiers* (1959), die zij met Paul Temple ondertekenden.

**Tentije, Hans**
(Johann Krämer; geb. 1944) Nederlands dichter en leraar. Krämer schreef onder het pseudoniem Hans Tentije een aantal dichtbundels, w.o. *Alles is er* (1975) en *Nachtwit* (1982).

**Terborgh, F.C.**
(Reijnier Flaes; 1902-1981) Nederlands diplomaat, schrijver en dichter. Flaes schreef onder het pseudoniem F.C. Terborgh o.a. de roman *Turkenoorlog* (1964) en de dichtbundel *Padroëns* (1958).

**Terry, C.V.**
(Frank Gill Slaughter; 1908) Amerikaans schrijver. Slaughter schreef onder het pseudoniem C.V. Terry o.a. de romans *The golden ones* (1957) en *The deadly lady of Madagascar* (1959).

**Terry-Thomas**
(Thomas Terry Hoar-Stevens; 1911-1990) Engels acteur. Hoar-Stevens speelde o.a. in de komedies *Helter skelter* (1949), *I'm all right, Jack* (1959), *It's a mad mad mad mad world* (1963) en *How to murder your wife* (1965).

**Terts, Abram**
(Andrej Donatovitsj Sinjavski; geb. 1925) Russisch schrijver. Sinjavski publiceerde onder het pseudoniem Abram Terts in 1959 *Sjto takoje sotsialistitsjeski realizm* (Wat is socialistisch realisme), waarin hij kritiek uitte op het karakter van de Sovjetliteratuur. Hij werd in 1965 gearresteerd op verdenking van het belasteren van de staat en in 1966 tot zeven jaar gevangenisstraf veroordeeld. Hij werd na vijf jaar vrijgelaten. Sinds 1973 woont hij in Parijs.

**Tey, Elizabeth**
(Elizabeth Mackintosh; 1896?-1952) Engels schrijfster. Mackintosh publiceerde onder het pseudoniem Elizabeth Tey o.a. een aantal

detectives rond de Scotland Yard-inspecteur Alan Grant, zoals *The daughter of time* (1951; Een koninkrijk voor een moord). Op haar boek *A shilling for candles* (1936) baseerde Alfred Hitchcock zijn film *Young and innocent* (1937). Zij schreef onder de schuilnaam Gordon Daviot enkele toneelstukken, w.o. *Richard of Bordeaux* (1933; Richard II).

**Thiel, To van**
(Cateau Kray-Sijsma; geb. 1904) Nederlands schrijfster. Kray-Sijsma schreef onder het pseudoniem To van Thiel een aantal kinderboeken, zoals *Davina's eekhoorntje* (1946) en *Jouw naam is sterretje* (1961).

**Tiptree Jr., James**
(Alice B. Sheldon; 1915?-1987) Amerikaans schrijfster van SF-verhalen. Sheldon schreef het grootste deel van haar oeuvre onder het pseudoniem James Tiptree Jr., zoals de verhalenbundels *Ten thousand light-years from home* (1973) en *Out of the everywhere and other extraordinary visions* (1981). Zij gebruikte tevens de schuilnaam Raccoona Sheldon.

**Tito, Josip**
(Josip Broz; 1892-1980) Joegoslavisch staatsman. Broz en zijn partizanen vochten tijdens de Tweede Wereldoorlog tegen zowel Duitse als Italiaanse troepen. Vanaf 1945 stond Broz aan het hoofd van het door hem in Joegoslavië gevestigde communistische regime. Hij voer een onafhankelijke koers van de USSR en liet in 1968 zijn afkeuring blijken over de inval in Tsjecho-Slowakije. Broz vervulde de functie van staatshoofd tot aan zijn dood in 1980, eerst als premier en vanaf 1954 als president.

**Titurel**
(Jozef Muls; 1882-1961) Vlaams essayist, criticus en dichter. Muls richtte in 1905 het literair en cultureel tijdschrift Vlaamsche Arbeid op. Hij was vanaf 1926 conservator van het Museum van Schone Kunsten in Antwerpen en doceerde van 1939 tot 1952 kunstgeschiedenis

aan de Universiteit van Leuven. Muls schreef van 1909 tot 1913 als Titurel artikelen over Vlaamse en Franse letterkunde in het dagblad La Presse. Hij gebruikte tevens de schuilnamen Joost van Etsel, Freier, Jan van Holder, Ignotus, Marcus, Fr. van Spilbeek en Prosper Verley.

**Todd, Michael**
(Avram Goldenbogen; 1907-1958) Amerikaans producent. Goldenbogen won in 1956 een Oscar voor zijn film *Around the world in 80 days*. Aan dit spektakel hebben vele beroemdheden meegewerkt, zoals Noel Coward, Marlene Dietrich, Fernandel, Buster Keaton, Peter Lorre, Shirley Maclaine, David Niven en Frank Sinatra.

**Tony**
(Anton Bergmann; 1835-1874) Vlaams advocaat en schrijver. Bergmann publiceerde onder de schuilnaam Tony o.a. *Ernest Staes, advocaat. Schetsen en beelden* (1874).

**Toon**
(Antonie Marcel van Driel; geb. 1945) Nederlands striptekenaar. Van Driel maakt o.a. de strip *F.C. Knudde*.

**Tooren, J. van**
(Annie Mulder-Swanenburg de Veye; 1900-1991) Nederlands dichteres. Mulder-Swanenburg de Veye publiceerde in 1981 onder het pseudoniem J. van Tooren een bundel met haiku's, senryus' en tanka's getiteld *Oogwenken*.

**Topol**
(Chaim Topol; geb. 1935) Israëlisch acteur. Topol speelde o.a. Tevye in de musical *Fiddler on the roof* (1971) en de Griekse boef Columbo in de James Bond-film *For your eyes only* (1981).

**Tosh, Peter**
(Winston Hubert MacIntosh; 1944-1987) Jamaicaans zanger en toetsenist. MacIntosh was in 1964 samen met Bob Marley een van de oprichters van de reggaegroep The Wailers. In 1974 ging MacIntosh als solist verder en scoorde o.a. een hit met 'I'm the toughest' (1979),

'Johnny B. Goode' (1983) en 'Don't look back' (1978). Het laatstgenoemde nummer zong hij samen met Mick Jagger.

**Tournier, Luc**
(Christiaan Joseph Hendrik Engels; 1907-1980) Nederlands arts, dichter en essayist. Engels publiceerde onder het pseudoniem Luc Tournier o.a. de dichtbundels *Doffe Orewoed* (1948) en *Kunst en vliegwerk* (1965).

**Toussaint van Boelaere, F.V.**
(Fernand Victor Toussaint; 1875-1947) Vlaams schrijver en vertaler. Toussaint was in 1907 medeoprichter van de Vereniging van Vlaamse Letterkundigen en stond ook aan de wieg van het Nieuw Vlaams Tijdschrift. Toussaint publiceerde onder het pseudoniem F.V. Toussaint van Boelaere o.a. *Landelijk minnespel* (1910), *Petrusken's einde* (1917) en *De Peruviaanse reis* (1925).

**Towers, Lee**
(Leen Huyzer; geb. 1946) Nederlands zanger. Huyzer bracht in 1971 onder de artiestennaam Len Hauser zijn eerste soloplaat uit, 'Nina Nina Nina'. Pas na de release van zijn debuut-LP, 'Lee Towers with Mat Mattheus Orchestra' (1975), brak de Nederlandse Sinatra echt door. Huyzer, die zich sindsdien Lee Towers bleef noemen, scoorde meermalen hits, w.o. 'You'll never walk alone' (1976) en 'I can see clearly now' (1982).

**Trant, Douwe**
(Rinus Ferdinandusse; geb. 1931) Nederlands journalist en detectiveschrijver. Ferdinandusse verzorgde 25 jaar lang in Vrij Nederland de rubriek 'Uit het rijke leven van Douwe Trant'. De laatste aflevering verscheen op 1 september 1990. Hij gebruikte tevens de schuilnamen Y. Hoskamp-ten Grave, Theo Paskamer en Ada Raster.

**Travers, Henry**
(Travers Geagerty; 1874-1965) Engels acteur. Geagerty speelde o.a. in Raoul Walsh' *High sierra* (1941), in William Wylers *Mrs. Miniver*

(1942) en in Frank Capra's *It's a wonderful life* (1946).

**Trevanian**
(Rodney Whitaker; geb. 1925) Amerikaans linguïst en schrijver. Whitaker schreef onder het pseudoniem Trevanian o.a. de thrillers *The Eiger sanction* (1972; De Eiger killer) en *The sacking of Miss Plimsoll* (1984; De grote droogte).

**Trevor, Claire**
(Claire Wemlinger; geb. 1909) Amerikaans actrice. Wemlinger won in 1948 een Oscar voor haar bijrol in *Key Largo*. Zij speelde o.a. ook in *Stagecoach* (1939), *Dead end* (1937) en *The high and the mighty* (1954).

**Trevor, William**
(William Trevor Cox; geb. 1928) Engels schrijver van Ierse afkomst. Cox schreef onder het pseudoniem William Trevor een aantal romans en verhalenbundels, w.o. *Angels at the Ritz, and other stories* (1975), *The children of Dynmouth* (1976) en *Fools of fortune* (1983).

**Trolsky, Tymen**
(Jasper Mikkers; geb. 1948) Nederlands leraar, schrijver en dichter. Mikkers publiceerde onder het pseudoniem Tymen Trolsky o.a. de dichtbundel *Indiase liederen* (1974) en de roman *Aliesje* (1975).

**Trotski, Lev Davidovitsj**
(Leib Bronstein; 1879-1940) Russisch politicus en schrijver. In tegenstelling tot Stalin, die een Russische politiek voerde en het socialisme in één land mogelijk achtte, bleef Trotski de communistische wereldrevolutie zien als onmisbare voorwaarde voor de ontwikkeling van het socialisme, ook in de Sovjetunie. Bronstein werd in 1927 uit de partij gestoten en in 1929 verbannen. In 1940 werd hij in Mexico vermoord.

**Troyat, Henri**
(Lev Tarassov; geb. 1911) Frans schrijver van Armeense afkomst. Tarassov schreef onder het pseudoniem Henri Troyat o.a. de romans *Tant que la terre durera* (1947-50)

en *L'Araigne* (1938; De aasvlieg). In 1959 trad hij toe tot de Académie française.

**Trugoy the Dove**
(David Jude Jolicoeur; geb. 1968) Engels rapper. David Jude Jolicoeur alias Trugoy the Dove vormt samen met Kelvin Mercer (geb. 1969) alias Posdnous en Vincent Mason (geb. 1970) alias Pase Master Mase de hip hop-groep De La Soul. De band scoorde o.a. een hit met 'Me myself and I' (1989), 'Say no go' (1989) en 'Ring, ring, ring (Ha Ha hey)' (1991).

**Trum, Claus**
(Jef Geeraerts; geb. 1930) Vlaams schrijver. Geeraerts schreef in 1972 onder het pseudoniem Claus Trum de erotische roman *De fotograaf*.

**Tucker, Sophie**
(Sonia Kalisj; 1884-1966) Amerikaans zangeres en actrice van Russische afkomst. Kalisj had veel succes met nummers als 'Some of these days' (1911) en 'My Yiddishe momme' (1928). Als actrice is zij o.a. te zien in *Honky tonk* (1929), *Follow the boys* (1944) en *The joker is wild* (1957).

**Tura, Will**
(Arthur Achille Albert Blanckaert; geb. 1940) Vlaams componist en zanger. Blanckaert scoorde o.a. een hit met de liedjes 'Eenzaam zonder jou' (1963) en 'Hopeloos' (1981).

**Turner, Tina**
(Anne Mae Bullock; geb. 1939) Amerikaans zangeres. Bullock scoorde een hit met o.a. 'What's love got to do with it' (1984), 'Private dancer' (1984) en 'Steamy windows' (1989). Ook na de scheiding van Ike Turner bleef zij optreden onder de naam Tina Turner.

**Twain, Mark**
(Samuel Langhorne Clemens; 1835-1910) Amerikaans schrijver. Clemens schreef onder het pseudoniem Mark Twain o.a. *The adventures of Tom Sawyer* (1876; De lotgevallen van Tom Sawyer) en *The adventures of Huckleberry Finn* (1880; De lotgevallen van Huckleberry Finn).

**Twiggy**
(Lesley Hornby; geb. 1949) Engels fotomodel, actrice en zangeres. Het vermaarde model Hornby speelde in 1971 een hoofdrol in de film *The boy friend* van Ken Russell.

**Twijfelloos, Franciscus**
(Frans J. de Gronckel; 1816-1871) Vlaams advocaat en politicus. Voor het Gentse dagblad De Vaderlander schreef De Gronckel onder het pseudoniem Franciscus Twijffelloos een zich in Belgisch Brabant afspelend feuilleton, dat in 1846 werd gebundeld onder de titel *'t Payottenland gelyk het van eertyds gestaen en gelegen is.*

**Tyler, Tom**
(Vincent Markowski; 1903-1954) Amerikaans acteur. Markowski speelde de hoofdrol in zo'n honderd westerns en serials, w.o. *Tom's gang* (1927), *Stagecoach* (1939), *Blood on the moon* (1948) en *She wore a yellow ribbon* (1949). Hij is tevens te zien in een dertiental *Three Mesquiteers*-films.

**Tzara, Tristan**
(Samuel Rosenstock; 1896-1963) Frans dichter van Roemeense afkomst. Rosenstock was in 1916 te Zürich een van de medeoprichters van de groep der dadaïsten.

**U.E.V.**
(Jacqueline Elisabeth van der Waals; 1868-1922) Nederlands lera006res en dichteres. De voornamelijk onder eigen naam publicerende Van der Waals ondertekende haar poëziebundel *Verzen* (1900) met U.E.V.

**Underwood, Michael**
(John Michael Evelyn; geb. 1916) Engels schrijver. Evelyn schreef meer dan vijftig misdaadromans, alle onder het pseudoniem Michael Underwood, zoals *The case against Philip Quest* (1962) en *A party to murder* (1983).

**Urk, Aug.**
(Lucien Jules Ernest Marie van Brabant; 1909-1977) Vlaams dichter, fotograaf en opticiën. Van Brabant publiceerde onder eigen naam een aantal dichtbundels, w.o. *Op de hielen van mijn leven* (1934) en *Zeven ellen liefde* (1940). In 1936 publiceerde hij *De Onze Vader. Voor een nieuw humanisme*, dat hij met Aug. Urk ondertekende.

**Uten Hove, Beaet**
(Karel van de Woestijne; 1878-1929) Vlaams dichter, schrijver en essayist. Van de Woestijne schreef voor De Jonge Vlaming onder het pseudoniem Beaet Uten Hove. Hij gebruikte ook de schuilnamen Max van Beccelaere, Peter van Beccelaere, Walter Keersmans, Erik Molk, Erik Monck en Steven Steurs.

**Uytendaele, Lucien**
(Jozef Frans Lodewijk de Belder; 1912-1981) Vlaams dichter en journalist. De Belder publiceerde onder het pseudoniem Lucien Uytendaele kort na de Tweede Wereldoorlog in het tijdschrift Golfslag. Hij gebruikte ook het pseudoniem R. Bede.

**Vaak, Klaas**
(Tom Mulder; geb. 1947) Nederlands radiopresentator. Mulder presenteerde van 1974 tot 1987 bij de
TROS het radioprogramma *Boter,
Klaas en Prijzen*, dat later *50 pop of
een envelop* ging heten.

**Vader Abraham**
(Pierre Kartner; geb. 1935) Nederlands zanger en componist. Kartner
scoorde vele hits, zoals 'Bedankt
lieve ouders' (1973), ''t Kleine café
aan de haven' (1975), ''t Smurfen-
lied' (1977) en 'Brinkman minister
Brinkman' (1984). Hij zong o.a.
ook de duetten 'Zou 't erg zijn lieve
opa' (1971) en 'Den Uyl is in den
olie' (1973) met respectievelijk
Wilma Landkroon (geb. 1957) alias
Wilma en Boer Koekkoek. De twee
laatstgenoemde liedjes behaalden
een eerste plaats in de Top 40.

**Vadim, Roger**
(Roger Vadim Plemiannikov; geb.
1928) Frans regisseur. Plemiannikov regisseerde o.a. *Les liaisons
dangereuses* (1959), *Et Dieu créa la
femme* (1956) en *Barbarella* (1968).
In de twee laatstgenoemde films
vertolkten zijn respectievelijke echt-
genotes Brigitte Bardot en Jane
Fonda een hoofdrol.

**Valentino, Rudolph**
(Rodolfo Alfonzo Raffaelo Pierre
Filibert Guglielmi di Valentino
d'Antonguolla; 1895-1926) Italiaans acteur. Di Valentino d'Antonguolla speelde o.a. in *The four hor-
semen of the apocalypse* (1921),
*The sheik* (1921), *Blood and sand*
(1922) en *The eagle* (1925).

**Valkenier, Frank**
(Franciscus Josephus Henricus Maria van der Ven; geb. 1907) Nederlands dichter. Van der Ven was
hoogleraar arbeidsrecht en sociale
politiek te Tilburg. Hij publiceerde
onder het pseudoniem Frank Valkenier een aantal dichtbundels, w.o.
*Balladen van Brabant* (1939) en
*Getijden van het hart* (1947).

**Valleide, Guus**
(Guus Vleugel; geb. 1932) Nederlands toneelschrijver en dichter.
Vleugel publiceerde onder het pseudoniem Guus Valleide een aantal
dichtbundels, w.o. *Zon, maan en
hun verwend publiek* (1956) en
*Fluitles* (1959).

**Valli, Alida**
(Alida Maria Altenburger; geb.
1921) Italiaans actrice. Altenburger
speelde o.a. in Carol Reeds *The
third Man* (1949), in Luchino Visconti's *Senso* (1954), in Georges
Franju's *Les yeux sans visage*
(1959), in Pier Paolo Pasolini's *Edi-
po Re* (1967) en in Bernardo Bertolucci's *Novecento* (1976).

**Valli, Frankie**
(Francis Castelluccio; geb. 1937)
Amerikaans zanger en gitarist. Cas-
telucio scoorde met de groep Four
Seasons o.a. een hit met 'Sherry'
(1962), 'Big girls don't cry' (1962),
'Walk like a man' (1963) en 'December 1963 (oh what a night)'
(1976). Als solist oogstte Castelluccio succes met de nummers 'Swea-
rin' to God' (1975) en de titelsong
uit de film *Grease* (1978).

**Van Dine, S.S.**
(Willard Huntington Wright; 1888-
1939) Amerikaans schrijver. Wright
schreef onder het pseudoniem S.S.
Van Dine een aantal detectiveromans rond Philo Vance, w.o. *The
Benson murder case* (1926) en *The
bishop murder case* (1929).

**VandenBos, Conny**
(Jacoba Hollestelle; geb. 1937) Nederlands zangeres. Hollestelle
scoorde een hit met o.a. 'Een roosje
m'n roosje' (1974) en 'Sjakie van
de hoek' (1975).

**Vaneck, Ludo**
(Ludo van Eeckhout; geb. 1922)
Vlaams schrijver. Van Eeckhout
schreef onder het pseudoniem Ludo

Vaneck o.a. de romans *De geteken-den. Oorspronkelijke roman over de gruwelen van Auschwitz* (1964) en *De gedoemden* (1966). Hij gebruik-te tevens de schuilnamen Lou de Larue, Inge Liebkraft en Lou Mer-ril.

**Vanessa**
(Cornelia Jacoba Witteman; geb. 1951) Nederlands zangeres. Het Haagse ex-fotomodel Witteman scoorde hits met liedjes als 'Upside Down' (1982), 'Cheerio' (1982) en 'La di da' (1983). Ze was tevens naast André van Duin te zien in de film *De Boezemvriend* (1982).

**Vanilla Ice**
(Robert van Winkle; geb. 1968) Amerikaans rapper. Van Winkle scoorde een hit met o.a. 'Ice ice baby' (1990) en 'Play that funky music' (1990).

**Vanter, Gerard**
(Gerard J.M. van het Reve; 1892-1975) Nederlands schrijver. Gerard van het Reve, de vader van Gerard Reve en Karel van het Reve, publi-ceerde o.a. de historische romans *Baanbrekers* (1931) en *Mijn naam is Roelant* (1957), die hij met Ge-rard Vanter ondertekende. Onder het pseudoniem Gerard Revers schreef hij o.a. een aantal kinder-boeken, zoals *De avonturen van Mop en Strop* (1930) en *De fortuin-vinder* (1931). Van het Reve ge-bruikte tevens de schuilnamen Ge-orge van Buuren, Rinko Wiersma en Gerard van Woensel.

**Varno, Roland**
(Jacob Frederik Vuerhard; geb. 1908) Amerikaans acteur van Ne-derlandse afkomst. Vuerhard speel-de met Marlene Dietrich in *Der blaue Engel* (1930) en met Greta Garbo in *As you desire me* (1932). Hij is o.a. ook te zien in *Het meisje met de blauwe hoed* (1934).

**Vasalis, M.**
(Margaretha Droogleever Fortuyn-Leenmans; geb. 1909) Nederlands dichteres en psychiater. Droogle-ver Fortuyn-Leenmans schreef onder het pseudoniem M. Vasalis o.a. de

dichtbundels *Parken en woestijnen* (1940) en *De vogel Phoenix* (1947).

**Vaughan, Frankie**
(Francis Abelson; geb. 1928) Engels zanger en acteur. Abelson scoorde o.a. een hit met 'Garden of Eden' (1956) en 'Tower of strength' (1957). Als acteur is hij o.a. te zien in *These dangerous years* (1957), *Wonderful things* (1958) en *Let's make love* (1960). In laatstgenoem-de film speelde hij samen met Mari-lyn Monroe.

**Veke, L.I.**
(Frans Depeuter; geb. 1937) Vlaams dichter en schrijver. Depeuter was redacteur van het satirische tijd-schrift Heibel. Hij debuteerde onder het pseudoniem L.I. Veke met de dichtbundel *Als een gat in de wand* (1961).

**Velde, Tine van der**
(Sonja Fortunette Witstein; 1920-1978) Nederlands neerlandica. Wit-stein was van 1975 tot 1978 hoogle-raar Nederlandse letterkunde te Lei-den. In 1952 gebruikte zij voor haar werkzaamheden als bestuurslid van het COC de schuilnaam Tine van der Velde.

**Ventura, Lino**
(Angelo Borrini; 1919-1987) Frans acteur van Italiaanse afkomst. Borri-ni speelde in Jean-Pierre Melvilles *Le deuxième souffle* (1966). Hij is o.a. ook te zien in *Les misérables* (1982).

**Vera-Ellen**
(Vera-Ellen Westmeyr Rohe; 1920-1981) Amerikaans actrice en danse-res. Westmeyr Rohe speelde o.a. met Danny Kaye in *Wonder man* (1945), met Gene Kelly in *On the town* (1949) en met Bing Crosby in *White Christmas* (1954).

**Vercel, Roger**
(Roger Crétin; 1894-1957) Frans schrijver. Crétin schreef onder het pseudoniem Roger Vercel o.a. de avonturenromans *Notre père Trajan* (1930) en *Capitaine Conan* (1934; Kapitein Conan).

**Vercors**
(Jean Bruller; 1902-1991) Frans

schrijver. Bruller was medeoprichter van de uitgeverij Éditions de Minuit, waar ook zijn eerste roman *Le silence de la mer* (1942) onder het pseudoniem Vercors verscheen. Amelia van Marken vertaalde deze roman onder de schuilnaam A. Wijkmark in het Nederlands. De eerste uitgave welke in bezet Nederland zou verschijnen, werd door de Gestapo in beslag genomen. In 1948 is de roman door Jean-Pierre Melville verfilmd.

**Verhoef, Goos**

(Wim de Bie; geb. 1939) Nederlands tv-komiek en schrijver. De Bie ondertekende zijn rubriek over een boekhandelaar in Vrij Nederland in 1989 met Goos Verhoef. In 1967 gebruikte hij de schuilnaam Nico 'Bulle' van Berkel voor een briefwisseling met Kees van Kooten, die in Het Parool werd afgedrukt. De Bie publiceerde tevens onder het pseudoniem Leo van Haaften.

**Verneuil, Henri**

(Achod Malakian; geb. 1920) Turks regisseur van Armeense afkomst. Malakian maakte in 1959 *La vâche et le prisonnier* met Fernandel in de hoofdrol. Hij regisseerde o.a. ook enkele thrillers met Jean Gabin, zoals *Le président* (1961) en *Mélodie en sous-sol* (1962).

**Vernon, Anne**

(Edith Antoinette Vignaud; geb. 1925) Frans actrice en schilderes. Vignaud speelde o.a. in *Edouard et Caroline* (1950) en in *Les parapluies de Cherbourg* (1967). Zij signeerde haar schilderijen met F.M.R.

**Verona, Luigi di**

(Louis Ferron; geb. 1942) Nederlands dichter en schrijver. Ferron publiceerde in 1970 de romans *Genadeloze meesteres* en *Dagboek van perverse vrouwen*, die hij respectievelijk met Luigi di Verona en Louis de Verône ondertekende.

**Vertov, Dziga**

(Denis Arkadjevitsj Kaufman; 1896-1954) Russisch regisseur van Poolse afkomst. Kaufman maakte

o.a. *Tsjeloviek s kinoaparatom* (1929; De man met de camera).

**Vervliet, E.M.**

(Maria Rosseels; geb. 1916) Vlaams schrijfster en journaliste. Rosseels debuteerde in 1947 onder het pseudoniem E.M. Vervliet met de roman *Sterren in de poolnacht*. Als redactrice van De Standaard signeerde zij haar artikelen vaak met Elisabeth van Dijck.

**Vervoort, Alma**

(Annie Oosterbroek-Dutschun; 1918-1983) Nederlands schrijfster van streekromans. Oosterbroek-Dutschun publiceerde overwegend onder haar eigen naam. Een aantal romans, zoals *Mijn oom Adelbert* (1966) en *Ieder vindt zijn weg* (1967), signeerde zij echter met het pseudoniem Alma Vervoort.

**Vicious, Sid**

(John Simon Ritchie; 1957-1979) Engels bassist. Ritchie was bassist van de punkgroep de Sex Pistols. In 1978 viel de groep uit elkaar. Ritchie vertrok naar New York om daar de solo-LP 'Sid Sings' (1979) op te nemen. Op 2 febuari 1979 overleed hij aan een overdosis heroïne. In 1986 maakte Alex Cox een film over Ritchies leven onder de titel *Sid & Nancy*.

**Vigo, Jean**

(Jean Almereyda; 1905-1934) Frans regisseur. Almereyda maakte o.a. *Zéro de conduite* (1933) en *L'Atalante* (1934).

**Villon, François**

(François de Montcorbier; 1431-1464?) Frans dichter. Montcorbier schreef onder het pseudoniem François Villon o.a. *Le petit testament* (1456) en *Le grand testament* (1461).

**Vincent, Gene**

(Eugene Vincent Craddock; 1935-1971) Amerikaans rockzanger. Craddock scoorde o.a hits met 'Bebop-a-lula' (1956) en 'Lotta lovin' (1957).

**Vindex**

(Hendrik Herman Backer; 1898-1976) Nederlands striptekenaar en dichter. De strippionier Backer tekende o.a. van 1923 tot 1946 het stripverhaal *De wonderlijke geschiedenis van Tripje*. Als dichter schreef Backer onder de schuilnaam Vindex verzetsgedichten, die in maart 1945 gebundeld werden onder de titel *Vlam in 't Hart*. Backer gebruikte tevens de pseudoniemen Bac, Johan Berndt, B. Elzebub, Peter van Ingen, Hans Overbeeke en Fred Somers.

**Vine, Barbara**
(Ruth Rendell; geb. 1930) Engels schrijfster van thrillers en detectiveromans. Rendell schreef onder het pseudoniem Barbara Vine o.a. *A dark-adapted eye* (1985), *The house of stairs* (1989), *Gallowglass* (1990) en *King Solomons carpet* (1992; Het tapijt van koning Salomon).

**Violette, Geo de la**
(Gabriël Opdebeek; 1895-1979) Vlaams schrijver, journalist en uitgever. Opdebeek publiceerde onder het pseudoniem Geo de la Violette een aantal romans, w.o. *Uit mijn dagboek: met Miss Mary te Parijs* (1924) en *Met Miss Mary op Port Cross* (1926). Hij gebruikte tevens de schuilnamen Angellus, Gabriel den Belg, Florescio, Livius, Titinius en Gabriele Violanti.

**Visser, Joop**
(Jaap Fischer; geb. 1938) Nederlands zanger, liedjesschrijver en componist. Fischer maakte begin jaren zestig onder zijn eigen naam furore met het zingen van door hemzelf geschreven licht sarcastische liedjes. In 1976 maakte de entertainer zijn come-back onder de artiestennaam Joop Visser. Hij had zijn repertoire vernieuwd en maakte o.a. de LP 'Kaas op de plank' (1979).

**Vlady, Marina**
(Marina de Poliakoff-Baidarov; geb. 1938) Frans actrice van Russische afkomst. De Poliakoff-Baidarov speelde o.a. in Jean-Luc Godards *Deux ou trois choses que je sais d'elle* (1967).

**Vogelaar, Jacq Firmin**
(Franciscus Wilhelmus M. Broers; geb. 1944) Nederlands schrijver en essayist. Broers schreef onder het pseudoniem Jacq Firmin Vogelaar een aantal romans, w.o. *Anatomie van een glasachtig lichaam* (1966), *Vijand gevraagd* (1967) en *Raadsels van het rund* (1978). Hij gebruikte ook de schuilnamen Jacq Vogelaar en Koba Swart.

**Voltaire**
(François-Marie Arouet; 1694-1778) Frans filosoof en schrijver. Arouet schreef onder de schuilnaam Voltaire o.a de romans *Zadig* (1947) en *Candide* (1759). Hij gebruikte ook de pseudoniemen Aceeeffghhiillmmnnoorrssstuu, Docteur Akakia, Rabbin Akib, Une belle Dame, Un Bénédictin, Milord Bolingbrocke, Veuve Denis, Fatima, Gemellus, Le docteur Goodheart, M. Imhof, Le Major Kaiserling, Curé Meslier, Jean Plokof, Un Quaker, Scarmentado, Soranus, M. Thomson, Cathérine Vadet, Marquis de Ximenez en Zapata.

**Vooren, René van**
(René André Sleeswijk; geb. 1931) Nederlands komiek en tekstschrijver. Vanaf 1966 vormde René André Sleeswijk samen met Piet van Bambergen (geb. 1931) alias Piet Bambergen het duo De Mounties en maakten zij vele televisieshows voor zowel de TROS als de AVRO.

**Vos, Reinaert de**
(Lodewijk A. Vleeschouwer; 1810-1866) Vlaams schrijver. Vleeschouwer publiceerde in 1863 *Het boek der vertellingen, en andere kuizelarijen*, dat hij met Reinaert de Vos ondertekende.

**Vox, Bono**
(Paul Hewson; geb. 1960) Iers zanger. Paul Hewson alias Bono Vox richtte in 1978 samen met David Evans (geb. 1961) alias The Edge, Adam Clayton en Larry Mullen de groep U2 op. Zij scoorden een hit met o.a. 'New Year's Day' (1982), 'Pride (In the name of love)' (1984), 'Sunday bloody Sunday' (1985), 'Desire' (1988) en 'All I want is you' (1989).

**Vree, Felix de**
(Bob Polak; geb. 1947) Nederlands journalist. Polak schreef onder het pseudoniem Felix de Vree recensies in Het Parool, die in 1989 werden gebundeld onder de titel *Verzameld werk*. In 1987 stelden Polak samen met Lucas Ligtenberg (geb. 1958) onder het pseudoniem Drs. L. Pennings (O.P.) & Drs. B. Langeveld (O.P.) een bundel brieven van dichters samen onder de titel *Dichter bij de mens*. Polak gebruikte o.a. ook de schuilnamen Niels Kobet jr., J. Cohen, J. Cohen jr., Polly Maggoo en Leendert van Os jr.

**Vries, Henri de**
(Hendricus Petrus Lodewicus van Walterop; 1864-1949) Nederlands acteur en regisseur. Walterop speelde o.a. in *Cleopatra* (1917) en in *Boefje* (1939).

**Vrij, Jan de**
(P.F. van Kerckhoven; 1818-1857) Vlaams dichter, (toneel)schrijver en criticus. Van Kerckhoven schreef in 1855 onder het pseudoniem Jan de Vrij de roman *Twee goddeloozen*.

**Vrijman, Jan**
(Jan Hulsebos; geb. 1925) Nederlands regisseur en journalist. Hulsebos publiceerde in de illegale krant De Waarheid onder zijn verzetsnaam Jan Vrijman. Na de oorlog bleef hij voor dit dagblad schrijven. Zijn stukken signeerde hij nu met zijn eigen naam. Nadat Hulsebos zijn banden met De Waarheid had verbroken, solliciteerde hij bij Het Parool. De toenmalige hoofdredacteur van Het Parool, Gerrit Jan van Heuven Goedhart, schrok ervoor terug om openlijk De Waarheid-scribent Hulsebos binnen de gelederen van zijn krant op te nemen. Besloten werd dat Hulsebos onder pseudoniem zou schrijven. Zo signeerde hij zijn bijdragen aan Het Parool steevast met Jan Vrijman. Als filmmaker noemt Hulsebos zich eveneens Jan Vrijman. Onder deze schuilnaam maakte hij o.a. de documentaires *Dag Koninginnedag* (1957) en *De werkelijkheid van Karel Ap-*

*pel* (1960). Hulsebos verzorgt sinds 1985 een column op de voorpagina van Het Parool, die hij met Journaille ondertekent. Hij gebruikte tevens de pseudoniemen Saltimbank en Julien Sorel.

# W

**Wageningen, J. van**
(Jacques Presser; 1899-1970) Nederlands historicus en schrijver. Presser publiceerde tijdens de Duitse bezetting enkele dichtbundels getiteld *Exodus* (1942), *Orpheus* (1943) en *Orpheus en Ahasverus* (1945) die hij met J. van Wageningen ondertekende. In 1969 werd *Orpheus en Ahasverus* onder zijn eigen naam herdrukt. Na de oorlog schreef Presser onder meer enkele detectiveromans, zoals *Moord in Meppel* (1953) die hij met Haggi Mami Reis signeerde. Presser gebruikte tevens de schuilnamen I. van Dam, J. van Dam, J. Drukker, Herodotus, Janus en B. Schaper.

**Wagenvoorde, Hanno van**
(Dick Riegen; geb. 1915) Nederlands dichter, toneelschrijver en essayist. Onder het pseudoniem Hanno van Wagenvoorde publiceerde Riegen o.a. de dichtbundel *Vlinders op een mandolien* (1942) en het toneelstuk *Salome danst* (1950).

**Wagnermaz, J.**
(Joost Zwagerman; geb. 1963) Nederlands schrijver. Zwagerman schreef in 1983 voor Avenue het verhaal *Charlotte*, dat hij met J. Wagnermaz ondertekende.

**Wailer, Bunny**
(Bunny Livingstone; geb. 1947) Jamaicaans basgitarist, zanger en percussionist. Livingstone richtte in 1964 samen met Peter Tosh en Bob Marley de groep The Wailers op. In 1974 koos hij voor een solocarrière. Hij had succes met LP's als 'Blackheart man' (1976), 'Rock 'n groove' (1982) en 'Tribute' (1982).

**Walbrook, Anton**
(Adolf Anton Wilhelm Wohlbrück; 1896-1967) Oostenrijks acteur. Wohlbrück speelde in een aantal films van het regisseursduo Michael Powell en Emeric Pressburger, w.o. *The life and death of Colonel Blimp* (1943) en *The red shoes* (1948). Hij is o.a. ook te zien in *La ronde* (1950) en *Lola Montès* (1955), beide van Max Ophüls.

**Walden, Willy**
(Herman Kaldewaay; geb. 1905) Nederlands cabaretier. Kaldewaay speelde sinds 1937 samen met Piet Muyselaar. Tot 1977 boekte dit duo vele successen met hun eigen revue, waarin zij keer op keer de oude vrijsters Snip en Snap tot leven brachten.

**Walker, Junior**
(Autry DeWalt jr.; geb. 1942) Amerikaans pianist en saxofonist. DeWalt scoorde o.a. een hit met 'Shotgun' (1965), 'Roadrunner' (1966) en 'What does it take to win your love' (1969).

**Walker, T-Bone**
(Aaron Thibaud Walker; 1910-1975) Amerikaans zanger en gitarist. Walker had in de jaren veertig veel succes met bluesnummers als 'They call it stormy Monday'.

**Waller, Fats**
(Thomas Wright Waller; 1904-1943) Amerikaans pianist en componist. De legendarische jazzmusicus Waller schreef o.a. het nummer 'Alligator crawl' (1934) en de Broadway-musical *Early to bed* (1943).

**Walter, Bruno**
(Bruno Walter Schlesinger; 1876-1962) Amerikaans dirigent en componist van Duitse afkomst. Schlesinger was tussen 1934 en 1939 naast Willem Mengelberg eerste dirigent van het Amsterdamse Concertgebouworkest. In 1939 emigreerde hij naar de Verenigde Staten. Schlesinger werd vooral geroemd om zijn vertolkingen van Mozart, Bruckner en Mahler.

**Walter, W.G.E.**
(Virginie Loveling; 1836-1923) Vlaams schrijfster. Loveling schreef in 1887 onder het pseudoniem

W.G.E. Walter een aantal artikelen voor In onze Vlaamsche Gewesten, waarin zij de rol van de geestelijkheid op de hak nam. In 1907 publiceerde zij met haar neef Cyriel Buysse de roman *Levensleer* in Groot Nederland, die zij met Louis Bonheyden ondertekenden. Vier jaar later verscheen dit werk in boekvorm. Loveling gebruikte tevens de schuilnaam A.P. Samien.

**Walton, Joseph**
(Joseph Losey; 1909-1984) Amerikaans regisseur. De in de Verenigde Staten als communist gebrandmerkte Losey kon in de jaren vijftig in Hollywood geen emplooi vinden. Hij vestigde zich in Engeland, waar hij de eerste jaren veelal onder pseudoniem werkte. Zo regisseerde hij in 1954 als Victor Hanbury *The sleeping tiger* en maakte hij twee jaar later onder de schuilnaam Joseph Walton *The intimate stranger*.

**Wanger, Walter**
(Walter Feuchtwanger; 1894-1968) Amerikaans producent. Feuchtwanger produceerde o.a. John Fords *Stagecoach* (1939), Alfred Hitchcocks *Foreign correspondent* (1940), Fritz Langs *Scarlet Street* (1945), Max Ophüls' *The reckless moment* (1949) en Don Siegels *Invasion of the body snatchers* (1956). In 1948 produceerde Feuchtwanger *Joan of Arc*. Naar aanleiding hiervan ontving hij dat jaar een Honorary-Oscar.

**Wanten, Wendy van**
(Iris van de Kerckhove; geb. 1960) Vlaams tv-presentatrice en zangeres. Van de Kerckhove presenteerde van 1989 tot 1990 de brievenrubriek in het tv-programma de *Pin-Up Club*.

**Warhol, Andy**
(Andy Warhola; 1928?-1987) Amerikaans beeldend kunstenaar. Warhola was behalve een van de best betaalde Amerikaanse kunstenaars ook nog de geestelijke vader van het spraakmakende cult-magazine Interview en de regisseur van films als *Sleep* (1963), *The Chelsea girls*

(1966) en *Lonesome cowboys* (1968).

**Warmond, Ellen**
(Pieternella Cornelia van Yperen; geb. 1930) Nederlands dichteres en schrijfster. Van Yperen was van 1959 tot 1960 redacteur van het tijdschrift Gard Sivik. Zij publiceerde onder het pseudoniem Ellen Warmond o.a. een aantal dichtbundels, zoals *Proeftuin* (1953) en *Warmte, een woonplaats* (1961).

**Warren, Harry**
(Salvatore Guaragna; 1893-1981) Amerikaans componist van Italiaanse afkomst. Guaragna schreef o.a. de hit 'Shuffle off to Buffalo' voor de filmmusical *42nd Street* (1933) met Ginger Rogers en Dick Powell.

**Warwick, Dionne**
(Marie Dionne Warrick; geb. 1940) Amerikaans zangeres. Warrick scoorde o.a. een hit met 'Don't make me over' (1962), 'I'll never fall in love again' (1969) en 'I'll never love this way again' (1980). Samen met Gladys Knight, Elton John en Stevie Wonder zong zij het nummer 'That's what friends are for' (1985).

**Washington, I.D.A.**
(Henk van der Meyden; geb. 1937) Nederlands society-journalist. Van der Meyden schreef onder het pseudoniem I.D.A. Washington het scenario voor de musical *Josephine* (1991) over het leven van Josephine Baker.

**Waxman, Franz**
(Franz Wachsmann; 1906-1967) Amerikaans componist van Duitse afkomst. Wachsmann componeerde de muziek voor 188 Hollywoodfilms, w.o. *The bride of Frankenstein* (1935), *Rebecca* (1940), *Dr. Jekyll and Mr. Hyde* (1941), *Sunset Boulevard* (1950) en *Rear window* (1954). Hij won voor twaalf van die scores een Oscar.

**Wayne, David**
(Wayne David McMeekan; geb. 1914) Amerikaans acteur. McMeekan speelde o.a. met Katharine Hepburn en Spencer Tracy in *Adam's*

*rib* (1949), met Marilyn Monroe in *How to marry a millionaire* (1953) en met Walter Matthau in *The front page* (1974).

**Wayne, John**
(Marion Michael Morrison; 1907-1979) Amerikaans acteur. Morrison speelde de hoofdrol in vele westerns van John Ford, w.o. *Stagecoach* (1939), *The searchers* (1956) en *The man who shot Liberty Valance* (1962). Hij is o.a. ook te zien in Howard Hawks' *Rio bravo* (1959) en Don Siegels' *The shootist* (1976). In 1969 won Morrison een Oscar voor zijn hoofdrol in de western *True grit*.

**Webb, Clifton**
(Webb Paramallee Hollenbeck; 1889-1966) Amerikaans acteur. Hollenbeck speelde o.a. in *Laura* (1944), *Razor's edge* (1946) en *Three coins in a fountain* (1954).

**Weegee**
(Arthur Fellig; 1899-1968) Amerikaans fotograaf van Poolse afkomst. Fellig was werkzaam in New York en maakte tussen 1935 en 1947 duizenden foto's van 'crime scenes' en familiedrama's voor bladen als de Herald Tribune en PM. Hij was de eerste fotograaf die toestemming kreeg om een politiescanner te gebruiken, waardoor hij de ene na de andere primeur had.

**Weemoedt, Levi**
(Izak Jacobus van Wijk; geb. 1948) Nederlands leraar, dichter en schrijver. Van Wijk schreef onder het pseudoniem Levi Weemoedt o.a. de dichtbundel *Geduldig lijden* (1977) en de verhalenbundel *Bedroefd maar dankbaar* (1980).

**Weidevogel, Henk**
(Henk Kievit; geb. 1940) Nederlands tv-editor. Kievit, die als editor in vaste dienst bij de NOS en later het NOB werkte, hanteerde voor zijn schnabbels de schuilnamen H. Lapwing en Henk Weidevogel. Zo stond hij met laatstgenoemd pseudoniem begin jaren zeventig meermalen op de aftiteling van het door de TROS uitgezonden popprogram-

ma *Rockplanet*.

**Wentworth, Patricia**
(Dora Amy Turnbull; 1878-1961) Engels schrijfster. Turnball schreef onder het pseudoniem Patricia Wentworth o.a. een aantal detectives rond de breiende Miss Maud Silver, w.o. *Miss Silver deals with death* (1943) en *Fingerprint* (1956).

**Werfhorst, Aar van der**
(Pieter Gerhardus Jansen; geb. 1907) Nederlands schrijver. Jansen publiceerde onder de schuilnaam Aar van der Werfhorst o.a. de romans *Madame Jatzkowa* (1941) en *De eenzame* (1949-56).

**Werner, Oskar**
(Oskar Josef Bschliessmayer; 1922-1984) Oostenrijks acteur. Bschliessmayer speelde Jules in François Truffauts *Jules et Jim* (1962). Hij is o.a. ook te zien in *The spy who came in from the cold* (1965).

**West, Albert**
(Albertus Petrus Hendricus Gerardus Westelaken; geb. 1949) Nederlands zanger. De Brabantse zanger Westelaken en zijn groep The Shuffles behaalden in 1969 met 'Cha la la I need you' een tweede plaats in de Top 40. In 1972, enkele hits later, koos de leadsinger voor een solo-carrière. Hij vierde in vele Europese landen triomfen, o.a. met 'Ginny come lately' (1973), dat in Oostenrijk bijna een jaar lang nummer één stond.

**West, Nathanael**
(Nathan Wallenstein Weinstein; 1903-1940) Amerikaans (scenario) schrijver en journalist. Weinstein veranderde in 1926 zijn achternaam officieel in West. Daarna schreef hij o.a. de romans *The dream life of Balso Snell* (1931), *Miss Lonely Hearts* (1933), *A cool million* (1934) en *The day of the locust* (1939), die hij met Nathanael West ondertekende.

**West, Rebecca**
(Cicily Isabel Fairfield; 1892-1983) Engels schrijfster van Ierse afkomst. Fairfield was vanaf 1911 redactrice van het feministische tijdschrift

Free Woman. Zij schreef onder het pseudoniem Rebecca West o.a. de romans *The return of the soldier* (1918; Een soldaat keert terug) en *The fountain overflows* (1957; De fontein stroomt over).

**West, Rudi**
(Franciscus Gerardus Welman; 1915-1969) Nederlands cabaretier en acteur. Welman was niet alleen te zien in tientallen theater- en tv-produkties, zoals de revue *Daar houden de vrouwtjes van* (1943-44) en de NCRV-serie *O kijk mij nou* (1962-63), maar ook in de film *The diary of Anne Frank* (1959).

**Wévé**
(Willem Vleeschouwer; geb. 1950) Nederlands striptekenaar en illustrator. Vleeschouwer, die vanaf 1 september 1978 voor De Waarheid het stripverhaal *De wonderbaarlijke reis van Jacob Maneschijn en Sientje Zeester* tekende, is tegenwoordig een van de vaste illustratoren van de Nederlandse Esquire.

**Weye, Chris van der**
(Albert Adam Perdeck; 1888-1973) Nederlands dichter en criticus. Perdeck publiceerde onder het pseudoniem Chris van der Weye de dichtbundels *De groene deur* (1938) en *Het blijvende* (1944).

**WIBO**
(Wim Boost; geb. 1918) Nederlands cartoonist. Boost tekende van 1951 tot 1983 dagelijks een cartoon op de voorpagina van de Volkskrant, die hij met WIBO signeerde.

**Wiel**
(Gerard Clemens Maria Wiegel; geb. 1926) Nederlands striptekenaar. Wiegel publiceerde o.a. van 1967 tot 1970 de strip *Professor Cumulus* in de Volkskrant.

**Wilde, Frans de**
(Eugeen Gilliams; 1889-1981) Vlaams dichter en leraar. Gilliams schreef onder het pseudoniem Frans de Wilde o.a. de dichtbundels *De weg door het woud* (1921), *Het huis op de vlakte* (1926) en *Dichter en burgerman* (1935). Hij gebruikte ook de schuilnaam Rosa.

**Wilde, Ida de**
(Adolf Bles; 1883-1940) Nederlands dichter en (toneel)schrijver. Bles debuteerde in 1906 met de roman *Mijn dagboek*, dat hij ondertekende met Ida de Wilde. Hij gebruikte ook de schuilnamen Ronselaer Brevier, R. de Buci, A. Dolfers, J. van Gelderen en J.Th. Ring.

**Wilde, Kim**
(Kim Smith; geb. 1960) Engels zangeres. Smith scoorde een hit met o.a. 'Kids in America' (1981), 'Chequered love' (1981), 'You keep me hangin' on' (1986) en 'Hey Mr. Heartache' (1988).

**Wilder, Gene**
(Gerald Silberman; geb. 1934) Amerikaans acteur en regisseur van Russische afkomst. Silberman regisseerde o.a. *The woman in red* (1984), waarin hij tevens een hoofdrol vertolkte. Als acteur is hij o.a. ook te zien in *Bonny and Clyde* (1967), *Everything you always wanted to know about sex, but were afraid to ask* (1972) en *See no evil, hear no evil* (1989).

**Wilderode, Anton van**
(Cyriel Coupé; geb. 1918) Vlaams dichter, priester en leraar. Coupé publiceerde onder het pseudoniem Anton van Wilderode o.a. de dichtbundels *De moerbeitoppen ruischten* (1943) en *Dorp zonder ouders* (1978).

**Willems, Liva**
(Godelieve Uleners; geb. 1933) Vlaams psychotherapeute en schrijfster van kinderboeken. Uleners publiceerde onder het pseudoniem Liva Willems o.a. *El is zo blij met Els* (1982) en *Vertellen en zingen! Dansen en springen!* (1972).

**William, Warren**
(Warren William Krech; 1895-1948) Amerikaans acteur. Krech speelde Ceasar in *Cleopatra* (1934) en Perry Mason in *The case of the howling dog* (1934). Hij is o.a. ook te zien in Frank Capra's *Lady for a day* (1933).

**Williams, Tennessee**
(Thomas Lanier Williams; 1914-

1983) Amerikaans (toneel)schrijver. Williams schreef onder het pseudoniem Tennessee Williams o.a. *A streetcar named Desire* (1947; Tramlijn begeerte) en *Cat on a hot tin roof* (1955; Als een kat op een heet zinken dak).

**Willy**

De Franse schrijfster Sidonie Gabrielle Colette (1873-1954) schreef samen met haar eerste echtgenoot Henri Gauthier-Villars (1859-1931) een viertal romans over het meisje Claudine, w.o. *Claudine à Paris* (1901; Claudine te Parijs) en *Claudine en ménage* (1902; Claudine is getrouwd), die zij met Willy ondertekenden. Willy is een pseudoniem waar Gauthier-Villars doorgaans alleen onder schreef. Colette publiceerde onder haar eigen naam o.a. *La vagabonde* (1910; De zwerfster) en *Le blé en herbe* (1923; Als het jonge koren rijpt). Gewoonlijk wordt op haar boeken alleen haar achternaam vermeld.

**Wilma**

(Wilhelmina Vermaat; 1873-1967) Nederlands schrijfster. Vermaat schreef onder het pseudoniem Wilma o.a. *Het schoone leven* (1918) en *Als het dode hout gaat zingen* (1962).

**Wimm**

(Wim Meuldijk; geb. 1925) Nederlands schrijver en tekenaar. Meuldijk maakte van 1945 tot 1957 de strip *Ketelbinkie*, die hij met zijn eigen naam ondertekende. Voor het beeldverhaal *Sneeuwvlok* dat van 1945 tot 1946 in het gelijknamige tijdschrift werd gepubliceerd, gebruikte hij de schuilnaam Wimm.

**Winchester, Ron J.**

(Ronald Brandsteder; geb. 1950) Nederlands tv-presentator en zanger. Brandsteder begon zijn showbizz-carrière als zanger. Onder de schuilnaam Ron J. Winchester maakte hij o.a. in 1974 de single 'Albany'. Brandsteder presenteerde sinds 1976 verschillende tv-shows voor achtereenvolgens de TROS en RTL 4. In 1984 speelde hij naast

Joop Doderer in de film *Moord in extase*.

**Winters, Shelley**

(Shirley Schrift; geb. 1922) Amerikaans actrice. Schrift speelde in George Cukors *A double life* (1947) en in Stanley Kubricks *Lolita* (1962). Zij is o.a. ook te zien in *A place in the sun* (1951) en *The diary of Anne Frank* (1959), beide van George Stevens.

**Wolf, A.L.**

(Aart van der Leeuw; 1876-1931) Nederlands schrijver. Van der Leeuw ondertekende zijn bijdragen in de periodieken De Witte Mier en Nuntius Gymnasiorum met respectievelijk A.L. Wolf en X. Hij gebruikte tevens de schuilnamen Leo en T.N.R.W.

**Wonder, Stevie**

(Steveland Judkins Morris Hardaway; geb. 1950) Amerikaans zanger. De sinds zijn geboorte blinde musicus Judkins Morris Hardaway werd in het begin van zijn carrière Little Stevie Wonder genoemd, maar liet na enige tijd het 'Little' vallen. Hij scoorde zijn eerste hit met 'Fingertips' (1963), waarna vele volgden, zoals 'I Wish' (1976) en 'I just called to say I love you' (1984).

**Wong, Anna May**

(Wong Liu Tsong; 1902-1961) Amerikaans actrice van Chinese afkomst. Wong speelde o.a. met Douglas Fairbanks in *The thief of Bagdad* (1924) en met Marlene Dietrich in *Shanghai Express* (1932).

**Wood, Natalie**

(Natalie Gurdin; 1938-1981) Amerikaans actrice. Gurdin speelde met James Dean in *Rebel without a cause* (1955) en met John Wayne in *The searchers* (1956). Zij is o.a. ook te zien in de musical *West Side Story* (1961).

**Wyman, Jane**

(Sarah Jane Fulks; geb. 1914) Amerikaans actrice. Fulks won in 1948 een Oscar voor haar hoofdrol in *Johnny Belinda*. Zij speelde o.a. ook in *The lost weekend* (1945), *Magni-*

*ficent obsession* (1954) en *All that heaven allows* (1955). Van 1981 tot 1990 was zij Angela Channing in de tv-serie *Falcon Crest*.

**Wyndham, John**
(John Wyndham Parkes Lucas Beynon Harris; 1903-1969) Engels schrijver van SF-verhalen. Harris publiceerde onder verschillende pseudoniemen, die telkens een combinatie van twee of drie van zijn voornamen zijn: John Beynon, John Beynon Harris, Lucas Parkes, Wyndham Parkes en John Wyndham. Met de schuilnaam John Wyndham signeerde hij o.a. *Planet plane* (1936) en *Out of the deeps* (1953).

**Wynn, Ed**
(Isaiah Edwin Leopold; 1886-1966) Amerikaans acteur. Leopold speelde o.a. in *The diary of Anne Frank* (1959) en in *Mary Poppins* (1964).

**Xandra**
(Sandra Reemer; geb. 1950) Nederlands zangeres en tv-presentatrice. Reemer vormde tot 1975 samen met Dries Holten (geb. 1936) het duo Sandra & Andres. In 1979 vertegenwoordigde Reemer onder de artiestennaam Xandra Nederland op het Eurovisie Songfestival met het liedje 'Colorado'. Zij behaalde een twaalfde plaats.

**York, Susannah**
(Susannah Yolande Fletcher; geb. 1939) Engels actrice. Fletcher speelde o.a. in *A man for all seasons* (1966), *Oh! What a lovely war* (1969) en *They shoot horses, don't they?* (1969).

**Young, Gig**
(Byron Elsworth Barr; 1913-1978) Amerikaans acteur. Barr speelde o.a. in de komedies *Teacher's pet* (1958) en *That touch of mink* (1962). In 1969 won hij een Oscar voor zijn bijrol in *They shoot horses, don't they?*

**Yourcenar, Marguerite**
(Marguerite de Crayencour; 1903-1987) Frans schrijfster van Belgische afkomst. De Crayencour schreef onder het pseudoniem Marguerite Yourcenar o.a. de romans *Mémoires d'Hadrien* (1951; Hadrianus' gedenkschriften) en *L'oeuvre au noir* (1968; Het hermetisch zwart). In 1980 trad De Crayencour als eerste vrouw toe tot de Académie française.

**Ypsilon**
(Pieter Oege Bakker; 1897-1960) Nederlands schrijver en journalist. Bakker, de auteur van o.a. *Ciske de Rat* (1942), publiceerde in 1944 onder de schuilnaam Ypsilon de illegale publikatie *Twintig eeuwen na Bethlehem*. Hij gebruikte tevens het pseudoniem K. Opdam.

**Yrrah**
(Harry Lammertink; geb. 1932) Nederlands cartoonist. Lammertink tekent o.a. wekelijks een cartoon voor *Vrij Nederland*.

**Z.D.**
(Jacobus Cornelis Bloem; 1887-1966) Nederlands dichter. Bloem publiceerde in de *Utrechtse studentenalmanak 1913* een gedicht getiteld *Het brood*, dat hij met Z.D. signeerde. In voorgaande edities van deze almanak schreef hij de gedichten *Feestavond*, *De reiziger* en *Herfstzang* onder het pseudoniem E.F. Bloem gebruikte ook de schuilnaam Ego Flos.

**Zangeres zonder Naam**
(Mary Servaes-Bey; geb. 1919) Nederlands zangeres. Servaes-Bey scoorde o.a. een hit met de liedjes 'Ach vaderlief, toe drink niet meer' (1959), 'De blinde soldaat' (1962), 'Keetje Tippel' (1975), 'Jongen' (1980), 'Denk toch heel goed na' (1982), 'Vragende kinderogen' (1982) en 'Mexico' (1986).

**Zelluf, Hellun**
(Geert Vissers; 1960-1992) Nederlands tv-presentator. Vissers maakte furore met zijn travestie-creatie Hellun Zelluf. In die hoedanigheid presenteerde hij van januari 1991 tot juni 1991 de *Gay Dating Show* op de Amsterdamse kabel-tv.

**Zonderland, Daan**
(Daniël Gerhard van der Vat; 1909-1977) Nederlands leraar, schrijver, dichter en journalist. Van der Vat publiceerde onder het pseudoniem Daan Zonderland o.a. de dichtbundels *Redeloze rijmen* (1952) en *Weerbarstig alfabet* (1955) en enkele kinderboekenseries over Jeroen en Professor Zegellak.

**Zoophylus**
(Jan Jacob Alfried de Laet; 1815-1891) Vlaams politicus, dichter en schrijver. De Laet was medeoprichter van het eerste Nederlandstalige

dagblad in België, Vlaemsch België. In 1845 publiceerde hij in het
tijdschrift Het Taelverbond een gedicht getiteld *De twee haentjes*, dat
hij met Zoophylus ondertekende. De
Laet gebruikte tevens de schuilnaam
Jozef Colveniers.

**Zuylen, Belle van**
(Isabella Agneta Elisabeth van
Tuyll van Serooskerken; 1740-
1805) Nederlands schrijfster. Van
Tuyll van Serooskerken schreef onder het pseudoniem Belle van Zuylen o.a. de romans *Le noble* (1763;
de edelman) en *Caliste* (1787; de
geschiedenis van Caliste) en het toneelstuk *Le toi et le vous* (1807).

**Zvonik, Loekie**
(Hermine Zvonicek; geb. 1935)
Vlaams schrijfster en lerares van
Tsjechische afkomst. Zvonicek
schreef onder het pseudoniem Loekie Zvonik o.a. de romans *Hoe heette de hoedenmaker?* (1975) en *Duizend jaar Thomas* (1979).

**Zwarte Riek**
(Rika Jansen; geb. 1924) Nederlands actrice en zangeres. Jansen
oogstte succes met liedjes als 'M'n
wiegie was een stijfselkissie' en
'Amsterdam huilt'. Jansen gebruikte
aan het begin van haar carrière de
artiestennaam Rosita Laviero.

**Zwik**
(Cees Buddingh'; 1918-1985) Nederlands schrijver en dichter. Buddingh' schreef rond 1970 een column voor het tijdschrift Sport Expres, die hij met Zwik ondertekende-
de. Hij gebruikte tevens de schuilnamen Corobald Blomhert, Jean de
Boisson en Benjamin Morecombe.

# Register

**Vet** gedrukt is het pseudoniem waaronder de persoon te vinden is.

*Cursief* gedrukt zijn de overige door dezelfde persoon gebruikte pseudoniemen die verwijzen naar het pseudoniem waar de informatie te vinden is.

Normaal gedrukt is de familienaam die verwijst naar het pseudoniem waar de informatie te vinden is.

*A., Mr. H. van* → Nil admirari
*A.B.* → Breekveld, Arno
*A.B.* → Drapier, M.B.
*A.B.C.* → Belcampo
*A.J.* → Deyssel, Lodewijk van
*A.v.d.A.* → Biezen, Y. ten
*A.Z.B.* → Forestier, Pauwel
**Aaber, Geert**
Aafjes, Bertus → Sick Sack
**Aalberse, Han B.**
Aarons, Edward S. → Ronns, Edward
Aarts, C.J. → Saaije C. Jzn., A.
**Abbing, Justine**
**Abbott, Bud**
Abbott, William Alexander → Abbott, Bud
**Abel, Jurgen**
**Abel, Peter**
Abelson, Francis → Vaughan, Frankie
*d'Ablaing van Bergen, Helen* → Sadeleer, C.N. de
D'Abruzzo, Alphonso → Alda, Alan
D'Abruzzo, Alfonso Giuseppe Giovanni Roberto → Alda, Robert
*Aceeeffghhiillmmnnoorrssstuu* → Voltaire
**Achmatova, Anna**
*Achterhout, Raoul* → Grijs, Piet
*Acu insma* → Ihlfeldt, Karl
*Adam* → Dagboekanier
Adama van Scheltema, Carel Steven → Melas
**Adamo**
Adamo, Salvatore → Adamo
*Adams, Chuck* → Shaw, Brian
**Adams, Edie**
**Adams, Maud**
Adams Enke, Edith → Adams, Edie
Aday, Marvin Lee → Meat Loaf

Adu, Helen Folasade → Sade
**Adwaita**
*Aelius* → Daalberg, Bruno
**Aerde, Rogier van**
Aerden, Onno → Dekker, Wubbe
**Aerds, Peter**
*Ager, Constantijn* → Smits, Hendrik
**Agnew, Spiro**
**Agnon, Samuel Josef**
*Ahasverus* → Falkland, Samuel
*Ahrimán* → Azorín
Aigroz, Mireille → Darc, Mireille
**Aimée, Anouk**
**Aislin**
*Ajar, Emile* → Gary, Romain
*Akakia, Docteur* → Voltaire
*Akerman, Dirk* → Falkland, Samuel
*Akib, Rabbin* → Voltaire
**Akijn, Wim**
*Akooy, Philip van* → Lanser, Ruard
**Alain-Fournier**
Albach-Retty, Rosemarie Magdalene → Schneider, Romy
**Albe**
Alberdingk Thijm, Josephus Albertus → Forestier, Pauwels
Alberdingk Thijm, Karel Joan Lodewijk → Deyssel, Lodewijk van
**Albert, Eddie**
**Alberti, Willeke**
**Alberti, Willy**
**Alberts, Koos**
**Albrecht, H.**
*Albrecht, Willie* → Koopman, Wanda
**Alcyone**
**Alda, Alan**
**Alda, Robert**
**Aldanov, Mark Aleksandrovitsj**
Alderdice, Alfred → Drake, Tom
**Aldo, G.R.**

Aleksandrov, Grigori
Aleksejev, Konstantin Sergevitsj → Stanislavski, Konstantin
Aletrino, Arnold → Ihlfeldt, Karl
Alexander
Alexander, Peter
Alfredo, Willy
Ali, Mohammed
Alicia, Ana
Allbeury, Ted → Butler, Richard
Alleh
*Allen, John B.* → Clark, Curt
Allen, Woody
*Alm, Aart van der* → Donker, Anthonie
Almeida Cavalcante, Alberto de → Cavalcanti, Alberto
Almereyda, Jean → Vigo, Jean
Alsteens, Gerard → Gal
Alstein
Alstein, Marc van → Alstein
*Altena, Liesbeth van* → Philemon
Altenburger, Alida Maria → Valli, Alida
*Altman, Thomas* → Armstrong, Campbell
Alverio, Rosa Dolores → Moreno, Rita
Ameche, Don
Ameide, Th. van
Amerongen, Martin van → Schuringa, Ir. H.A.
*Amersfoort, Piet van* → Geestzwaard, J.
Ames, Leon
Amici, Dominic Felix → Ameche, Don
Amis, Kingsley → Markham, Robert
Ammelrooij, Willy van → Ammelrooy, Willeke van
Ammelrooy, Willeke van
Amrito, Swami Deva
*Amstel, Piet van* → Forestier, Pauwel
Anagnostopoulos, Spiro Theodore → Agnew, Spiro
Ancion, Thomas → Hoffman, Thom
Anders, Martin
Anders, A. van
Anderson, Gilbert M.
Anderson, John James → James, John

Anderson, Roberta Joan → Mitchell, Joni
Andreus, Hans
Andrews, Julie
*Andrézel, Pierre* → Dinesen, Isak
*Andriesse, Gerrit* → Mr. Pennewip
Andriessen, Jurriaan → Cool, Leslie
Andrzejewski, Patricia → Benatar, Pat
Angeli, Pier
Angell, Norman Lane
*Angellus* → Violette, Geo de la
Angelo, Bob
Ann-Margret
Annabella
Annichiarico, Walter → Chiari, Walter
*Anonymus* → Daalberg, Bruno
Ant, Adam
Anthony, Peter
Anthony, Piers
Anthony, Richard
*Anti-Climacus* → Silentio, Johannes de
Antipholus van Ephesus
*Antonides* → Duinkerken, Anton van
*Antorf* → Ravestein, Koen
Anus, Urbanus van
Ape
*Apeltern, Herman van* → Nil admirari
Apollinaire, Guillaume
*Appelman, Ronnie* → Bernlef, J.
D'Arby, Terence Trent
*Arcangelo* → Dupont, Marc
Arden, Elizabeth
Arden, Eve
Arean, Jenny
Ariese, Dick → Rabbé
Arion, Frank Martinus
Arishima, Yukimitsu → Mori, Masayuki
*Aristo of the North, The* → Cleisbotham, Jedediah
Arlen, Harold
Arletty
Arluk, Chaim → Arlen, Harold
Armand
Armando
Armstrong, Campbell
Arnaz, Desi
Arnaz, Lucie
Arnaz jr., Desi

Arnaz y de Acha, Lucille Desiree → Arnaz, Lucie

Arnaz y de Acha III, Desiderio Alberto → Arnaz, Desi

Arnaz y de Acha IV, Desiderio Alberto → Arnaz jr., Desi

**Arness, James**

**Arno, Sig**

Arnoldussen, Paul → Lips, Han

**Arnoul, Françoise**

Aron, Siegfried → Arno, Sig

Arondeus, Willem Johannes Cornelis → Kochius

Aronson, Max → Anderson, Gilbert M.

Arouet, François-Marie → Voltaire

**Arthur, Jean**

**Ashdown, Clifford**

**Ashe, Gordon**

*Ashe, Tom* → Drapier, M.B.

**Asherson, Renée**

Asimov, Isaac → French, Paul

Asselijn, Thomas → Nylessa

Asselbergs, Wilhelmus Johannes Maria Antonius → Duinkerken, Anton van

*Assenede, Janne van* → Baudewijns

Asser, Eli → Harmelen, Herman van

**Astaire, Fred**

*Astley, Juliet* → Curtis, Peter

**Astor, Mary**

**Astro**

**Atatürk, Kemal**

**Atele, Rudolf**

**Atheling, William**

**Atherton, William**

**Atkins, Christopher**

*Atkins, M.D.* → Atheling, William

Atkins Bomann, Christopher → Atkins, Christopher

*Auctor* → Spier, Jacq.

**Audran, Stéphane**

Auen, Signe → Owen, Seena

**Auer, Mischa**

**Aumont, Jean-Pierre**

Aurness, James → Arness, James

Aurness, Peter → Graves, Peter

Aury, Dominique → Réage, Pauline

Austerlitz, Frederick → Astaire, Fred

**Austerlitz, Johnny**

Autry De Walt jr. → Walker, Jr.

**Auwera, Fernand**

Auwera, Fernand Leon Henri van der → Auwera, Fernand

Avallone, Francis Thomas → Avalon, Frankie

**Avalon, Frankie**

**Avatar of Vishnuland**

Avery, Fred Bean → Avery, Tex

**Avery, Tex**

*Ayres, Paul* → Ronns, Edward

**Aznavour, Charles**

Aznavourian, Shahnour Varenagh → Aznavour, Charles

**Azorín**

*B., Diodorus* → Smits, Hendrik

*B.L.* → Atheling, William

**Baal, Karin**

**Baanbreker**

**Baandijk, A.C.M.**

Baantjer, Albert C. → Baandijk, A.C.M.

Baars, Hubertus Richenel → Richenel

Babcock, Edward Chester → Heusen, Jimmy van

**Babylon, Frans**

*Bac* → Vindex

**Bacall, Lauren**

**Bachman, Richard**

**Back, Johannes de**

Backer, Hendrik Herman → Vindex

**Baddeley, Hermione**

**Baden Powell of Wilwell, Lord Robert**

*Baedens, Angèle* → Perkens, Duco

*Baekeland* → Boontje

Baelen, Kamiel van → Pro Pius

Bahji, Krishna → Kingsley, Ben

*Bakels, A.* → Robazki, Boris

**Baker, Bob**

Baker, Daisy → Dumont, Margaret

**Baker, George**

**Baker, Josephine**

Bakker, Pieter Oege → Ypsilon

*Bakx, Pieter* → Duinkerken, Anton van

**Baky, Josef von**

Báky e Zombor, József → Baky, Josef von

**Balázs, Béla**

Baline, Israel Isidore → Berlin, Irving

Balinge, Franklin Fonseca → Sanders, Frank

Balkt, Herman Hendrik ter → Habakuk II de Balker
Ballard, Willis Todhunter → Carter, Nick
Ballion, Susan → Sioux, Siouxsie
*Balstra, Ooke* → Back, Johannes de
*Balthasar, Gerard* → Grijs, Piet
**Balthus**
*Baluin, Aukje* → Faro, Isaac
*Bambergen, Piet* → Vooren, René van
Bambergen, Piet van → Vooren, René van
Bamberger, Ludwig Gottfried Heinrich → Berger, Ludwig
**Bancroft, Anne**
**Bara, Theda**
**Barbarossa**
Barbera, Joseph Roland → Hanna-Barbera
**Barcroft, Roy**
Barend, Frits → Geubels, dr. Onno
Barnard, Wilhelmus → Graft, Guillaume van der
**Baron, David**
Barr, Byron Elsworth → Young, Gig
Barratt, Michael → Shakin' Stevens
**Barrie, Wendy**
**Barry, John**
Barry, Patrick → Sullivan, Barry
**Barrymore, Ethel**
**Barrymore, John**
**Barrymore, Lionel**
**Bartholomew, Freddie**
**Bartok, Eva**
**Barton, Buzz**
**Bas, Rutger**
**Baselitz, Georg**
**Bash, Jug me**
**Basie, Count**
Basie, William → Basie, Count
Basoalto, Neftalí Ricardo Reyes → Neruda, Pablo
**Bassetto, Corno di**
Bastard, Lucien → Estang, Luc
Batenburg, René van → Mountbatten, Patrick
Bates, Herbert Ernest → Flying Officer X
Bathiat, Arlette-Léonie → Arletty
Batt, David → Sylvian, David

Battenberg, Louis Francis Albert Victor Nicholas von → Mountbatten, Louis
*Battus* → Grijs, Piet
**Baudewijns**
Bauer, Herbert → Balázs, Béla
Baumgarner, James Scott → Garner, James
*Bavinck* → Schröder, J.Ph.
Bayer, Hanna Karin Blarke → Karina, Anna
**Bayer, J.J.M. → Benoît, Jacques**
Bean, Norman
**Beatty, Warren**
Beaty, Warren → Beatty, Warren
*Beaumont, Balthasar* → Schön, Wilhelm
**Beaumarchais, Caron de**
Beauvoir de Havilland, Joan de → Fontaine, Joan
**Bécaud, Gilbert**
*Beccelaere, Max van* → Uten Hove, Beaet
*Beccelaere, Peter van* → Uten Hove, Beaet
*Bede, R.* → Uytendaele, Lucien
Beedle, William Franklin → Holden, William
Beek, Jochem van → Membrecht, Steven
Beets, Nicolaas → Hildebrand
**Béjart, Maurice**
Békessy, János → Habe, Hans
*Bekker, Jens* → Konsalik, Heinz Günther
**Belcampo**
Belcher, Marjorie Celeste → Belle, Marjorie
Belder, Jozef Frans Lodewijk de → Uytendaele, Lucien
*Belg, Gabriel den* → Violette, Geo de la
*Bell, Acton* → Bell, Ellis
*Bell, Currer* → Bell, Ellis
**Bell, Ellis**
*Bell, Marc* → Ramone, Joey
**Belle, Marjorie**
*belle Dame, Une* → Voltaire
Bellefroid, Marthe → Gronon, Rose
**Belly**
Belser, Raymond Karel Maria de → Ruyslinck, Ward
**Ben Goerion, David**
**Benatar, Pat**

*Bénédictin, Un* → Voltaire
Benkert, Karl Maria → Kertbeny, Karl Maria
**Bennett, Bruce**
Bennie Jolink → Buiz'n Beernd
**Benny, Jack**
**Benoît, Jacques**
**Benton, Oscar**
Berg, Trudy van den → Saskia
*Bergas, Sels* → Duinkerken, Anton van
Berge, H.C. ten → Ombre, L.
Berger, André → Malraux, André
**Berger, Helmut**
**Berger, Ludwig**
Berger, Maurice de → Béjart, Maurice
Bergh, Louis van den → Berkhof, Aster
**Bergman, J.C.**
Bergmann, Anton → Tony
*Berkel, Nico 'Bulle' van* → Verhoef, Goos
*Berkelaar, P.H.* → Breekveld, Arno
**Berkhof, Aster**
Berlin, Elaine → May, Elaine
**Berlin, Irving**
**Bernadette**
Bernard, Henriette-Rosine → Bernhardt, Sarah
*Bernard, Jay* → Forbes, Colin
*Berndt, Johan* → Vindex
**Bernhardt, Sarah**
**Bernlef, J.**
**Berretty, Yoka**
Berry, Charles Edward Anderson → Berry, Chuck
**Berry, Chuck**
**Berry, Jules**
*Berry, Mathilda* → Mansfield, Katherine
Bertin, Eddy C. → Brendall, Edith
*Bessum, Wim van* → Breekveld, Arno
Bethel, Dawn → North, Sheree
*Beton, Karel* → Broekhuis, Henk
*Betteridge, Anne* → Melville, Anne
Bevere, Maurice de → Morris
Beverloo, Cornelis Guillaume van → Corneille
*Beynon, John* → Wyndham, John
*Bezooijen, Mr. Joris van* → Opheffer

Bianchi, Herman → Cashet, Thomas
**Bibeb**
*Bickerstaff, Isaac* → Drapier, M.B.
Bie, Wim de → Verhoef, Goos
Bierce, Ambrose Gwinett → Grile, Dod
Bierkens, Jozef → Kazan, Max
*Bieruma, Betty* → Marxveldt, Cissy van
Biesheuvel, Maarten → Blijn, D.
**Biesheuvel, Mien**
**Biezen, Y. ten**
**Bijkaart, Age**
Bijl, Hendrikje Imca → Marina, Imca
*Bijns, Hanna* → Ombre, L.
**Bjarme, Brynjolf**
*Blaauw, Victor* → Schön, Wilhelm
Black, Campbell → Armstrong, Campbell
**Black, Karen**
**Black, Roy**
Blair, Eric Arthur → Orwell, George
Blake, Hume → Cronyn, Hume
**Blake, Nicholas**
**Blake, Robert**
Blake, William → Edwards, Blake
**Blakey, Art**
**Blaman, Anna**
Blamauer, Karoline Wilhelmine → Lenya, Lotte
Blanckaert, Arthur Achille Albert → Tura, Will
Blaskó, Béla Ferenc Deszö → Lugosi, Bela
Blauermel, Karin → Baal, Karin
Blauschild, Israel Moshe → Dalio, Marcel
**Bleeck, Oliver**
Bles, Adolf → Wilde, Ida de
*Bleyensburgh, Gérard Q.* → Helder, Jan
**Blijn, D.**
Blijstra, Reinder → Harlingen, R. van
*Blind Boy Grunt* → Dylan, Bob
**Bliss, Reginald**
Blixen-Finecke, Karen Christence → Dinesen, Isak
**Bloem, J.C.**
Bloem, Jacobus Cornelis → Z.D.
Bloemkolk, Jos → Lips, Han

**Bloempot, Aris Cornelisse**
*Blokker, Jan* → Opheffer
Blokker, Jan Andries → Schuit, Okko
Blom, Hermanus → Bouber, Herman
**Blom, Jan**
*Blomhert, Corobald* → Zwik
*Blomkwist, Karel* → Peskens, R.J.
**Bloom, Claire**
Blume, Claire → Bloom, Claire
Blythe, Ethel May → Barrymore, Ethel
Blythe, John Sidney → Barrymore, John
Blythe, Lionel → Barrymore, Lionel
Bockelmann, Udo Jürgen → Jürgens, Udo
Boddaert, Marie → Curtius, Rudolf
*Boeda* → Leonard, Willem
*Boefjes, Pater Frater B.I.M.* → Bijkaart, Age
**Boeka**
*Boekenoogen* → Elro, H. van
**Boekuil, De**
*Boele van Hensbroek, P.A.M.* → Flanor
Boer, Herman Pieter de → Austerlitz, Johnny
**Boer Biet**
Boerrigter, Wim → Rigter, Wim
Boersma, Jacques Martinus → Teister, Alain
*Bof, Barend* → Falkland, Samuel
Bogaerde, Derek Jules Gaspard Ulric Niven van den → Bogarde, Dirk
**Bogarde, Dirk**
Bohl, Joan → Smits, Hendrik
*Boisson, Jean de* → Zwik
**Böker, Harda**
Bokma de Boer, Sjouke Maria Diederika → Hichtum, Nienke van
**Bolan, Mark**
*Bolanden, Conrad van* → Smits, Hendrik
*Bolingbrocke, Milord* → Voltaire
Bom, Emmanuel de → Mendel
Bomans, Godfried → Parlevink
*Bombay, Cesar* → Perkens, Duco
**Bondi, Beulah**
Bondy, Beulah → Bondi, Beulah
Bongers, Abraham → Kaps, Fred

*Bonheyden, Louis* → Hove, Prosper van
*Bonheyden, Louis* → Walter, W.G.E.
Boni, Armand → Goede, Armand de
*Bonset, I.K.* → Doesburg, Theo van
Bookbinder, Elaine → Brooks, Elkie
**Boom, A.L.**
**Boomstekker, Uldert**
Boon, Jan Johannes Theodorus → Mahieu, Vincent
Boon, Louis Paul → Boontje
**Boontje**
Boost, Wim → WIBO
**Booth, James**
**Booth, Shirley**
**Boray, Lisa**
Bordewijk, Ferdinand → Mandeau, Emile
Boreman, Linda → Lovelace, Linda
*Borgh, Constant van de* → Heeke, Joost
*Born, J.P.* → Prins, Jan
Borrini, Angelo → Ventura, Lino
*Borst, Nel* → Montag, S.
*Bos, Gerben* → Jacobse, Muus
*Bos, Jan* → Mérode, Willem de
**Bos, Mieke**
Bosch, Peter van der → Scott, Tony
Boskma, Pieter → Mast, Thijs
*Botenbauwer, Elsa* → Knasterhuis, Jaap
Bötticher, Hans → Ringelnatz, Joachim
**Bouber, Herman**
**Boudewijn, Berend**
Bouhuijs, Mies → Casilla, Miguel de
Boukharouba, Mohammed → Boumediène, Houari
**Boumediène, Houari**
*Bouquin, Edouard* → Praetvaer
Bourdeaux, Patrick Jean Marie Henri → Dewaere, Patrick
**Bourvil**
**Bouter, K.**
**Bouts, Dirk**
Bouwens, Hans → Baker, George
**Bowie, David**
Bowyer Yin, Leslie Charles → Charteris, Leslie
**Box, Edgar**

*Boxtel, A. van* → Baanbreker
**Boy George**
**Boyd, Stephen**
**Boz**
Braak, Menno ter → Priktol
**Brabander, Gerard den**
*Brabander, Jan den* → Brabander, Gerard den
*Brabandronkel* → Brabander, Gerard den
Brabant, Lucien Jules Ernest Marie van → Urk, Aug.
*Brabo* → Neptuin
Bradbury jr., Robert North → Steele, Bob
**Brady, Scott**
*Brahe, Lars* → Drs. P
Brakman, Willem → Akijn, Wim
*Bralleput, Karel* → Kronkel
**Brandauer, Klaus Maria**
*Brandera, Rochus* → Back, Johannes de
*Brandon, Lew* → Boontje
*Brands, Joh. G.* → Bouts, Dirk
Brandsteder, Ronald → Winchester, Ron J.
**Brandt, Kasper**
**Brandt, Willem**
**Brandt, Willy**
Brandt Corstius, Hugo → Grijs, Piet
*Brandts, Lea* → Boontje
**Branswyck, Luc**
**Brassaï**
**Brasseur, Pierre**
Bratsburg, Henry → Morgan, Harry
Breedveld, Reinder → Frank, René
**Breekveld, Arno**
Breemer, Harm Douwe → Curly, Alexander
**Brendall, Edith**
*Brennema, Kurt* → Priktol
**Breton de Nijs, E.**
**Breuner, Roosje W.**
*Brevier, Ronselaer* → Wilde, Ida de
Breytenbach, Breyten → Blom, Jan
**Brice, Pierre**
*Bricole* → Curtius, Rudolf
*Brilleslijper, Sam* → Knasterhuis, Jaap
*Brindizi, Piet* → Geubels, dr. Onno
Brink, Jan ten → Houten, Jan van
Brinkel, Bernardus Gerhardus Franciscus → Plas, Michel van der
Bris, Pierre Louis le → Brice, Pierre

**Brittany, Morgan**
Brix, Herman → Bennett, Bruce
Broad, William Michael Albert → Idol, Billy
Brodell, Joan Agnes Theresa Sadie → Leslie, Joan
Broek, Joop van den → Gent, Jan van
**Broekhuis, Henk**
**Broeksmit, Leo**
Broers, Franciscus Wilhelmus M. → Vogelaar, Jacq Firmin
*Broesner, Jouwre* → Breuner, Roosje W.
*Bron, Bert* → Gijsen, Marnix
Brongersma, Edward → Brunoz, O.
**Bronson, Charles**
Bronstein, Leib → Trotski, Lev Davidovitsj
Brontë, Anne → Bell, Ellis
Brontë, Charlotte → Bell, Ellis
Brontë, Emily → Bell, Ellis
**Brooks, Elkie**
**Brooks, Mel**
Brouwer, Johan → Geerlinck, Johannes
Brouwers, Jeroen → Breuner, Roosje W.
*Brouwers, Jeroen* → Opheffer
Brown, Angeline → Dickinson, Angie
Brown, Morna Doris → Ferrars, Elizabeth
*Browne, Septimus* → Bliss, Reginald
Broz, Josip → Tito, Josip
**Bruce, Lenny**
*Bruggen, Carry van* → Abbing, Justine
**Brugghenaere, Jan de**
Brugh, Spangler Arlington → Taylor, Robert
*Brugmans, G.* → Parlevink
Brugsma, Willem Leonard → Leonard, Willem
**Brulin, Tone**
Bruller, Jean → Vercors
*Brulles, Christian* → Sim, Georges
**Bruneel, Th.**
*Brunel, Peter* → Rabbé
**Brunoz, O.**
Bruylants, Jan → Spier, Jacq.
Bruynesteyn, Dick → Dik
**Brynner, Yul**

Bschliessmayer, Oskar Josef → Werner, Oskar

Btesh, Richard → Anthony, Richard

**Buch, Leopold de**

*Buchbinder, Hilarius* → Silentio, Johannes de

Buchinsky, Charles → Bronson, Charles

*Buci, R. de* → Wilde, Ida de

Buck, Pearl Sydenstricker → Sedges, John

Buddingh', Cees → Zwik

**Buffalo Bill**

**Buffalo Bill Jr.**

Buhaina, Abdullah Ibn → Blakey, Art

*Buiksloter* → Forestier, Pauwel

*Buitendijk, G.* → Gent, Jan van

*Buitenhof, Bernard* → Praetvaer

**Buiz'n Beernd**

Bujac, Jacques Etienne de → Cabot, Bruce

*Bulla, Ben* → Back, Johannes de

Bullock, Anne Mae → Turner, Tina

Bulsara, Farokh → Mercury, Freddie

*Bult, Marga* → Marcha

Bundmann, Emil Anton → Mann, Anthony

*Buren, drs. G. van* → Grijs, Piet

Burford, Eleanor → Carr, Philippa

**Burg, Lou van**

*Bürger, Berthold* → Baky, Josef von

*burger aan de grenzen van Holland, Een* → Daalberg, Bruno

**Burgess, Anthony**

**Burgh, Chris de**

Burnett, Chester Arthur → Howlin' Wolf

**Burnier, Andreas**

Burns, Raymond → Captain Sensible

Burrell, Stanley Kirk → M.C. Hammer

Burroughs, Edgar Rice → Bean, Norman

Burroughs, William S. → Lee, William

*Bursche* → Harold

**Burton, Richard**

Busken Huet, Conrad → Oordt, Jan van

**Butler, Richard**

**Buttons, Red**

**Buuren, Alex van**

*Buuren, George van* → Vanter, Gerard

*Buys, Paul* → Bouts, Dirk

Buysse, Cyriel → Hove, Prosper van

Byrd, Henry Roland → Longhair, Professor

Byron, George Gordon → Quevedo Redivivus

*C., Max* → Deyssel, Lodewijk van

**Cabot, Bruce**

**Caeiro, Alberto**

**Cage, Nicolas**

**Cahn, Sammy**

**Caine, Michael**

Calcar-Schiötling, Eliza C.F. van → Elise

Caldarone, Sandra → Kim, Sandra

*Caledonian Comet, The* → Cleisbotham, Jedediah

Caletti-Bruni, Pier Francesco → Cavalli, Pier Francesco

**Calhern, Louis**

**Calhoun, Rory**

**Callas, Maria**

**Calleia, Joseph**

Calleja, Joseph Alexander Herstall Vincent Spurin → Calleia, Joseph

Calogeropoulos, Maria Sophie Cécilia → Callas, Maria

**Cameron, Rod**

*Camini, Aldo* → Doesburg, Theo van

*Campbell, Beverly* → Garland, Beverly

*Campos, Alvaro de* → Caeiro, Alberto

Camus, Albert → Neuville, Louis

**Canaponi, Patrizio**

*Cándido* → Azorín

**Canneel, Piet**

*Cannon, Curt* → McBain, Ed

**Cannon, Dyan**

Cansino, Margarita Carmen → Hayworth, Rita

*Canteclaer* → Praetvaer

**Cantinflas**

**Cantor, Eddie**

**Capa, Robert**

**Capone, Al**

Caponi, Alphonso → Capone, Al

**Capote, Truman**

*Cappaert, H.* → Hildebrand, Pater
**Captain Beefheart**
**Captain Sensible**
**Capucine**
*Carabas, Markies van* → Forestier, Pauwel
Carelli, Dennis Christopher → Christopher, Dennis
*Carels, Dirk* → Brendall, Edith
**Carette, Julien**
**Carlo, Yvonne de**
Carmiggelt, Simon → Kronkel
**Carol, Martine**
*Carolus* → Neptuin
Caron, Pierre Augustin → Beaumarchais, Caron de
Carpentier, Harlean → Harlow, Jean
*Carr, Artie* → Landis, Jerry
**Carr, Philippa**
**Carradine, John**
Carradine, Richmond Reed → Carradine, John
**Carré, John Le**
**Carrell, Rudi**
**Carroll, Diahann**
**Carroll, John**
**Carroll, Lewis**
**Carroll, Madeleine**
**Carson, Sunset**
Carter, Bryan → Carter, Nick
Carter, Charles → Heston, Charlton
**Carter, Nick**
*Cary, Jud* → Shaw, Brian
**Casarès, Maria**
**Cashet, Thomas**
**Casilla, Miguel de**
*Cassandra* → Merwe, A. v.d.
**Cassel, Jean-Pierre**
**Cassidy, Butch**
Cassotto, Robert Walden → Darin, Bobby
*Casteleyn* → Ferguut, Jan
Castelluccio, Francis → Valli, Frankie
**Castle, William**
**Cavalcanti, Alberto**
**Cavalli, Freddie**
**Cavalli, Pier Francesco**
*Cavalry, Constant P.* → Biesheuvel, Mien
*Cavalry, Constant P.* → Linden, Rob van der
*Cdeehrrssu, Eipt* → Espé

Cecchi, Giovanni Susanna → Cecchi D'Amico, Suso
**Cecchi D'Amico, Suso**
**Céline, Louis-Ferdinand**
Ceuppens, Henri → Michiels, Ivo
Challans, Mary → Renault, Mary
Chaloner, Sue → Spooky
Chalupiec, Barbara Apolonia → Negri, Pola
Chambers, James → Cliff, Jimmy
*Champion, Marge* → Belle, Marjorie
**Chandler, Gene**
**Chandler, Jeff**
**Chandler, Lane**
Chaney, Creighton Tull → Chaney Jr., Lon
**Chaney Jr., Lon**
**Channing, Stockard**
*Chapkis, Raoul* → Grijs, Piet
**Chaplin, Saul**
**Charisse, Cyd**
**Charles, J.B.**
Charles, Leslie → Ocean, Billy
**Charles, Ray**
Charpentier, Suzanne Georgette → Annabella
**Charteris, Leslie**
**Chase, Borden**
Chauchoin, Lily Claudette → Colbert, Claudette
**Cher**
*Chevalier* → Elsschot, Willem
**Chiari, Walter**
Chomette, René-Lucien → Clair, René
**Christian, Linda**
**Christian-Jaque**
**Christie, Agatha**
**Christo**
**Christopher, Dennis**
*Chronos* → Fop, Trijntje
Chwatt, Aaron → Buttons, Red
**Ciano, Galleozo**
Ciccone, Madonna Louise Veronica → Madonna
Claes, Ernest → Hasselt, G. van
**Clair, René**
Clapp, Eric → Clapton, Eric
**Clapton, Eric**
Clare, Gladys Anna → George, Gladys
**Clark, Curt**

Clarke, John Theobald → Forbes, Bryan
**Clarke, Mae**
Claus, Hugo → Male, Dorothea van
Clay, Cassius Marcellus → Ali, Mohammed
**Clayderman, Richard**
**Cleisbotham, Jedediah**
Clemens, Samuel Langhorne → Twain, Mark
**Cliff, Jimmy**
**Clifford, Francis**
*Climacus, Johannes* → Silentio, Johannes de
Clinton-Baddeley, Hermione → Baddeley, Hermione
**Clive, Colin**
**Close Up**
*Clutterbuck, Captain Cuthbert* → Cleisbotham, Jedediah
**Cobb, Lee J.**
**Cocq, Ben de**
**Cody, Iron Eyes**
**Cody, Lew**
Cody, Oscar → Cody, Iron Eyes
Cody, William → Buffalo Bill
*Coe, Tucker* → Clark, Curt
*Cohen, Dolf* → Grijs, Piet
Cohen, Elizabeth → Comden, Betty
*Cohen, J.* → Vree, Felix de
*Cohen jr., J.* → Vree, Felix de
*Cohen, Mozes* → Peskens, R.J.
Cohen, Samuel → Cahn, Sammy
*Cohen, Samuel* → Chaplin, Saul
Cohn, Emil → Ludwig, Emil
**Colbert, Claudette**
Cole, Janet → Hunter, Kim
**Cole, Nat King**
Coles, Nathaniel Adams → Cole, Nat King
Colette, Sidonie Gabrielle → Willy
*Colijn* → Falkland, Samuel
**Colleano, Bonar**
Collet, Paul → Kröjer, P.S. Maxim
*Collins, Hunt* → McBain, Ed
Collins, Mary Cathleen → Derek, John
**Collins, Tom**
**Collodi, Carlo**
**Colmar, S.**
Colucci, Michel Gérard Joseph → Coluche
**Coluche**
*Colveniers, Jozef* → Zoophylus

Colvin, Douglas → Ramone, Joey
Combault-Roquebrune, Jean de → Sorel, Jean
**Comden, Betty**
**Commutator**
*Conlava, Marianne* → Brendall, Edith
**Connors, Mike**
**Conrad, Joseph**
Constandse, Dana → Hokke, Dana
*Constantius, Constantin* → Silentio, Johannes de
Constantopoulos, Katina → Paxinou, Katina
Contandin, Fernand-Joseph-Désiré → Fernandel
*Conviva* → Flanor
**Conway, Tom**
Cook, David Albert → Essex, David
*Cooke, M.E.* → Ashe, Gordon
*Cooke, Margaret* → Ashe, Gordon
Cookson-McMullen, Catherine → Marchant, Catherine
**Cool, Leslie**
**Coolen, Ian H.**
**Cooper, Alice**
Cooper, Frank James → Cooper, Gary
**Cooper, Gary**
*Cooper, Henry St. John* → Ashe, Gordon
**Cooplandt, A.**
**Cope, Julian**
Coppola, Nicholas → Cage, Nicolas
*Cora* → Forestier, Pauwel
**Corby, Ellen**
**Corita, Rita**
**Corneille**
Cornelissen, Igor → Schaus, Itzik
**Cornero, Lola**
Cornette, Arthur → Homo
*Corning, Kyle* → Fair, A.A.
Cornwell, David John Moore → Carré, John Le
**Corri, Adrienne**
Corryll, John R. → Carter, Nick
**Corsari, Willy**
**Cort, Bud**
*Cort, Martijn* → Falke, J.C.
Cortès de Léone y Fabianera, Michèle → Fabian, Françoise
**Cortez, Stanley**
**Corydon**

160    register

Darby, Terence → D'Arby, Terence Trent
Darc, Mireille
Darène, Fritz → Droes, Kees
Darin, Bobby
Darius, Geore → Canneel, Piet
Darnell, August → Kid Creole
Daroche → Alleh
Darro, Frankie
Darrow, Frankie → Darro, Frankie
Darrow, Henry
Darwell, Jane
Dastagir, Sabu → Sabu
Daudet, Alphonse → l'Isle, Jean de
David, Hendrika → Davids, Heintje
David, Rebecca → Davids, Louis
David, Simon → Davids, Louis
Davids, Heintje
Davids, Louis
Davids, Rika → Davids, Louis
Davidson, Christopher John → Burgh, Chris de
Davies, Marion
Davis, Nancy
Davison, Lawrence H.
Day, Doris
Day, Margaret → Lockwood, Margaret
Day Lewis, Cecil → Blake, Nicholas
Deane, Norman → Ashe, Gordon
Debbie
Decanus O.D. → Albe
Deck, Sasia
Dee, Kiki
Deel, Tom van → Opheffer
Deelder, Jules → Joint, Julian the
Degni, Lou → Forest, Mark
Dekker, Eduard Douwes → Multatuli
Dekker, G.W. → Olierook, Hidde
Dekker, G.W. → Schippers, K.
Dekker, Maurits Rudolph Joël → Robazki, Boris
Dekker, Wubbe
Deleutre, Paul → d'Ivoi, Paul
Delft, C.E.P. van → Philemon
Delgado, Enrico Thomas → Darrow, Henry
DeMille, Nelson → Ladner, Kurt
Demsky, Issur Danielovitch → Douglas, Kirk
Dendermode, Max
Deneuve, Catherine

Denis, Veuve → Voltaire
Denver, John
Depauw, Valère → Canneel, Piet
Depeuter, Frans → Veke, L.I.
Derek, Bo → Derek, John
Derek, John
Derr, Kätherose → Dor, Karin
Dessaur, Catharina Irma → Burnier, Andreas
Destouches, Louis-Ferdinand → Céline, Louis-Ferdinand
Deutschendorf, John Henry → Denver, John
Dewaere, Patrick
DeWalt jr., Autry → Walker, Junior
Dey, Susan
Deyssel, Lodewijk van
Deyssellianus → Falkland, Samuel
Dharck, J. → Boontje
Dhoeve, Andries
Diamond, I.A.L.
Diamond, Neil
Dias, B.H. → Atheling, William
Diaz, Emanuel → Falkland, Samuel
Dickens, Charles → Boz
Dickinson, Angie
Diels, Joris → Branswyck, Luc
Diepgrondt, Drs. E.J. → Schuit, Okko
Dijck, Elisabeth van → Vervliet, E.M.
Dijck, Linda van
Dijk, Maurice van → Baandijk, A.C.M.
Dijk-Verhaagen, E.P. van → Lems, Liesbeth
Dijkstra, Jan → Spanninga, Sjoerd
Dijkstra, Margery Dorit Gwendoline → Gerlach, Eva
Dik
Dil, Ruud → Gullit, Ruud
Dinesen, Isak
Dingen, W. van → Gijsen, Marnix
Dingen Dingemans, Jan → Baudewijns
Dis, Adriaan van → Sid, Nathan
Ditzen, Wilhelm Friedrich Rudolf → Fallada, Hans
Divine
Diximus → Klikspaan
Dixon, Eugene → Chandler, Gene
DJ Sven
Dobie
Döblin, Alfred → Linke Poot

Dodeweerd, Herman Dirk van → Armando

Dodgson, Charles Lutwidge → Carroll, Lewis

*Doerner, Stefan* → Konsalik, Heinz Günther

**Doesburg, Theo van**

*Doesji* → Praetvaer

Doeve, J.F. → Dobie

*Dolfers, A.* → Wilde, Ida de

**Dolman, Margreet**

Domburg, A. van → Close Up

Domela Nieuwenhuis, Ferdinand → Philalethes

Domino, Antoine → Domino, Fats

**Domino, Fats**

Dommelen, Isidor Louis Bernard Edmon van → Tellegen, Lou

Dommnici, Itec → Diamond, I.A.L.

**Donahue, Troy**

Donckers, Marcus Henri Laurent Thérèse → Insingel, Mark

*Donderkop, Barendje* → Falkland, Samuel

Donderwinkel, Jeroen → Inkel, Jeroen van

*Donek, Raoul* → Paró, Juan

**Dongen, Frits van**

*Dongen, Fritz van* → Dongen, Frits van

Dongen, Peter van → Dopé

**Donker, Anthonie**

Donkerkaat, Johan → Kendall, Johnny

Donkersloot, Nicolaas Anthony → Donker, Anthonie

Donnadieu, Marguerite → Duras, Marguerite

**Donovan**

**Doolaard, A. den**

*Doorn, A. van* → Bouts, Dirk

*Doorn, Andries van* → Duinkerken, Anton van

Doorn, Johan van → Selfkicker, Johnny the

*Doorn, Kees van* → Dagboekanier

**Dopé**

**Dor, Karin**

*Dor, Rose* → Dor, Karin

*Doria* → Falkland, Samuel

Dorléac, Sylvie-Catherine → Deneuve, Catherine

*Dorn, Philip* → Dongen, Frits van

**Dorna, Mary**

*Dornbusch Koppens, Dr. J. van* → Swaertreger, M.

Dorp, Henk van → Geubels, dr. Onno

**Dors, Diana**

Dorsey, Arnold George → Humperdinck, Engelbert

Dorssen, Hendrika Akke van → Rixt

*Dortsma, Constantia Paulina* → Bloempot, Aris Cornelisse

**Douglas, Kirk**

**Douglas, Melvyn**

Douras, Marion Cecilia → Davies, Marion

Dousenbach, Ferdy → Lancee, Ferdi

*Doxa* → Gijsen, Marnix

**Draayer, Joost den**

Draghi, Giovanni Battista → Pergolesi, Giovanni Battista

**Drake, Charles**

**Drake, Tom**

**Drapier, M.B.**

**Draulans, Ivo**

**Dreelen, John van**

**Dressler, Marie**

Dreyfuss, Nicole Françoise → Aimée, Anouk

Driel, Antonie Marcel van → Toon

Drielen Gimberg, Jacques Theodore van → Dreelen, John van

**Droes, Kees**

Dronniez, Sonia → Lazlo, Viktor

*Droog, Donald* → Mast, Thijs

Droog, Ton → Collins, Tom

Droogenbroeck, Jan van → Ferguut, Jan

Droogleever Fortuyn-Leenmans, Margaretha → Vasalis, M.

**Dru, Joanne**

**Drucker, Wilhelmina Elisabeth**

*Drukker, J.* → Wageningen, J. van

*Dryasdust, The Rev. Dr.* → Cleisbotham, Jedediah

**Ducal, Charles**

*Dufort, Felix* → Handje Plak

*Duif, D.* → Mus, M.

**Duin, André van**

**Duinkerken, Anton van**

Dukinfield, William Claude → Fields, W.C.

**Dulieu, Jean**

**Dumaar, P.**

**Dumaer, L.A.**
**Dumont, Margaret**
Dumortier, Frans → Ducal, Charles
*Dunham, Vera* → Faro, Isaac
Dunn, Irene → Dunne, Irene
Dunn, Mary Bickford → Prevost, Marie
**Dunne, Irene**
**Duoduo**
Dupin, Amandine Lucile Aurore → Sand, George
**Dupont, Marc**
**Dura, Lex**
**Duras, Marguerite**
Durbridge, Francis → Temple, Paul
Durgin, Francis Timothy → Calhoun, Rory
**Dussen, Hank**
*Dust, Angela* → Boy George
*Duycrant, A.* → Deyssel, Lodewijk van
*Duycrant, A.* → Opheffer
Duyn, Willem → MacNeal, Maggie
Duys, Willem → O'Duys, Willem
Duyse, Prudens van → Bruneel, Th.
Duyvené de Wit, J.M. → Loo, Tessa de
**Dvorak, Ann**
Dwight, Reginald Kenneth → John, Elton
**Dyckmans, Dirk**
**Dylan, Bob**
Dzjoegasjvili, Josif Vissarionovitsj → Stalin, Josif Vissarionovitsj
*E.* → Ravenswood, John
**d'E.**
*E.F.* → Z.D.
*E...e...* → Fiore della Neve
Eberst, Jakob Levy → Offenbach, Jacques
**Ebstein, Katja**
Eckert, Horst → Janosch
**Eckmar, F.R.**
**Eden, Barbara**
**Edinga, Hans**
**Edwards, Blake**
Eeckhout, Ludo van → Vaneck, Ludo
Eeden, Frederik van → Paradijs, Cornelis
**Eemlandt, W.H.**
**Eerens, Henri**
Egas, Antonie Arie → Leeuwen, Bart van

*Egberts-Richter, O.T.A.* → Breekveld, Arno
*Egbertus Wilhelmus* → Forestier, Pauwel
Egglestone, Estelle → Stevens, Stella
*Egill, Johan* → Dhoeve, Andries
*Egmonts, K. Pol* → Baudewijns
Egstrom, Norma Dolores → Lee, Peggy
Eick, Götz van → Eyk, Peter van
Eif, Ferdinand van → Benton, Oscar
**Ekland, Britt**
Eklund, Britt-Marie → Ekland, Britt
Elburg, Jan Gommert → Rengertsz, Jan
*Elders, Ben* → Pola, Alexander
*Eldrich, Dess* → Ciano, Galleozo
*Electric Jesus* → Selfkicker, Johnny the
**Eleutheros**
*Elf, Redcel* → Antipholus van Ephesus
Elias, Eduard M. → Praetvaer
**Eliot, George**
**Elise**
*Elleveest, Karel* → Bash, Jug me
**Ellington, Duke**
Ellington, Edward Kennedy → Ellington, Duke
**Ellison, James**
**Elro, H. van**
**Elsinck**
Elsink, Henk → Elsinck
**Elsschot, Willem**
**Elten, Donaert van**
**Eluard, Paul**
**Elvey, Maurice**
**Ely, Ron**
*Elzebub, B.* → Vindex
Emants, Marcellus → Alleh
*Encleüder* → Man, Herman de
*Ende, Heiko van den* → Geubels, dr. Onno
*Enemy of the Peace, An* → Drapier, M.B.
*Engel, Elly* → Austerlitz, Johnny
Engelen, Adriaan Walraven → Nil admirari
Engelman, Jan → Antipholus van Ephesus
Engels, Christiaan Joseph Hendrik → Tournier, Luc

Finklea, Tula Ellice → Charisse, Cyd
Firbank, Louis → Reed, Lou
Fischer, Jaap → Visser, Joop
Fish, Robert L. → Pike, Robert L.
**Fitch, Clarke**
**Fitzgerald, Barry**
Fitzsimmons, Maureen → O'Hara, Maureen
Flaes, Reijnier → Terborgh, F.C.
*Flakkeberg, Ardo* → Schuit, Okko
*Flaneur, Floris* → Praetvaer
**Flanor**
*Flanor II* → Houten, Jan van
**Fleming, Rhonda**
*Florescio* → Violette, Geo de la
*Flos, Ego* → Z.D.
Fluck, Diana Mary → Dors, Diana
**Flying Officer X**
Folkard, William Seward → Elvey, Maurice
Follett, Ken → Myles, Symon
**Fontaine, Joan**
**Fop, Trijntje**
**Forbes, Bryan**
**Forbes, Colin**
*Ford, Elbur* → Carr, Philippa
**Ford, Ford Madox**
**Ford, Francis**
**Ford, John**
Ford, Thelma Booth → Booth, Shirley
*Forens, Mr. Icarus* → Falkland, Samuel
**Forest, Mark**
**Forestier, Pauwel**
*Forrest, Felix C.* → Smith, Cordwainer
**Forsythe, John**
Forte, Fabian → Fabian
*Fortunio* → Baudewijns
Fortuyn, Irene → Fortuyn/O'Brien
**Fortuyn/O'Brien**
Foudraine, Jan → Amrito, Swami Deva
Fournier, Henri Alban → Alain-Fournier
Fowler, Frank → Chase, Borden
**Fox, William**
Frahm, Herbert Ernst Karl → Brandt, Willy
**France, Anatole**
**Franciosa, Anthony**
*Francis, Arthur* → Gershwin, Ira

**Francis, Jan**
François, Joannes Henri → Heezen, Charley
**Frank, René**
Frankenberg, Joyce → Seymour, Jane
**Franklin, Melvin**
Franquinet, Edmond Maria Constant Bernard → Peller, P.R.O.
Franquinet, Robert M.P.J. → d'E.
**Frazer, Liz**
*Frazer, Robert Caine* → Ashe, Gordon
**Frederick, Pauline**
Frédérix, Jacques → Feyder, Jacques
**Freed, Arthur**
Freeman, Richard Austin → Ashdown, Clifford
**Freezer, Harriët**
*Freier* → Titurel
**French, Paul**
*Frenchman, Jack* → Drapier, M.B.
**Fresnay,Pierre**
Freund, John Lincoln → Forsythe, John
*Frey, William* → Lenin, Vladimir Iljitsj
*Fribble, T.* → Drapier, M.B.
Fried, Wilhelm → Fox, William
Friedericy, Herman Jan → Merlijn, H.J.
Friedman, Jarold D. → Gerrold, David
Friedmann, André → Capa, Robert
Friesen, Samille Diane → Cannon, Dyan
*Fritz the Cat* → Boomstekker, Uldert
*Fuentes, Vincente* → Schaus, Itzik
Fulks, Sarah Jane → Wyman, Jane
**Funès, Louis de**
Funès de Galarza, Louis Germain David de → Funès, Louis de
*Furey, Michael* → Rohmer, Sax
Furnier, Vincent Damon → Cooper, Alice
Furry, Elda → Hopper, Hedda
*G.B.L.* → Schaus, Itzik
*G.G.* → Q.N.
*G.L.* → Neve, Fiore della
*G.R., S. van* → Neve, Fiore della
*G.S.* → Q.N.
*Gaai, Anna de* → Mus, M.

**Gabin, Jean**
*Gabor, Mona* → Garbo, Greta
Gábor, Sári → Gabor, Zsa Zsa
**Gabor, Zsa Zsa**
*Gabriëls, Viva* → Gijsen, Marnix
Gadd, Paul → Glitter, Gary
Gaines, LaDonna Andrea → Summer, Donna
Gainor, Laura → Gaynor, Janet
**Gal**
Galsworthy, John → Sinjohn, John
*Ganconagh* → Rosicrux
Gans, Jacques → Eleutheros
*Gans, M. de* → Drs. P
**Garbo, Greta**
Garcia, Maria Christina Estella Marcella Jurado → Jurado, Katy
Garde, Alfred van der → Lagarde, Alfred
*Garden, Charles David* → Joyce & Co.
Gardner, Erle Stanley → Fair, A.A.
**Garfield, John**
Garfinkle, Julius → Garfield, John
Garfunkel, Art → Landis, Jerry
**Garland, Beverly**
**Garland, Judy**
**Garner, James**
*Garrison, Frederick* → Fitch, Clarke
**Gary, Romain**
Gassion, Edith Giovanna → Piaf, Edith
*Gast-Potsz, W. en H. van de* → Onselen, R. van
Gauthier-Villars, Henri → Willy
Gautsch, Françoise Annette Marie Mathilde → Arnoul, Françoise
**Gavin, John**
Gavras, Konstantinos → Costa-Gavras
**Gaynor, Janet**
**Gaynor, Mitzi**
**Gedrick, Jason**
Gedroic, Jason Michael → Gedrick, Jason
Geeraerts, Jef → Trum, Claus
**Geerlinck, Johannes**
**Geestzwaard, J.**
Geeves Booth, David → Booth, James
Gelbfish, Schmuel → Goldwyn, Samuel
*Gelderen, J. van* → Wilde, Ida de

*Gemellus* → Voltaire
Gendre, Louis → Jourdan, Louis
Gennep, Rob van → Onselen, R. van
**Gent, Jan van**
**George, Gladys**
Georgiou, Steven Demetri → Stevens, Cat
*Gerardus* → Brabander, Gerard den
**Geray, Steven**
Gerber, Francesca Mitzi von → Gaynor, Mitzi
Gerbrandij, Pieter → Gerbrandy, Pieter Sjoerds
**Gerbrandy, Pieter Sjoerds**
*Gerhard, Toon* → Abel, Jurgen
**Gerlach, Eva**
**Gerlo, Ada**
*Germanus* → Philalethes
Gerö, Jenö → Sakall, S.Z.
Gerretson, Frederik Carel → Gossaert, Geerten
*Gerrit* → Falkland, Samuel
*Gerritje* → Falkland, Samuel
**Gerrold, David**
**Gerron, Kurt**
Gershvin, Israel → Gershwin, Ira
Gershvin, Jacob → Gershwin, George
**Gershwin, George**
**Gershwin, Ira**
Gerson, Kurt → Gerron, Kurt
**Getijer, I. de**
**Getty, Estelle**
**Geubels, dr. Onno**
Geurts, Han → Kultuur, Koos
Geyl, Pieter Catharinus Arie → Merwe, A. v.d.
Gezelle Meerburg, G.A. → Sikkema, Marten
Ghijsen, Jos → Roggen, André
*Ghulonne* → Neve, Fiore della
Gibson, Edward Richard → Gibson, Hoot
**Gibson, Hoot**
*Gijsen, Lily* → Gijsen, Marnix
**Gijsen, Marnix**
**Gilbert & George**
**Gilbert, John**
**Gildo, Rex**
*Gill, Patrick* → Ashe, Gordon
Gilliams, Eugeen → Wilde, Frans de
Gilliams, Maurice → Grimajeur

*grijsaard, De* → Bloempot, Aris Cornelisse

**Grile, Dod**

**Grimajeur**

Grindel, Eugène Paul → Eluard, Paul

*Grinniker, Beo* → Mérode, Willem de

**Gris, Juan**

*Groenendijck, Geert* → Dyckmans, Dirk

Groeneveld, Ivan Gerardo → Spooky

Groeneveld, Marga → Marcha

Groeneveld, Diana → Ozon, Diana

Gronckel, Frans J. de → Twijfelloos, Franciscus

Grönloh, Jan Hendrik Frederik → Nescio

**Gronon, Rose**

Groot, Frederik Pieter → Nierop, Pieter

Groot, Jacob Ernst → Meistersänger, Jacob der

*Groot, Dick de* → Peperkamp, René

Groot, Jan Hendrik de → Mutsaert, J. ten

*Groot, Peter de* → Hopper

*Grosman-Duits, E.M.* → Breekveld, Arno

Grossel, Ira → Chandler, Jeff

Grossman, Arthur → Freed, Arthur

Groszewski, Antocz Franziszek → Grot, Anton

**Grot, Anton**

Gruen, David → Ben Goerion, David

Grumbach, Jean-Pierre → Melville, Jean-Pierre

*Gryse, Jerome de* → Canneel, Piet

Guaragna, Salvatore → Warren, Harry

Gubitosi, Michael James Vijencio → Blake, Robert

**Guevara, Che**

*Guido* → Paradijs, Cornelis

*Guido* → Q.N.

*Guillaume* → Mérode, Willem de

*Guila, Bodor* → Perkens, Duco

**Gullit, Ruud**

*Gulliver, Lemuel* → Drapier, M.B.

Gumm, Frances Ethel → Garland, Judy

Günther, Heinz → Konsalik, Heinz Günther

Gurdin, Natalie → Wood, Natalie

Gustafsson, Greta Lovisa → Garbo, Greta

Gyergyay, Stefan → Geray, Steven

Gysen, René → Lamoureux, John

*H.* → Forestier, Pauwel

*H.P.* → Mendel

*Haaften, Leo van* → Verhoef, Goos

*Haamstede, Prosper van* → Neve, Fiore della

Haan, Carolina Lea de → Abbing, Justine

Haan, J.F. de → Daen, Frank

Haan, Jacob Israël de → Roberts, Robert

Haan, Setske de → Marxveldt, Cissy van

*Haan, Cas den* → Bernlef, J.

*Haan, S. den* → Bernlef, J.

**Haarsma, Menno van**

Haasse, Willem Hendrik → Eemlandt, W.H.

**Habakuk II de Balker**

*Habbema, Koos* → Falkland, Samuel

**Habe, Hans**

Hacker, Leonard → Hackett, Buddy

**Hackett, Buddy**

Haenen, Paul → Dolman, Margreet

*Haer* → Biezen, Y. ten

*Haes* → Parlevink

*Hafniensis, Vigilius* → Silentio, Johannes de

Hageman, Larry → Hagman, Larry

**Hagen, Jean**

*Hagenaar, Hendrik* → Praetvaer

**Hagman, Larry**

Halász, Gyula → Brassaï

**Hale, Alan**

*Halies* → Droes, Kees

Hall, Diane → Keaton, Diane

*Hall, John* → Atheling, William

**Hall, Jon**

*Hall, Vic* → Cool, Leslie

Hall Locher, Charles → Hall, Jon

*Halliday, Michael* → Ashe, Gordon

Hallward, Gloria Grahame → Grahame, Gloria

**Hallyday, Johnny**

Hamburger, Salomon Herman → Man, Herman de

**Hamilton, Mollie**

Hammond, Kay
Hamsun, Knut
*Hanbury, Victor* → Walton, Joseph
Handje Plak
*Hanebraaier, Ds.* → Kronkel
Hanin, Roger
Hanna, William Denby → Hanna-
Barbera
Hanna-Barbera
*Hannon, Ezra* → McBain, Ed
Hansen, Ellen → Corby, Ellen
Hansen, Emil → Nolde, Emil Han-
sen
Hansen, Han
Hansen, Joachim
Hansen, Philippus Carel Cornelius
→ Boeka
Hansse, Tol
*Hapken* → RIP
Hardenberg, Friedrich Leopold
Freiherr von → Novalis
Harding, Lex
*Haren, P. van* → Merwe, A. v.d.
Harlingen, R. van
Harlow, Jean
Harmelen, Herman van
Harold
*Harold, E.N.* → Handje Plak
Harris, Barbara
Harris, Derek → Derek, John
*Harris, John Beynon* → Wyndham,
John
Harris, John Wyndham Parkes Lu-
cas Beynon → Wyndham, John
Harrison, Michael James → Car-
son, Sunset
Hart, Maarten 't → Hart, Martin
*Hart, Maartje 't* → Hart, Martin
Hart, Martin
Hartley, Vivian Mary → Leigh, Vi-
vien
Hartog, Jan de → Eckmar, F.R.
Hartog, Ary den → Horvath, Zoltan
Hartogh, Linda Marianne de
→ Dijck, Linda van
Harvey, Laurence
Hasselt, G. van
*Hasselt, Gideon van* → Messel,
Saul van
Hasso, Signe
*Hauser, Kasper* → Panter, Peter
*Hauser, Len* → Towers, Lee
Haussmann, Jacques → Houseman,
John

Havanha
Havank
*Havelingk* → Mendel
Haverschmidt, François → Paal-
tjens, Piet
*Hawkins, Henry* → Atheling, Willi-
am
Hayden, Sterling
Hayward, Susan
Hayworth, Rita
Hazelhoff, Hendrik → Dendermo-
de, Max
Hazeu, Wim → Sluyters, José
Heagerty, Travers → Travers, Hen-
ry
Heartfield, John
Hecke, Paul Gustave van → Mey-
lander, Johan
Hedrick, Zelma Kathryn Elizabeth
→ Grayson, Kathryn
Heeke, Joost
Heemskerk, Kees
Heerde, Hendrik van → Havanha
Heeresma, Heere → Back, Johan-
nes de
Heeroma, Klaas Hanzen → Jacob-
se, Muus
Heezen, Charley
*Hegeso* → d'E.
Heide, Willy van der
Heidstra, Hans → Edinga, Hans
Heijden, Adrianus Francis Theodor
van der → Canaponi, Patrizio
Heijermans, Herman → Falkland,
Samuel
Heimberger, Edward Albert → Al-
bert, Eddie
Heinlein, Robert → MacDonald,
Anson
Heino
Heintje
*Heintz, David* → Boontje
Heirseele, Peter van → Seele, Herr
Helder, Jan
*Helder, Maaike* → Grijs, Piet
Helm, Brigitte
Helman, Albert
*Helmholz, Bastien von* → Atheling,
William
Helpman, Mr. G.
Hendrikssone, G.
Hengst, Reinhard Lodewijk den
→ Harding, Lex
Henreid, Paul

Henreid, Paul George Julius von
→ Henreid, Paul
**Henry, Buck**
**Henry, O.**
**Hepburn, Audrey**
Hepburn-Ruston, Audrey Kathleen
→ Hepburn, Audrey
Heremans, Jacob Frans Johan
→ Bergman, J.C.
**Hergé**
*Hermann Karl Georg Jesus Maria*
→ Atheling, William
Hermans, Hans → Spoor, Victor
Hermans, Willem Frederik → Bij-
kaart, Age
*Hermans-Bernards, W.F.* → Bij-
kaart, Age
*Hermanusse, Jozef* → Hermus, An-
ton
**Hermus, Anton**
*Hermus, Hille J. Anton* → Hermus,
Anton
Hernandez, Andy → Kid Creole
*Herodotus* → Wageningen, J. van
Herreman, Reimond → Boekuil, De
**Hershey, Barbara**
*Herstal, Van* → Forestier, Pauwel
*Herstelle, Alb. van* → Forestier,
Pauwel
*Herton I* → Hermus, Anton
Hery, Sylvette → Miou-Miou
Herzfeld, Helmut → Heartfield,
John
Herzog, Emile Salomon Wilhelm
→ Maurois, André
**Herzog, Werner**
Herzstein, Barbara → Hershey, Bar-
bara
Hesse, Hermann → Sinclair, Emil
Hesselberg, Melvyn Edouard
→ Douglas, Melvyn
**Hessling, Catherine**
**Heston, Charlton**
Heuchling, Andrée Madeleine
→ Hessling, Catherine
**Heusen, Jimmy van**
*Heuvels, Frans* → Droes, Kees
Hewson, Paul → Vox, Bono
**Hichtum, Nienke van**
Hiel, Emanuel → Hendrikssone, G.
**Higgens, Jack**
Highsmith, Patricia → Morgan,
Claire
**Hildebrand**

**Hildebrand, Pater**
*Hill, Terence* → Spencer, Bud
Hiltermann, Gustavo Bernardo José
→ Hoyer, George
*Hippel, K. van* → Montag, S.
Hirschfeld, Magnus → Ramien, Dr.
Med. Th.
Hirtreiter, Ludwig Alexander
→ Gildo, Rex
Hoar-Stevens, Thomas Terry
→ Terry-Thomas
Hoch, Jan Ludvik → Maxwell, Ro-
bert
*Hode, Wilson* → Drs. P
**Hoeck, Ed. van den**
*Hoeff, Cor ten* → Coolen, Ian H.
*Hoekstra, Frans* → Falkland, Sa-
muel
Hoekstra, Hans → Lips, Han
*Hoekstra, Simon* → Mullens, Peter
Hoetjes, Gijs → IJlander, Gijs
**Hoffman, Thom**
Hofland, H.J.A. → Montag, S.
*Hogarth, Charles* → Ashe, Gordon
Hogendoorn, Willem → Ross, To-
mas
Hohloch, Nicole → Nicole
**Hokke, Dana**
**Holden, William**
*Holder, Jan van* → Titurel
**Holiday, Billy**
**Holland, Peter**
**Hollander, Frederick**
Holländer, Friedrich → Hollander,
Frederick
**Hollander, Xaviera**
Hollenbeck, Webb Parmallee
→ Webb, Clifton
Höllerich, Gerd → Black, Roy
Hollestelle, Jacoba → VandenBos,
Conny
Holley, Charles Hardin → Holly,
Buddy
**Holliday, Judy**
**Holly, Buddy**
**Holm, Ian**
Holman, Theodor → Opheffer
*Holme, Marten* → Colmar, S.
Holmes, James Stratton → Low-
land, Jacob
*Holt, Victoria* → Carr, Philippa
*Holten, Dries* → Xandra
Hölzel, Johannes → Falco
**Homo**

**Homunculus**
Hoofdakker, Rutger Hendrik van den → Kopland, Rutger
*Hoogenbeemt, K.* → Breekveld, Arno
*D'Hooghe, Ernest* → Mendel
*Hooghe, Robert de* → Neve, Fiore della
*Hoogland, Henri* → Mérode, Willem de
*Hoogstoel, Felix* → Bruneel, Th.
*Hoorn, Marga van* → Minco, Marga
**Hooven, A. ten**
**Hope, Bob**
*Hope, Brian* → Ashe, Gordon
Hope, Leslie Townes → Hope, Bob
Hopley-Woolrich, Cornell George → Irish, William
**Hopper**
**Hopper, Hedda**
Hornby, Lesley → Twiggy
*Horner, Jack* → Baanbreker
*Horniay, M.* → Resteau, Christophe
*Hornstra, Dr. P.J.* → Parlevink
Horton, Juanita → Love, Bessie
**Horvath, Zoltan**
*Hoskamp-ten Grave, Y.* → Trant, Douwe
**Hossein, Robert**
Hosseinhoff, Robert → Hossein, Robert
*Hosselaar, Dirk* → Bijkaart, Age
*Houckaert, Camille* → Bijkaart, Age
**Houdini, Harry**
Houghston, Walter → Huston, Walter
**Houseman, John**
Hout, Wilhelmus Henricus Maria van den → Heide, Willy van der
**Houten, Jan van**
*Houvast, weduwe Goedverstand, Cornelia* → Bloempot, Aris Cornelisse
Houwink, Roel Martinus Frederik → Elro, H. van
*Hova, J.* → Geubels, dr. Onno
**Hove, Prosper van**
Hovick, Rose Louise → Lee, Gypsy Rose
**Hovink, Rita**
*Hovius* → Deyssel, Lodewijk van

Howard, Francis → Howerd, Frankie
**Howard, Leslie**
**Howard, Susan**
**Howerd, Frankie**
**Howlin' Wolf**
**Hoyer, George**
**Hudson, Rock**
Hueffer, Ford Hermann → Ford, Ford Madox
Huerta, Baldemar → Fender, Freddy
*Huffam, Charles John* → Boz
Huffman, Barbara → Eden, Barbara
*Hughes, Colin* → Ashe, Gordon
Hugten, Herman Jozef van → Joeks, Herbert
*Huguenin-De Sterke, Marie* → Bloem, J.C.
*Huitink, Victor H.* → Heide, Willy van der
Huizinga, Leonhard → Handje Plak
Hulsebos, Jan → Vrijman, Jan
**Humperdinck, Engelbert**
Humphries, Barry → Everage, Dame Edna
*Hunt, Gill* → Shaw, Brian
*Hunt, Kyle* → Ashe, Gordon
*Hunter, Evan* → McBain, Ed
**Hunter, Jeffrey**
**Hunter, Kim**
*Hus* → Minco, Marga
**Huston, Walter**
**Hutton, Betty**
**Huybrechts, M.**
Huysmans, Camille → Spiridio
Huyzer, Leen → Towers, Lee
Hyman, Jeffrey → Ramone, Joey
*Hyoens, Jan* → Male, Dorothea van
*Hypertonides* → Helman, Albert
*Ibn-Askari* → Swaertreger, M.
Ibsen, Henrik → Bjarme, Brynjolf
*Icke jr., H.G.* → Multatuli
**Ido, Victor**
**Idol, Billy**
**Iependaal, Willem van**
*Ignotus* → Titurel
**Ihlfeldt, Karl**
**IJlander, Gijs**
*IJzer II* → Draulans, Ivo
*Imhof, M.* → Voltaire
*In liefde bloeiende* → Opmerker
*Indenhaeck, W.* → Enklaar, Willem
*Ingen, Peter van* → Vindex

Ingolia, Concetta Rosalie Ann
→ Stevens, Connie
**Ingram, Rex**
**Inkel, Jeroen van**
**Insingel, Mark**
*Invaller* → Joost
**Irish, William**
Iskowitz, Edward Israel → Cantor,
Eddie
*Islam, Yusef* → Stevens, Cat
**d'Isle, Jean de**
Isley, Phyllis Lee → Jones, Jennifer
Israël, Cornelis → Faro, Isaac
Italiano, Anna Maria Louisa
→ Bancroft, Anne
*Ivanov, Konstantin Petrovitsj* → Le-
nin, Vladimir Iljitsj
**Ivans**
**d'Ivoi, Paul**
**Iwerks, Ub**
Iwwerks, Ubbe Ert → Iwerks, Ub
*J.E.* → Ravenswood, John
*J.F.J.H.* → Bergman, J.C.
*J.L.* → Atheling, William
*Jacob, B.* → Benoit, Jacques
Jacob, Piers Anthony Dillingham
→ Anthony, Piers
Jacobs, Jan Willem → Geest-
zwaard, J.
**Jacobs, Marc**
Jacobs, Rosetta → Laurie, Piper
**Jacobse, Muus**
Jacoby, Leo → Cobb, Lee J.
*James, Cheryl* → Pepa
**James, John**
*Jan\*\*\** → Bloempot, Aris Cornelis-
se
Janenz, Theodor Friedrich Emil
→ Jannings, Emil
**Jannings, Emil**
**Janosch**
Jansen, Jan → Hansen, Han
Jansen, Maria → Bos, Mieke
Jansen, Pieter Gerhardus → Werf-
horst, Aar van der
Jansen, Rika → Zwarte Riek
**Jansen, Thomas**
*Jansen, Nuy van der Treuselen,
Grietje* → Bloempot, Aris Corne-
lisse
Jansen van Galen, John → Observa-
tor
Janssen, Henri Adelbert → Kruinin-
gen, Harry van

Janssen, Jos → Klerken, Jef van
*Janssens, Jan Baptist* → Mendel
*Janszen jr., J.* → Bouts, Dirk
*Janus* → Kuyle, Albert
*Janus* → Wageningen, J. van
*Janus, Hiram* → Atheling, William
*Jars J.F., Le* → Eleutheros
*Jaspers, Jasper* → Baudewijns
Javacheff, Christo → Christo
**Jazzie B**
**Jean, Gloria**
**Jean Paul**
**Jeanne Marie**
Jeanneret, Charles Edouard → Le
Corbusier
*Jeeves, Mahatma Kane* → Fields,
W.C.
Jefferson, Arthur Stanley → Lau-
rel, Stan
*Jelakowitsch, Ivan* → Falkland, Sa-
muel
Jenkins, Margaret Wendy → Bar-
rie, Wendy
Jenkins, Richard Walter → Burton,
Richard
Jenkins, Will F. → Leinster, Murray
Jenks, George Charles → Carter,
Nick
Jensen, Doris → Gray, Coleen
**Jersey, Jack**
Jewrie, Bernard → Fenton, Shane
**Jiang Qing**
*Jitsgok ben Jangakauf* → Roberts,
Robert
*Joderick* → Parlevink
Joekes, Theo → Heeke, Joost
**Joeks, Herbert**
*Jofel, Jochem* → Geubels, dr. Onno
Jofriet, Jan Gerardus → Brabander,
Gerard den
**Dr. John**
**John, Elton**
Johnson, Carol Diahann → Carroll,
Diahann
Johnson, Frank → Darro, Frankie
Johnson, Merle → Donahue, Troy
**Johnson, Rita**
**Joint, Julian the**
Jolicoeur, David Jude → Trugoy
the Dove
**Jolson, Al**
Joly, Ferdie → Buiz'n Beernd
Jones, Carol Ann → Lynley, Carol

*Keersmans, Walter* → Uten Hove, Beaet
*Kell, Joseph* → Burgess, Anthony
Keller, Gerard → Flanor
Kellner, Sánder László → Korda, Alexander
Kellner, Vincent → Korda, Vincent
Kellner, Zoltán → Korda, Zoltán
*Kellow, Kathleen* → Carr, Philippa
*Kelly, Patrick* → Butler, Richard
**Kemp, Bernard**
*Kempe, Jan* → Bloem, J.C.
*Kempe, Jan* → Falke, J.C.
Kemper, G.J. → Dura, Lex
*Kempers, Leen* → Schaus, Itzik
**Kendall, Johnny**
*Kendrake, Carleton* → Fair, A.A.
*Kenny, Charles J.* → Fair, A.A.
**Kent, Karin**
*Keppel, Joost van* → Mérode, Willem de
Kerckhove, Iris van de → Wanten, Wendy van
Kerckhoven, P.F. van → Vrij, Jan de
Kern, Georg → Baselitz, Georg
*Kern, Gregory* → Shaw, Brian
Kerpel, Teunis Johannes → Noort, Niek van
**Kerr, Deborah**
**Kertbeny, Karl Maria**
Kertész, Mihály → Curtiz, Michael
Kesselaar, Rudolf Wijbrand → Carrell, Rudi
Keulen, Johannes van → Aalberse, Han B.
Keulen-Van der Steen, Mensje van → Biesheuvel, Mien
Keuning, Willem Eduard → Mérode, Willem de
Khan, Taidje → Brynner, Yul
**Kid Creole**
**Kidd, Michael**
Kienzle, Raymond Nicholas → Ray, Nicholas
Kierkegaard, Sören → Silentio, Johannes de
Kies, Margaret → Lindsay, Margaret
Kiesler, Hedwig Eva Maria → Lamarr, Hedy
Kievit, Cornelis Johannes → Belly
Kievit, Henk → Weidevogel, Henk
**Kim, Sandra**

Kimijoshi, Hiraoka → Mishima, Yukio
**King, B.B.**
**King, Carole**
King, Moira → Shearer, Moira
**King, Nosmo**
King, Riley B. → King, B.B.
King, Stephen → Bachman, Richard
**Kingsley, Ben**
**Kinski, Klaus**
**Kinski, Nastassja**
*Kip, Jaap* → Eleutheros
*Kip, Karel* → Hopper
Kipling, Rudyard → Avatar of Vishnuland
**Kirov, Sergej Mironowitsj**
Kissinger, Heinz → Kissinger, Henry
**Kissinger, Henry**
*Kittelman, Hendrik* → Falkland, Samuel
*Klaaszen, Krelis* → Bloempot, Aris Cornelisse
Klarenbeek, Joanna → Arean, Jenny
Klaver, Clare Helena → Lennart, Clare
**Klazien uit Zalk**
Klein, Carole → King, Carole
Kleinjans, Jos → Lochte, J.J. de
**Klerken, Jef van**
*Klèùsien uut Zalk* → Klazien uit Zalk
*Kleyn, J.* → Schaus, Itzik
**Klikspaan**
Klimentov, Andrej P. → Platonov, Andrej Platonovitsj
Kline, Frank → Latimore, Frank
Kloet, Co de → Coolen, Ian H.
Klomp, Hans M. → Proost, Mien
*Klondyke, Fjodor* → Bijkaart, Age
*Klont, James* → Jonghe, Marie-Claire de
Kloos, Willem Johannes Theodorus → Q.N.
Klooster, Willem Simon Brand → Brandt, Willem
*Kloot van Neukema, W.C.* → Perkens, Duco
Klootwijk, Wouter → Cocq, Ben de
Klossowski de Rola, Balthasar → Balthus
Klotz, Mary → Clarke, Mae

Kulk, Willem van der → Iependaal, Willem van
**Kultuur, Koos**
Küpper, Christian Emil Marie → Doesburg, Theo van
*Kuprianov, B.V.* → Lenin, Vladimir Iljitsj
Kurpershoek, René → Pronkheer, Serke
*Kuyck, A.L. van* → Bouts, Dirk
*Kuyck, A.L. van* → Perkens, Duco
Kuyck, Corneel Alfons van → Leeman, Cor Ria
**Kuyle, Albert**
Kuyten, Anton Adolf → Quintana, Anton
Kwakman, Marietje → Maribelle
*Kweetal* → Montag, S.
Kyvon, Adrianus Marinus → Duin, André van
*L.P.* → Deyssel, Lodewijk van
*L.v.d.R.v.B.* → Neve, Fiore della
**La Pat**
*Laadvermogen, Max* → Rabbé
Labberton, Johan Hendrik → Ameide, Th. van
Labrunie, Gérard de → Nerval, Gérard de
**Ladd, Cheryl**
**Ladner, Kurt**
*Laeken, Lodewijk van* → Bouter, K.
*Laer, Guy te* → Baden Powell of Wilwell, Lord Robert
*Laerman, Erico* → Leeman, Cor Ria
Laet, Jan Jacob Alfried de → Zoophylus
Laey, Omer Karel de → Sherry
**Lagarde, Alfred**
*Lagarde, Claudine* → Canneel, Piet
Lamar, Billy → Barton, Buzz
**Lamarr, Hedy**
Lammertink, Harry → Yrrah
**Lamour, Dorothy**
**Lamoureux, John**
Lampe-Soutberg, Elizabeth M. → Bibeb
*Lamprey, A.C.* → Pike, Robert L.
*Lan Pin* → Jiang Qing
**Lancee, Ferdi**
**Lanchester, Elsa**
Landau, Mark Aleksandrovitsj → Aldanov, Mark Aleksandrovitsj
**Landell, Olaf J. de**

**Landis, Jerry**
Landkroon, Wilma → Vader Abraham
**Landon, Michael**
**Lane, Priscilla**
Lane, Ralph Norman Angell → Angell, Norman Lane
*Lang, King* → Shaw, Brian
**Langen, Ferdinand**
*Langeweg, Victor* → Mantinga, Hector
Langhanke, Lucille Vasconcellos → Astor, Mary
*Lansdorp, Allard* → Sikkema, Marten
**Lanser, Ruard**
LaPierre, Cherilyn Sarkasian → Cher
*Lapwing, H.* → Weidevogel, Henk
Larsson, Signe Eleonora Cecilia → Hasso, Signe
*Larue, Lou de* → Vaneck, Ludo
*Lasarus, B.B.* → Blom, Jan
Last, Jef → Corydon
Lateur, Frank → Streuvels, Stijn
**Latimore, Frank**
Laudenbach, Pierre-Jules Louis → Fresnay,Pierre
**Laughlin, John**
**Laurel, Stan**
**Laurie, Piper**
**Lava, Arthur**
**Lavi, Daliah**
*Laviero, Rosita* → Zwarte Riek
*Lavolière* → Mus, M.
Lawrence, David Herbert → Davison, Lawrence H.
**Lawrence, Marc**
**Lawson, Wilfrid**
Laycock, Joanne Letitia → Dru, Joanne
**Lazlo, Viktor**
Lazzara, Bernadette → Peters, Bernadette
**Le Corbusier**
Leabo, Betty → Joyce, Brenda
Leach, Archibald Alexander → Grant, Cary
**Leadbelly**
**Leandros, Vicky**
*Leda, Alta* → Sherry
Ledbetter, Huddie William → Leadbelly
**Lee, Anna**

Lee, Brenda
Lee, Bruce
Lee, Gypsy Rose
Lee, Manfred Bennington
→ Queen, Ellery
Lee, Peggy
Lee, William
Leek, Harry Clifford → Keel, Howard
Leeman, Cor Ria
Leeuw, Aart van der → Wolf, A.L.
Leeuwarden, Johannes van
→ Lion, Johnny
Leeuwen, Abraham van → Broeksmit, Leo
Leeuwen, Bart van
Leeuwen, Jaap van → Santhorst, Arent van
Lee Yuen Kam → Lee, Bruce
Lefebvre, Germaine Marie → Capucine
Leffens, Ch. André → Duinkerken, Anton van
Legrand, E. → Enklaar, Willem
Lehmann, Louis Theodoor → Colmar, S.
Leigh, Janet
Leigh, Vivien
Leiker, Sjoerd → Haarsma, Menno van
Leinster, Murray
Leitch, Donovan Philip → Donovan
Lelekou, Irene → Papas, Irene
Lems, Liesbeth
Len, Lennie
Lenferink, Jan → Len, Lennie
Lenin, Vladimir Iljitsj
Lennart, Clare
Lennep, Liesbeth van
Lenormand, L. → Koopman, Wanda
Lensing, W.E. → Drucker, Wilhelmina Elisabeth
Lentevink, Jan → Len, Lennie
Lenya, Lotte
Leo → Wolf, A.L.
Leonard, Willem
Leopold, Isaiah Edwin → Wynn, Ed
Leppert, Alice Jeanne → Faye, Alice
Leslie, Joan
Lessing, Doris May → Somers, Jane

Leuvielle, Gabriel-Maximilien
→ Linder, Max
Levènbuch, Daliah → Lavi, Daliah
Leventon, Vladimir Ivan
→ Lewton, Val
Leverman, Jan Gerrit Bob Arend
→ Long, Robert
Levitch, Joseph → Lewis, Jerry
Lévy, Roger → Hanin, Roger
Lewis, Huey
Lewis, Jerry
Lewton, Val
Ley, T. de → Marja, A.
Lhin, Erik van
Li Shizheng → Duoduo
Li Yun Ho → Jiang Qing
Libbey, Beatrice Pauline → Frederick, Pauline
Licentiaat, Cyriel P. → Drs. P
Lichtenberger, Alan → Homunculus
Lichtveld, Lou → Helman, Albert
Lidi Ficor, Hans → Falkland, Samuel
Lieber, Victor → Droes, Kees
Liebkraft, Inge → Vaneck, Ludo
Liederer, Horst → Back, Johannes de
Lieu, Guillaume du → Sluyters, José
Ligtenberg, Lucas → Vree, Felix de
Lilar, Françoise → Mallet-Joris, Françoise
Lincoln, Elmo
Linde, Gerrit van der → Schoolmeester, de
Lindeboom, drs. G.J.
Linden, Coen van der → Lindeboom, drs. G.J.
Linden, Rob van der
Linder, Max
Linders, Jac
Lindo, Mary Ann → Lips, Han
Lindsay, Margaret
Linebarger, Paul → Smith, Cordwainer
Lingen, Theo
Linke Poot
Linkenhelter, Otto Elmo → Lincoln, Elmo
Lion, Johnny
Lips, Han
Lisi, Virna
Little, Malcolm → Malcolm X

Mast, Thijs
Mata Hari
Maté, Rudolph
Mathéh, Rudolf → Maté, Rudolph
Matsier, Nicolaas
Matthijssen, Joannes Michael
→ Marijnen, Joannes
Matthau, Walter
*Mattheson, Rodney* → Ashe, Gordon
*Matthews, Brad* → Ladner, Kurt
Matthews, Pauline → Dee, Kiki
Matuschanskayasky, Walter
→ Matthau, Walter
Maudet, Christian Albert François
→ Christian-Jaque
Maupassant, Guy de → Prunier, Joseph
Maupu, Sophie → Marceau, Sophie
Maurois, André
Maxwell, Robert
*May* → Abbing, Justine
May, Alice
May, Elaine
May, Joe
Mayo, Virginia
McBain, Ed
*McCann, Edson* → Lhin, Erik van
McClenny, Patsy → Fairchild, Morgan
McDonald, Frida Josephine → Baker, Josephine
McGiver, John
McGlade, Agnes Teresa → O'Connor, Una
M.C. Hammer
McIntyre Bickel, Frederick Ernest
→ March, Fredric
McKim, Anna → Dvorak, Ann
McKinnies Jr., Henry Herman
→ Hunter, Jeffrey
McLaughlin, John Crump
→ Laughlin, John
McManus, Declan Patrick → Costello, Elvis
McMath, Virginia Katherine → Rogers, Ginger
McMeekan, Wayne David → Wayne, David
*McMesser* → Fop, Trijntje
*M.C. Miker G.* → DJ Sven
McSean, Rita → Johnson, Rita
Meador, James Henry → Craig, James

Meat Loaf
Mechelen, Floris van
*Mée, Rob du* → Olierook, Hidde
Meeker, Ralph
*Meenen, Marc* → Boontje
*Meere, A.V. de* → Droes, Kees
*Meester Lansdorp, A.G. de* → Sikkema, Marten
*Meester van de Chaos* → Selfkicker, Johnny the
Mehboob
Mehboobkhan, Ramjankhan
→ Mehboob
Meijer, Henk → Romijn Meijer, Henk
Meijer, Ischa → Schröder, J.Ph.
Meijer, Jaap → Messel, Saul van
Meijeringh, Johanna Ernistina
→ Berretty, Yoka
Meijsing, Geerten → Joyce & Co.
Meinkema, Hannes
Meir, Golda
Meistersänger, Jacob der
Melanie
Melas
Melis, Hubert → Huybrechts, M.
Mellor, John → Strummer, Joe
*Meloen, Josien* → Biesheuvel, Mien
Melville, Anne
Melville, Jean-Pierre
Membrecht, Steven
Menco, Selma → Minco, Marga
Mendel
Mendes, Joost
*Menen, Marc* → Boontje
*Menetier, Nicole* → Canneel, Piet
*Mens, Adolf* → Aerde, Rogier van
*Mercer, Kelvin* → Trugoy the Dove
*Merckem, Floris van* → Grimajeur
Merckens, Marijke
Mercury, Freddie
Merlijn, H.J.
Merman, Ethel
Mérode, Willem de
*Merril, Lou* → Vaneck, Ludo
Mertz, Barbara → Michaels, Barbara
Merwe, A. v.d.
*Meslier, Curé* → Voltaire
Messel, Saul van
Methorst, Henri → Mechelen, Floris van
Meuldijk, Wim → Wimm

Meulen, Johan van der → O'Mill, John

Meyden, Henk van der → Washington, I.D.A.

Meygaard, Cornelia van → Stuart, Conny

**Meylander, Johan**

**Michael, George**

**Michaels, Barbara**

**Michel, K.**

**Michiels, Ivo**

Micklewhite, Maurice Joseph → Caine, Michael

*Middelie, Warder* → Dussen, Hank

Middleton, Peggy Yvonne → Carlo, Yvonne de

*Mijnssum, W. van de* → Falkland, Samuel

**Mik**

Mikkers, Jasper → Trolsky, Tymen

*Miles, Otis* → Franklin, Melvin

**Miles, Vera**

**Milestone, Lewis**

**Milian, Tomas**

*Milkwood Thomas, Robert* → Dylan, Bob

**Milland, Ray**

Millar, Kenneth → Macdonald, Ross

Millar, William → Boyd, Stephen

Miller, Agatha Mary Clarissa → Christie, Agatha

Miller, Chris → Captain Sensible

**Milo, Sandra**

*Milot, Kees* → Peskens, R.J.

Milstead, Harris Glenn → Divine

Milstein, Lewis → Milestone, Lewis

**Minco, Marga**

*Ministrel of the Border* → Cleisbotham, Jedediah

Minne, Richard → Pierken

Minnema, Sijbe → Polet, Sybren

**Miou-Miou**

**Miranda, Carmen**

Mischwitzky, Holger Bernhard → Praunheim, Rosa von

**Mishima, Yukio**

*Miso-Sarum, Gregory* → Drapier, M.B.

**Mistral, Gabriela**

**Mitchell, Cameron**

**Mitchell, Joni**

Mizell, Cameron → Mitchell, Cameron

**Mobachus, Vesalius**

**Moebius**

*Moer, Maarten van de* → Geerlinck, Johannes

Moerkerken jr., Pieter Hendrik van → Dumaar, P.

*Mof, Molly* → Sadeleer, C.N. de

Möhlen, Frank van der → Starik, Frank

Mok, Maurits → Mantinga, Hector

*Mok, Mozes* → Mantinga, Hector

**Molière**

*Molk, Erik* → Uten Hove, Beaet

**Molotov, Vjatsjeslav**

*Monck, Erik* → Uten Hove, Beaet

Moncorgé, Jean Gabin Alexis → Gabin, Jean

*Monday, Paul* → Glitter, Gary

Monet, August → RIP

*Monroe, Lyle* → MacDonald, Anson

**Monroe, Marilyn**

**Mons, Martin**

*Mons, S.* → Falkland, Samuel

*Monsanto, I.N.* → Onderdijk, Frits

Mont, Pol de → Baudewijns

**Montagne, Chiel**

**Montalte, Louis**

*Montalte, Lodewijk van* → Oordt, Jan van

**Montag, S.**

**Montand, Yves**

Montcorbier, François de → Villon, François

Montgomery Hitchcock, Reginald Ingram → Ingram, Rex

*Montreal, Jean* → Canneel, Piet

*Montsalvat* → Baudewijns

Mooij, Arend Theodoor → Marja, A.

Mooney, Jeri Lynn → Howard, Susan

*Moonvines, King* → Onderdijk, Frits

*Moor, Wam de* → Opheffer

*Mooses, R.J. Gorré* → Reve, Gerard

**Moravia, Alberto**

*Morecombe, Benjamin* → Zwik

*Moreno, Vincent* → Kampurt, Remko

**Moreno, Rita**

**Morgan, Claire**

Neuville, Louis
Neve, Fiore della
*Newman, Margaret* → Melville, Anne
Ni Bhraoáin, Eithne → Enya
Niblo, Fred
Nichols, Mike
Nico
*Nicodemus* → Elsschot, Willem
Nicole
*Nicta, Cali* → Falkland, Samuel
Nidl-Petz, Franz Eugen Helmut Manfred → Quinn, Freddy
*Nielsen, Jan* → Abel, Jurgen
Nierop, Pieter
Niet, Hein van der → Dongen, Frits van
*Nietzsche, Friedrich W.* → Helman, Albert
*Nieulant, A.Th.* → Swaertreger, M.
*Nieuwaal, D. van* → Rouveroy, Dorna de
Nieuwenhuys, Robert → Breton de Nijs, E.
Nieuwkerk, Matthijs van → Lips, Han
*Nightingale, Larry* → Joint, Julian the
*Nijland, Lieven* → Paradijs, Cornelis
Nijs, Jack de → Jersey, Jack
*Nike* → Fop, Trijntje
*Nikolai, Boris* → Konsalik, Heinz Günther
Nil admirari
*Nimwegen, J.M. van* → Swaertreger, M.
Nobile, Federico → Niblo, Fred
Nolde, Emil Hansen
*Nolleman sr., F.* → Parlevink
*Nooitgedacht, J.* → Mérode, Willem de
*Noordewind, J.* → Breekveld, Arno
Noordhout, W.S.
Noordstar, J.C.
Noort, Niek van
North, Sheree
Norway, Nevil Shute → Shute, Nevil
*Notabene, Nicolaus* → Silentio, Johannes de
Novak, Joseph
Novak, Kim
Novak, Marilyn → Novak, Kim

Novalis
Novarro, Ramon
*Nu-Jam* → DJ Sven
Nusselder, Yolande → Sauwer, Monika
Nutter, Edna May → Oliver, Edna May
Nylessa
O'Brien, Flann
O'Brien, Mary Isobel Catherina → Springfield, Dusty
O'Brien, Robert → Fortuyn/O'Brien
O'Brien Thompson, Estelle Merle → Oberon, Merle
O'Carroll, Marie-Madeleine Bernadette → Carroll, Madeleine
O'Conner, Frank
O'Connor, Una
*O'Day, Dawn* → Shirley, Anne
O'Donnell, Cathy
O'Donovan, Michael Francis → O'Conner, Frank
O'Dowd, George Alan → Boy George
O'Duys, Willem
O'Fearna, Francis → Ford, Francis
O'Fearna, Sean Aloysius → Ford, John
O'Hara, Maureen
O'Mahoney, Jacques → Mahoney, Jock
O'Mill, John
O'Nolan, Brian → O'Brien, Flann
*O'Squarr, M. Flor* → Drapier, M.B.
O'the Flannel, Dick
Oakes, Robert Clinton → Chandler, Lane
Oakie, Jack
*OAS* → Bijkaart, Age
Oberon, Merle
Obers, Franciscus Gerardus Jozef → Babylon, Frans
Observator
Ocean, Billy
*Octavius* → Tascorli, S.
Oeljanov, Vladimir Iljitsj → Lenin, Vladimir Iljitsj
Oever, Fenand van den
*Oeverloos, Klaas* → Geubels, dr. Onno
Offenbach, Jacques
Offield, Lewis Delaney → Oakie, Jack

Papathanassiou, Vassiliky → Leandros, Vicky
**Paradijs, Cornelis**
**Pareau, N.E.M.**
*Parelhoen, P.* → Mus, M.
Pargeter, Edith → Peters, Ellis
Paris, Dawn Evelyeen → Shirley, Anne
**Parker, Cecil**
**Parker, Dorothy**
*Parkes, Lucas* → Wyndham, John
*Parkes, Wyndham* → Wyndham, John
**Parlevink**
**Parlo, Dita**
**Paró, Juan**
*Parr, Robert* → Fair, A.A.
Pascal, Blaise → Montalte, Louis
**Pascoaes, Teixeira de**
*Pase Master Mase* → Trugoy the Dove
*Paskamer, Theo* → Trant, Douwe
*Passmore, George* → Gilbert & George
Patterson, Harry → Higgens, Jack
*Patterson, Henry* → Higgens, Jack
*Pattieson, Peter* → Cleisbotham, Jedediah
Paufichet, Jules → Berry, Jules
*Paul* → Cleisbotham, Jedediah
Paul, Stefania Zofja → Powers, Stefanie
**Paxinou, Katina**
**Peanstra, Tsjits**
Peck, Julie → London, Julie
Pedersen, Knut → Hamsun, Knut
Pedersoli, Carlo → Spencer, Bud
*Peerken* → Ravestein, Koen
*Peers, P.* → Falkland, Samuel
Peiser, Lillie Marie → Palmer, Lilli
**Pele**
Peleman, Bert → Dyckmans, Dirk
**Pelgrom, Els**
Pellegrini, Carlo → Ape
**Peller, P.R.O.**
**Mr. Pennewip**
*Pennings (O.P.), Drs. L. & Drs. B. Langeveld (O.P.)* → Vree, Felix de
Penniman, Richard → Little Richard
**Pepa**
**Peper, Rascha**
**Peperkamp, René**
*Pepifax* → Flanor

Perdeck, Albert Adam → Weye, Chris van der
*Perdok, Lokien* → Polet, Sybren
*Peregrijn, Lukas* → Forestier, Pauwel
**Pergolesi, Giovanni Battista**
**Périer, François**
Perk, Betsy → Philemon
Perk, Jacques → Ruen Delfra Sui
**Perkens, Duco**
**Permys, Martin**
**Pernath, Hugues C.**
**Perrin, Jacques**
Perron, Charles Edgar du → Perkens, Duco
*Perry, Jean du* → Sim, Georges
Perske, Betty Joan → Bacall, Lauren
*Person of Honour, A* → Drapier, M.B.
Peschkowsky, Michael Igor → Nichols, Mike
Pesjkov, Aleksej Maksimovitsj → Gorki, Maxim
**Peskens, R.J.**
Pessoa, Fernando → Caeiro, Alberto
**Peters, Arja**
**Peters, Bernadette**
*Peters, Elisabeth* → Michaels, Barbara
**Peters, Ellis**
Peters, Jane Alice → Lombard, Carole
Peters, Rob → Joint, Julian the
*Petit Moune* → Tascorli, S.
**Philalethes**
**Philemon**
*Philipp* → Baanbreker
*Philogunes* → Bloempot, Aris Cornelisse
*Philomath, T.N.* → Drapier, M.B.
**Phocius**
**Piaf, Edith**
*Piccardt, Engel* → Dupont, Marc
**Pickford, Mary**
**Piekos, Peter**
*Pienter, Peter* → Praetvaer
Pieralisi, Virna → Lisi, Virna
Pierangeli, Anna Maria → Angeli, Pier
Pierce, Ronald → Ely, Ron
**Pierken**
*Piet* → Spiridio

**Pieter Jelles**
*Pieters, geb. van Blijdenburg, Grie-tje* → Bloempot, Aris Cornelisse
*Pijm* → Streuvels, Stijn
*Pik* → Meylander, Johan
**Pike, Robert L.**
Pilu, François Gabriel → Périer, François
Pincherle, Alberto → Moravia, Alberto
Pinkhof, Philip → Davids, Heintje
Pinter, Harold → Baron, David
*Pinto, M. de* → Falkland, Samuel
*Pitcairn, John James* → Ashdown, Clifford
**Plafond, Jacques**
*Plaidy, Jean* → Carr, Philippa
**Plas, Michel van der**
*Plataan* → Joost
*Platen, Aug.* → Helpman, Mr. G.
Plath, Sylvia → Lucas, Victoria
**Platonov, Andrej Platonovitsj**
Plemiannikov, Roger Vadim → Vadim, Roger
*Plofteboene* → Belcampo
*Plokof, Jean* → Voltaire
Plumpe, Friedrich Wilhelm → Murnau, F. W.
Poe, Edgar → Poe, Edgar Allan
**Poe, Edgar Allan**
*Poel, Charles* → Hopper
**Pola, Alexander**
Polak, Abraham → Pola, Alexander
Polak, Bob → Vree, Felix de
Polak, Johan B.W. → Spui, Rob
Polder, Helena → Tante Leen
*Poleslas, Louis* → Deyssel, Lodewijk van
**Polet, Sybren**
Poliakoff-Baidarov, Marina de → Vlady, Marina
Pollack, Michael J. → Pollard, Michael J.
**Pollard, Michael J.**
Pollmann, Peter → Pontiac, Peter
Polzer, Heinz Herman → Drs. P
**Pontiac, Peter**
*Poortman, Thea* → Priktol
**Pop, Iggy**
Poquelin, Jean-Baptiste → Molière
Porter, William Sydney → Henry, O.
*Porterhouse, Tedham* → Dylan, Bob

*Posdnous* → Trugoy the Dove
Potter, Margaret → Melville, Anne
Pound, Ezra → Atheling, William
**Powell, Clive → Fame, George**
Powers, Stefanie
**Praetvaer**
Pratt, William Henry → Karloff, Boris
**Praunheim, Rosa von**
*Pr-d* → Deyssel, Lodewijk van
Premilovich, Marlene → Lovich, Lene
Premsela, Martin Jacob → Permys, Martin
Prendergast, John Barry → Barry, John
Presser, Jacques → Wageningen, J. van
*Presto* → Drapier, M.B.
**Prevost, Marie**
**Price, Dennis**
*Prijs, G.* → Grijs, Piet
*Prikkebeen* → Bouts, Dirk
*Prikkelbeen* → Dagboekanier
**Priktol**
**Prince**
**Principal, Victoria**
Principale, Concettina → Principal, Victoria
Pringle, John → Gilbert, John
Prins, Arij → Cooplandt, A.
Prins, Jakob Winkler → Brandt, Kasper
**Prins, Jan**
**Prins, Piet**
Prins, Sonja → Koopman, Wanda
**Pro Pius**
Proersch, Gilbert → Gilbert & George
Pronk, Kees → Heemskerk, Kees
**Pronkheer, Serke**
**Proost, Mien**
Proper, Rogier → Knasterhuis, Jaap
Provence, Marcel → Jouhandeau, Marcel
*Prudens Simplicitas* → Bruneel, Th.
*Prudhomme S.J., Pater Anastase* → Bijkaart, Age
**Prunier, Joseph**
*Punt, Piet* → Albe
*Puntdroad, Frederik* → Buiz'n Beernd
*Pym, Gordon* → Poe, Edgar Allan
**Q.N.**

Rogers, Ginger
Rogers, Roy
Roggen, André
Rohmer, Eric
Rohmer, Sax
Roland Holst-Van der Schalk, Henriëtte G.A.→ Opmerker
Roland Holst, Richard N. → R.I.K.
Romains, Jules
Romance, Viviane
*Rome, Jacques* → Sim, Georges
Romeo, Beresford → Jazzie B
Romijn, Jacob Pieter → Enklaar, Willem
Romijn Meijer, Henk
Ronns, Edward
Roobjee
Rooduijn, Tom → Jansen, Thomas
*Roofsand, Erik van* → Mahieu, Vincent
Rooney, Micky
Roos, Ger de → Boer Biet
*Rooy, Fernand van* → Neptuin
*Roper, Abel* → Drapier, M.B.
Roques, Jeanne → Musidora
Ros, Martin → Linden, Rob van der
*Rosa* → Wilde, Frans de
*Rosa, Oscar* → Riels, Steven
Rose-Price, Dennistoun John Franklin → Price, Dennis
Rosen, Robert → Rossen, Robert
Rosenberg, Leonard → Randall, Tony
Rosenstock, Samuel → Tzara, Tristan
Rosenthal, Lyova Haskell → Grant, Lee
Rosicrux
*Ross, Barnaby* → Queen, Ellery
*Ross, Bernard L.* → Myles, Symon
Ross, Tomas
Rosseels, Maria → Vervliet, E.M.
Rossen, Robert
Rothko, Mark
Rothkovitsj, Marcus → Rothko, Mark
Rothschild, Dorothy → Parker, Dorothy
*Rotoris* → Praetvaer
Rotstein-van den Brink, Klaasje → Klazien uit Zalk
Rotten, Johnny
*Roubykreks, Douwe* → Buch, Leopold de

*Rouislink, Barnt* → Ruyslinck, Ward
Roussel, Simone → Morgan, Michèle
Rouveroy, Dorna de
*Rouveroy, Dorna X. van* → Rouveroy, Dorna de
Rouveroy, Robert
Rouveroy van Nieuwaal, Dorne Xandre van → Rouveroy, Dorna de
Rouveroy van Nieuwaal, Emile Leonardus van → Rouveroy, Robert
Roy Parker, Robert Le → Cassidy, Butch
*Royen, Astrid van* → Aalberse, Han B.
Rubin, Harold → Robbins, Harold
Rubinstein, Renate → Tamar
Rudnitsky, Emmanuel → Ray, Man
Ruen Delfra Sui
Ruíz, José Martínez → Azorín
Ruman, Sig
Rumann, Siegfried Albon → Ruman, Sig
Ruppert, Charles → Drake, Charles
Ruysbeek, Erik van
Ruyslinck, Ward
Ryder, Jonathan
*Drs. S* → Drs. P
*S.* → Stemming, G.H.C.
*S.P.A.M.* → Drapier, M.B.
*S.S.* → Bliss, Reginald
*Saafte, Marius* → Deyssel, Lodewijk van
*Saaije Az., P.A.* → Ihlfeldt, Karl
Saaije C. Jzn., A.
*Sabbe, Albertina* → Casilla, Miguel de
Sabu
Saddler, Joseph → Grandmaster Flash
Sade
Sadeleer, C.N. de
Safka, Melanie → Melanie
Sagan, Françoise
*Sagetarius* → Bouts, Dirk
Sagitta
*Sagittarius* → Priktol
*Sagittarius, Dr.* → Philalethes
*Saint-Bris* → Ido, Victor
Saint-John Perse

**Spiridio**
**Spits, Frits**
*Spluijters, Ria* → Olierook, Hidde
Spoelstra, Cornelis J.G. → Doo-
laard, A. den
**Spooky**
**Spoor, Victor**
*Spreeuw, S.* → Mus, M.
**Springer, F.**
**Springfield, Dusty**
**Springfield, Rick**
Springthorpe, Richard → Spring-
field, Rick
Springveld, Erwin Olaf → Olaf, Er-
win
**Spui, Rob**
**Spy**
**St. Claire, Bonnie**
**St. John, Jill**
*St. John, Philip* → Lhin, Erik van
*Staad, Geo* → Drs. P
*Staal, Peter* → Espé
*Stabilo* → Peller, P.R.O.
*Staden, Dr. Alexius van* → Houten,
Jan van
*Stadtherr, Ludwig Otto* → Drs. P
Stainer, Leslie Howard → Howard,
Leslie
**Stalin, Josif Vissarionovitsj**
Stamperius, Hannemieke → Mein-
kema, Hannes
Standing, Dorothy Katherine
→ Hammond, Kay
**Stanislawski, Konstantin**
Stansfield, Grace → Fields, Gracie
**Stanwyck, Barbara**
*Staphorst, J.* → Stemming, G.H.C.
**Stapleton, Jean**
Stapleton, Kevin → Cope, Julian
*Stappers, Ir. B.J.* → Parlevink
*Stardust, Alvin* → Fenton, Shane
*Stardust, Ziggy* → Bowie, David
**Starewood, Fred**
**Starik, Frank**
*Stark, Richard* → Clark, Curt
Starkey, Richard → Starr, Ringo
*Starkin, Winchester* → Stradevarus,
Winnetou
**Starr, Ringo**
**Steele, Bob**
Steely, Ann → O'Donnell, Cathy
**Steen, Peter van**
**Steen, Eric van der**
*Steen, W. v.d.* → Schaus, Itzik

**Steenkamp, Achim**
Steinkamp, Joachim → Steenkamp,
Achim
*Steffer, Walter* → Stradevarus, Win-
netou
Stein, Julius Kerwin → Styne, Jule
Steinberger, Helmut → Berger, Hel-
mut
Steinmetz, Bert → Opheffer
**Steinway, Henry Engelhard**
Steinweg, Heinrich Engelhard
→ Steinway, Henry Engelhard
*stem uit de Dietsche Warande, Een*
→ Forestier, Pauwel
**Stemming, G.H.C.**
**Stenders, Rob**
Steng, Klaus → Brandauer, Klaus
Maria
Stensland, Inger → Stevens, Inger
**Sterling, Ford**
Stern, Josef → Sternberg, Josef von
**Sternberg, Josef von**
*Sternenburg, Ronald* → Steen-
kamp, Achim
*Steurs, Steven* → Uten Hove, Beaet
**Stevens, Cat**
**Stevens, Connie**
**Stevens, Craig**
**Stevens, Inger**
Stevens, Ruby → Stanwyck, Barba-
ra
**Stevens, Stella**
Stewart, James Lablache → Gran-
ger, Stewart
Stewart, Sylvester → Stone, Sly
Stigter, Gerard → Schippers, K.
*Stillebroer, Jacob* → Hart, Martin
**Sting**
Stip, Kees → Fop, Trijntje
Stipetic, Werner → Herzog, Werner
*Stirling, Arthur* → Fitch, Clarke
Stitch, George Ford → Sterling,
Ford
*Stock, J. van der* → Brugghenaere,
Jan de
Stockard, Susan Williams Antonia
→ Channing, Stockard
*Stoker* → Grijs, Piet
**Stone, Irving**
**Stone, Sly**
*Stone, Zachary* → Myles, Symon
*Stoop, J.W.* → Falkland, Samuel
Stoppelman, Mary Jeanette → Dor-
na, Mary

194   register

*Terwispel, H.M. van* → Breekveld, Arno
*Terzake, Jan* → Ravestein, Koen
**Tey, Elizabeth**
*The Edge* → Vox, Bono
Thibault, Jacques Anatole François → France, Anatole
**Thiel, To van**
Thiery, Herman → Daisne, Johan
*Thijssen, E.W.* → Falkland, Samuel
Thijssen, Felix → Lanser, Ruard
Thomas, Ross → Bleeck, Oliver
Thompson, Arthur Leonard Bell → Clifford, Francis
*Thomson, Edward* → Shaw, Brian
*Thomson, M.* → Voltaire
Thornburg, Elizabeth Jane → Hutton, Betty
*Tibbs* → Boz
Tierney, Gerald → Brady, Scott
*Tiger, Theobald* → Panter, Peter
*Tijl* → Dyckmans, Dirk
*Tillray, Les* → Fair, A.A.
Timmers, Oscar → Ritzerfeld, J.
*Tinker, T.* → Drapier, M.B.
**Tiptree Jr., James**
*Titinius* → Violette, Geo de la
**Tito, Josip**
**Titurel**
**Todd, Michael**
Tol, Hans van → Hansse, Tol
*Tom & Jerry* → Landis, Jerry
*Tomahawk, Short* → Brendall, Edith
Tomkins, Yewell → Ewell, Tom
Tomlinson, Mary → Main, Marjorie
Tonus, Herman → Hermus, Anton
**Tony**
**Toon**
*Toonder* → Abel, Jurgen
Toonder, Eiso → Abel, Peter
Toonder, Jan Gerhard → Abel, Jurgen
Toonder, Marten → Abel, Jurgen
*Toontreder* → Leonard, Willem
**Tooren, J. van**
**Topol**
Topol, Chaim → Topol
*Torenkraai, Hugo de* → Grijs, Piet
**Tosh, Peter**
*Tour, Willem du* → R.I.K.
Tournachon, Gaspard Félix → Nadar
**Tournier, Luc**

Toussaint, Fernand Victor → Toussaint van Boelaere, F.V.
**Toussaint van Boelaere, F.V.**
**Towers, Lee**
Tranquilli, Secondo → Silone, Ignazio
**Trant, Douwe**
*Trapjes, Jozef* → Grijs, Piet
*Trasybulus* → Oordt, Jan van
**Travers, Henry**
*Trestine, Léon* → Permys, Martin
**Trevanian**
**Trevor, Claire**
**Trevor, William**
*Trijfel* → Hopper
Trimmer, Deborah Jane → Kerr, Deborah
*Tripe, Dr. Andrew* → Drapier, M.B.
Troelstra, Pieter Jelles → Pieter Jelles
**Trolsky, Tymen**
Trossèl, Patty → La Pat
**Trotski, Lev Davidovitsj**
**Troyat, Henri**
**Trugoy the Dove**
*Truhll, Thea* → Böker, Harda
**Trum, Claus**
Truscott-Jones, Reginald → Milland, Ray
Tubb, Edwin Charles → Shaw, Brian
Tucholsky, Kurt → Panter, Peter
**Tucker, Sophie**
Tukker, Martin → Anders, Martin
*Tulin, K.* → Lenin, Vladimir Iljitsj
*Tulli, Emelio* → Stradevarus, Winnetou
**Tura, Will**
Tureaud, Lawrence → Mr. T
Turenhout, Frits van → Starewood, Fred
Turnbull, Dora Amy → Wentworth, Patricia
**Turner, Tina**
Tuvim, Judith → Holliday, Judy
Tuyll van Serooskerken, Isabella Agneta Elisabeth van → Zuylen, Belle van
**Twain, Mark**
**Twiggy**
**Twijfelloos, Franciscus**
**Tyler, Tom**
*Tyro* → Bliss, Reginald
**Tzara, Tristan**

U.E.V.
*Udo, P.S.E.* → Tascorli, S.
*Uier van 't Oosten* → Habakuk II
de Balker
*D'Uiterkerke, F.J.A.M. de V.*
→ Deyssel, Lodewijk van
Uleners, Godelieve → Willems,
Liva
Ullman, Douglas Elton Thomas
→ Fairbanks, Douglas
**Underwood, Michael**
**Urk, Aug.**
**Uten Hove, Beaet**
*Uyl, Joop den* → Grijs, Piet
**Uytendaele, Lucien**
**Vaak, Klaas**
**Vader Abraham**
*Vadet, Cathérine* → Voltaire
**Vadim, Roger**
Valentino d'Antonguolla, Rodolfo
Alfonzo Raffaelo Pierre Filibert
Guglielmi di → Valentino, Ru-
dolph
**Valentino, Rudolph**
*Valkenburg, Elisabeth van* → Phile-
mon
**Valkenier, Frank**
**Valleide, Guus**
**Valli, Alida**
**Valli, Frankie**
*Valstar, Victor* → Heide, Willy van
der
**Van Dine, S.S.**
*Van een varenden medewerker*
→ Ravenswood, John
**VandenBos, Conny**
Vandersteen, Willy → Mik
**Vaneck, Ludo**
Vanerven, Jechinna → Peters, Arja
**Vanessa**
**Vanilla Ice**
**Vanter, Gerard**
Varaigne, Dominique → Sanda,
Dominique
*Varekamp, Willem* → Schaus, Itzik
*Varen, Christiane* → Brendall,
Edith
*Varius* → Paradijs, Cornelis
**Varno, Roland**
**Vasalis, M.**
Vasconcelos, Joaquim Pereira
Teixeira de → Pascoaes, Teixeira
de

Vat, Daniël Gerhard van der
→ Zonderland, Daan
**Vaughan, Frankie**
Veen, Sven van → DJ Sven
Veer, Hendrik de → Mobachus, Ve-
salius
Veerkamp, Joost → Baden Powell
of Wilwell, Lord Robert
Veiga, Fernando Casado Arambil-
let → Rey, Fernando
**Veke, L.I.**
**Velde, Tine van der**
*Velp, Hans* → Dagboekanier
Ven, Franciscus Josephus Henricus
Maria van der → Valkenier, Frank
*Ven, Ton* → Mandeau, Emile
Venema, Adriaan → Hooven, A.
ten
*Venison, A.* → Atheling, William
*Venne, Joost van de* → Dhoeve, An-
dries
**Ventura, Lino**
**Vera-Ellen**
Verbrugge, Carel → Alberti, Willy
*Verbrugge, Joost* → Reeder, Théo
Verbrugge, Willy Albertina → Al-
berti, Willeke
Vercammen, Johan → Dhoeve, An-
dries
**Vercel, Roger**
**Vercors**
*Vere, Ray* → Boekuil, De
Verhagen, Adrianus → Lochte, J.J.
de
Verhagen, Jean Shirley → Hagen,
Jean
**Verhoef, Goos**
Verhoeven, Wim → Biezen, Y. ten
Verhulst, Raf → Ravestein, Koen
*Verley, Prosper* → Titurel
Vermaat, Wilhelmina → Wilma
Vermeulen, Fred → Lips, Han
Vermeylen, August → Droes, Kees
Vermij, Peter → Lips, Han
**Verneuil, Henri**
**Vernon, Anne**
**Verona, Luigi di**
*Verône, Louis de* → Verona, Luigi
di
Verschuere, Karel → Mik
Verstegen, Peter → Streepjes, Igor
**Vertov, Dziga**
**Vervliet, E.M.**
**Vervoort, Alma**